O FENÔMENO *GASLIGHTING*

Stephanie Moulton Sarkis, Ph.D.

O FENÔMENO *GASLIGHTING*

A estratégia de pessoas manipuladoras para distorcer a verdade e manter você sob controle

Tradução

Denise de Carvalho Rocha

Título do original: *Gaslighting – Recognise Manipulative and Emotionally Abusive People – and Break Free.*

Publicado mediante acordo com a Da Capo Lifelong, um selo da Perseus Books, LLC, uma subsidiária da Hachette Book Group, Inc. Nova York, Nova York, USA.

1ª edição 2019. /4ª reimpressão 2025.

Nota: As histórias contidas neste livro são verdadeiras e completas, na medida do nosso conhecimento. Ele se destina a servir apenas como um guia informativo para aqueles que desejam saber mais sobre o assunto e, de forma alguma, pretende substituir a consulta a um médico. A decisão final sobre a melhor conduta em relação aos problemas apresentados deve ser tomada entre você e seu profissional de saúde. Recomendamos com veemência que siga os conselhos dele. As informações desta obra são de cunho geral e oferecidas sem nenhum tipo de garantia por parte dos autores ou da editora brasileira. Os autores e a editora se isentam de toda responsabilidade com relação ao uso deste livro. Os nomes e detalhes que identificam as pessoas associadas a eventos descritos neste livro foram alterados. Qualquer semelhança com pessoas reais é mera coincidência.

Editor: Adilson Silva Ramachandra
Gerente editorial: Roseli de S. Ferraz
Produção editorial: Indiara Faria Kayo
Editoração eletrônica: Join Bureau
Revisão: Vivian Miwa Matsushita

Dados Internacionais de Catalogação na Publicação (CIP)
(Câmara Brasileira do Livro, SP, Brasil)

Sarkis, Stephanie Moulton
O fenômeno Gaslighting: a estratégia de pessoas manipuladoras para distorcer a verdade e manter você sob controle / Stephanie Moulton Sarkis; tradução Denise de Carvalho Rocha. – São Paulo: Cultrix, 2019.

Título original: Gaslighting – recognise manipulative and emotionally abusive people: and break free.
ISBN 978-85-316-1490-3

1. Comportamento manipulativo 2. Manipulação emocional 3. Relações interpessoais I. Título.

19-24259 CDD-158.2

Índices para catálogo sistemático:

Manipulação emocional: Psicologia 158.2
Iolanda Rodrigues Biode – Bibliotecária – CRB-8/10014

Direitos de tradução para o Brasil adquiridos com exclusividade pela EDITORA PENSAMENTO-CULTRIX LTDA., que se reserva a propriedade literária desta tradução.
Rua Dr. Mário Vicente, 368 — 04270-000 — São Paulo, SP
Fone: (11) 2066-9000
http://www.editoracultrix.com.br
E-mail: atendimento@editoracultrix.com.br
Foi feito o depósito legal.

Para todos que já foram vítimas de um gaslighter.

Que vocês encontrem luz, esperança e cura.

Sumário

Introdução

Você conhece o *gaslighter*. É o namorado supercontrolador que envolve você porque é charmoso, espirituoso e autoconfiante. É a colega de trabalho que sempre dá um jeito de levar o crédito pelo trabalho que você faz. É o vizinho que acusa você de colocar o lixo na lixeira dele; o político que nunca admite um erro; o assediador que culpa a vítima. Exímios controladores, muitas vezes eles desafiam a sua noção da realidade. E eles estão por toda parte. Políticos de projeção internacional, celebridades, o seu chefe, um irmão ou parente, uma amiga, um colega de trabalho, um vizinho, um sócio. Qualquer um deles pode ser um *gaslighter*.

Eles nos convencem de que estamos malucas; de que somos agressivas; de que somos um poço de problemas e, portanto, ninguém vai nos querer; de que somos péssimas funcionárias e só não fomos despedidas ainda graças ao bom Deus; de que somos péssimas mães e não deveríamos ter tido filhos; de que não sabemos administrar a nossa própria vida ou de que somos um peso para os outros. Eles são tóxicos.

Com a campanha presidencial americana de 2016 e toda a celeuma sobre *fake news* ("notícias falsas"), o termo *gaslighting* se popularizou (se a confiança que temos nas fontes de notícias puder ser abalada, será mais fácil consolidar o poder e a autoridade enchendo nossa cabeça com distorções. Um caso clássico de *gaslighting*). Mas não existem pesquisas conclusivas sobre *gaslighting*; e não há descrição desse comportamento no *Manual Diagnóstico e Estatístico de Transtornos Mentais* (DSM) da Associação Americana de Psiquiatria. O *gaslighting* pode se parecer com outros transtornos, como o da personalidade narcisista, por exemplo. Mas em meu trabalho como psicóloga descobri que os *gaslighters* têm uma série distinta de comportamentos. Alguns são fáceis de identificar; outros desafiam nossa percepção. Eles são mestres na manipulação, e precisamos saber como identificá-los, como evitá-los e o que fazer se estivermos às voltas com alguém assim.

A ORIGEM DO TERMO

O que realmente significa *gaslighting** e de onde surgiu esse termo? Embora o uso documentado dessa palavra e de suas variantes remonte a 1952 (Yagoda, 2017), o termo, definido como um tipo de abuso ou manipulação psicológica, só foi adicionado ao *Oxford English Dictionary* em dezembro de 2004. Ele parece ter sido cunhado pelo dramaturgo inglês Patrick Hamilton na peça *Gas Light*, de 1938, e se tornou amplamente conhecido com o filme *À Meia-Luz* (*Gaslight*), de 1944, dirigido por George Cukor e estrelado por Ingrid Bergman e Charles Boyer. No filme, Gregory, marido de Paula, tenta convencê-la

---

* "Iluminação a gás", em inglês. No contexto psicológico, há quem o traduza por "subversão". (N.T.)

de que ela está ficando louca, perdendo objetos que lhe são preciosos, ouvindo e vendo coisas que não existem e achando que as luzes estão piscando quando ele afirma que não estão. Vou deixar que você descubra o desfecho se ainda não assistiu ao filme.

Os *gaslighters* usam as suas próprias palavras contra você; tramam contra você; mentem na sua cara; negam as suas necessidades; exibem poder excessivo; tentam convencê-la de uma realidade forjada; fazem com que a sua família e os seus amigos se voltem contra você – tudo isso para vê-la sofrer, para consolidar o poder que exercem e para fazer com que você fique mais dependente deles.

O *gaslighting* é praticado igualmente por homens e mulheres. Mas é bem provável que você ouça falar mais em homens que fazem esse tipo de manipulação, pois o comportamento das mulheres às vezes não é levado tão a sério como deveria.*

Para os *gaslighters*, manipular é um estilo de vida. É importante observar que a manipulação por si só não é algo ruim. As pessoas usam a manipulação de maneiras positivas o tempo todo, e podem exercer grande influência positiva sobre os outros (Cialdini, 2009). Por exemplo, podemos ser influenciadas e manipuladas para trabalhar em prol de uma causa ou para cuidar mais de nós mesmas. Imagino que você chame isso de persuasão, mas existe uma tênue diferença. Os *gaslighters*, no entanto, usam a manipulação para obter controle sobre os outros. Esse tipo de influência não tem nada de bom.

A manipulação geralmente é lenta e insidiosa, e pode ser que você só perceba a extensão do dano quando "cair a ficha"; quando sua família ou seus amigos a confrontarem; ou quando se der conta de que aquela colega de trabalho foi a responsável por você ter perdido o emprego. O objetivo deles é tirar o seu equilíbrio e fazer você

---

* Embora o *gaslighting* possa ocorrer com homens e mulheres, como grande parte dos casos citados pela autora trata de mulheres vítimas do *gaslighting*, optamos por nos dirigir às leitoras do sexo feminino. (N.T.)

questionar a sua própria realidade. Quanto mais confiar neles, mais controle eles terão sobre você. É esse poder e esse controle que eles querem.

Como eu disse, o *gaslighting* tem características de outros transtornos da personalidade. Algumas pessoas se encaixam nos critérios dos seguintes transtornos do DSM da Associação Americana de Psiquiatria, relacionados no manual como Transtornos da Personalidade do Grupo B:

- Transtorno da personalidade histriônica.
- Transtorno da personalidade narcisista.
- Transtorno da personalidade antissocial.
- Transtorno da personalidade *borderline.*

Todos os transtornos da personalidade do Grupo B são caracterizados por impulsividade. Acredita-se que os transtornos da personalidade estejam profundamente arraigados no comportamento do indivíduo, o que faz com que seja muito difícil tratá-lo. As pessoas que têm transtornos da personalidade também são egossintônicas, ou seja, estão em sintonia com o próprio eu. Elas acreditam que todo mundo está louco ou tem algum problema, menos elas. Isso lhe parece familiar? Até mesmo psicoterapeutas extremamente competentes têm dificuldade para tratar os transtornos da personalidade. Não ache que vai conseguir ajudar (ou obter ajuda para) alguém com uma sólida história de *gaslighting*. Em geral, a melhor coisa que você pode fazer é ficar o mais longe que puder dessas pessoas. Se não for possível, é melhor estabelecer limites claros e não se envolver com elas. Ao longo de todo este livro, vamos analisar como fazer isso com os vários tipos de *gaslighters* e de situações.

Se você tem algum envolvimento com um *gaslighter*, seja em casa, no trabalho ou em qualquer outro lugar, espero que sinta algum alívio em saber que não está sozinha – e que o conhecimento de que várias outras pessoas passam pelo mesmo que você a leve a ter coragem de se distanciar do *gaslighter* em sua vida. Você merece mais do que isso.

POR QUE DECIDI ESCREVER SOBRE ESSE ASSUNTO

Como psicóloga, tenho visto de perto os efeitos do *gaslighting* em meu consultório. Como sou especializada em Transtorno do Déficit de Atenção e Hiperatividade (TDAH) e em dor crônica, e os *gaslighters* costumam visar pessoas exatamente com esses tipos de vulnerabilidade, em geral conheço mais sobreviventes de *gaslighting* que outros psicólogos. Muitos dos meus clientes sofrem de depressão, ansiedade e até mesmo tendência suicida por causa do comportamento de um *gaslighter*.

Sou também mediadora de conflitos de família, credenciada pelo Tribunal de Justiça da Flórida. Nas mediações, já vi *gaslighters* em ação, principalmente em disputas pela guarda dos filhos. Eles têm maior propensão a se envolver nesse tipo de conflito e costumam travar longas batalhas judiciais, em vez de tentar chegar a um acordo. Em geral, advogados e juízes experientes conseguem perceber logo de cara o *gaslighting*, mas algumas pessoas são tão habilidosas na arte da manipulação que, às vezes, até mesmo profissionais da área de saúde mental não conseguem identificar esse comportamento.

Eu conheço o tipo de dano que os *gaslighters* podem causar, mas também consigo perceber seus padrões de comportamento. Desde que comecei a publicar artigos sobre *gaslighting* em meu blog, *Psychology Today,* tenho recebido e-mails e telefonemas do mundo todo. As pessoas ficam agradecidas por poder falar sobre o inferno que é lidar com um *gaslighter* em suas vidas e querem me contar histórias. Elas também perguntam como podem se proteger ou parar de se envolver com esses manipuladores.

Um dos meus artigos, em particular, "11 Warning Signs of Gaslighting" [Onze Sinais de Alerta de *Gaslighting*], postado em janeiro de 2017, viralizou. Até a publicação deste livro, ele contava com milhões de acessos. Depois desse artigo, o número de telefonemas e e-mails aumentou vertiginosamente. Cheguei a ser procurada por pessoas que reconheciam o comportamento de *gaslighting* em si mesmas e estavam desesperadas para encontrar alguém que as ajudasse. Em grande parte, foram as respostas que recebi de pessoas ávidas por informações que me convenceram a escrever este livro.

Quanto mais você souber sobre *gaslighting*, mais fácil será se proteger. Seja você uma vítima/sobrevivente de *gaslighting*; um psicólogo que ajuda pessoas que sofreram *gaslighting*; alguém que descobriu as próprias tendências para o *gaslighting*; ou se está pensando (ou voltando a pensar) em ter um relacionamento amoroso, iniciando um novo emprego, contratando funcionários, saiba que, se quiser se antecipar e reconhecer possíveis sinais de alerta, você encontrará informações de grande valor neste livro.

O QUE TEMOS PELA FRENTE

Em primeiro lugar, uma observação: como você verá nesta seção, os capítulos estão divididos por tema. Mas, se estiver pensando em ir direto para um capítulo que parece particularmente relevante para a sua situação, eu aconselho você a não fazer isso. Comece do início e leia o livro inteiro. O *gaslighting* pode ser complexo, e você talvez encontre informações relevantes à sua situação em capítulos inesperados. Ao ler sobre namoro, criação dos filhos, trabalho e outras circunstâncias nas quais os *gaslighters* provocam um grande estrago, terá uma noção completa do *gaslighting* e do que você pode fazer a respeito.

No Capítulo 1, vamos ver os inteligentes processos de manipulação usados por esses indivíduos. O *gaslighting* diz respeito essencialmente a controle, a obter controle sobre os outros – seja no trabalho, em casa ou numa escala mais global. Você conhecerá as táticas de persuasão que eles usam para corroer a sua autoestima. Eles aumentam o nível de manipulação lentamente; quando percebem que você aceitou um comportamento ligeiramente manipulativo, sabem que você caiu na rede. Então, certos de que continuará engolindo a isca, aumentam o grau de manipulação. Eles sabem que, se você aceita determinado comportamento, será muito mais previsível e condescendente.

Todo relacionamento amoroso pode ser desafiador às vezes, mas com os *gaslighters* eles são um suplício. Mesmo pessoas autoconfiantes podem se relacionar com *gaslighters* e ter muita dificuldade para se livrar deles. O Capítulo 2 ajudará você a descobrir se está num desses relacionamentos. Você conhecerá alguns dos sinais claros, e também os mais sutis, de *gaslighting*; também entenderá os riscos que corre ao manter o relacionamento.

No Capítulo 3, vou chamar a sua atenção para os sinais de alerta aos quais você deve ficar atenta num primeiro encontro. Também vou analisar os objetivos do *gaslighter* num relacionamento amoroso, que geralmente é visto apenas como intenso. Vou lhe mostrar que medidas você pode tomar para evitar *gaslighters*. Por fim, você aprenderá a sair de um relacionamento amoroso tóxico e a se proteger no futuro.

No Capítulo 4, vamos ver como os *gaslighters* destroem o ambiente de trabalho. Eles inventam histórias para fazer com que colegas sejam despedidos; e, se estiverem em cargo de chefia, atormentam e intimidam seus subordinados e os jogam uns contra os outros para desviar a atenção do seu próprio comportamento antiético no trabalho. O *gaslighter* pode estar em qualquer lugar da sua empresa: pode ser o patrão, um colega ou outro funcionário qualquer, do presidente ao faxineiro. Vamos ver como alguns *gaslighters* desestruturaram empresas que funcionavam bem; fizeram com que pessoas deixassem o emprego que, em outros aspectos, achavam perfeito; e como foram responsáveis por inúmeras ações judiciais de assédio moral.

O *gaslighter* geralmente faz tudo para prejudicar a imagem dos colegas de trabalho e só fica feliz quando consegue puxar o tapete de alguém. Ele vai levar o crédito pelo seu trabalho; fazer uma avaliação ruim do seu desempenho profissional para manter você sob controle; ou ameaçá-lo com um processo judicial para obter aquilo que quer. Esse comportamento pode ser muito parecido com assédio, e na verdade é. Nos Estados Unidos, existem leis que protegem as pessoas contra o assédio de *gaslighters* no trabalho. Vou fazer uma lista das táticas que você pode usar para se proteger, como, por exemplo, ter sempre testemunhas por perto.

Esta é a era da *hashtag* #MeToo ["Eu Também"]. As pessoas estão revelando casos de assédio ou maus-tratos de que foram vítimas, às vezes durante anos. O que antes não era levado em consideração ou não era comentado agora está sendo falado abertamente. Os *gaslighters* infernizam a vida das pessoas para manipulá-las e controlá-las; costumam atacar aquelas que têm menos poder e autoridade, e ameaçam quem tenta denunciar seu comportamento. Também podem ser autores de violência doméstica, cometendo violência verbal, física, sexual ou emocional para manter suas vítimas em estado permanente de medo. No Capítulo 5, vou explicar quais são os diferentes tipos de violência (veja se algum deles se aplica ao seu relacionamento). Você saberá por que é tão perigoso permanecer num relacionamento abusivo e aprenderá os passos que deve seguir para se libertar de uma vez por todas.

O *gaslighting* não ocorre só em relação ao indivíduo. As técnicas de *gaslighting* também são usadas por pessoas que ocupam cargos públicos para tirar o equilíbrio dos cidadãos e dos opositores, e mantê-los confusos e distraídos – em outras palavras, para que sejam facilmente controlados. No Capítulo 6, vamos voltar a nossa atenção para a esfera política e analisar como alguns políticos e ditadores conseguiram obter um efeito "Svengali"* sobre os cidadãos. É o *gaslighting* em grande escala.

Os políticos *gaslighters* nos distraem com um comportamento provocador e bizarro, enquanto desmantelam instituições e práticas culturais arraigadas. O que os cidadãos devem fazer quando o líder do seu país está manipulando o povo? Nesse capítulo, vamos discutir maneiras pelas quais os cidadãos podem fazer uma mudança social positiva, ao mesmo tempo que se protegem de líderes manipuladores, tanto no âmbito jurídico como em termos de segurança pessoal. Organizar-se em grupos é uma das maneiras mais eficazes pelas quais os cidadãos podem combater o *gaslighting*. Sim, a união faz a força.

O Capítulo 7 analisa outra forma de *gaslighting* em massa: as seitas e os grupos extremistas. Talvez você pense que seitas são coisas de filme; mesmo assim, vai querer ler esse capítulo, pois ele pode se aplicar a comunidades fechadas. Os líderes de seitas e de grupos extremistas se encaixam perfeitamente no nosso perfil de *gaslighters*. Eles costumam ser muito carismáticos e chegam a extremos para exercer o controle; muitas vezes afastam as pessoas da própria família, controlando seus bens, determinando seus parceiros, definindo em que devem trabalhar e moldando sua noção de realidade. As seitas religiosas certamente são as mais conhecidas, mas vamos analisar também outros tipos de seita e os grupos extremistas. Qualquer organização que funcione dentro de um ecossistema fechado de liberdades pessoais extremamente restritas provavelmente se qualifica como uma seita ou como um grupo extremista. Vamos ver quais são os sinais clássicos de que você ou um ente querido está envolvido

* Personagem do romance *Trilby*, de George du Maurier (1984), que se tornou sinônimo de pessoa mau-caráter, que manipula e controla as outras. (N.T.)

nesse tipo de *gaslighting*; também veremos como se proteger nesses casos e se é possível ajudar seu ente querido ou se é melhor cair fora.

Alguns de nós conhecemos o *gaslighting* na infância, se nossos pais adotaram essa atitude para exercer controle sobre nós. No Capítulo 8, vamos ver como lidar com pais manipuladores. Você vai saber de que maneira os filhos podem ser afetados na vida adulta por pais *gaslighters*. Vamos ver também que muitas vezes o comportamento *gaslighting* é passado de geração em geração. Crianças criadas por *gaslighters* geralmente usam a mesma tática em seus próprios relacionamentos íntimos e em suas amizades. Afinal, como diz o ditado, "Diga-me com quem andas e te direi quem és".

Continuar a usar as habilidades de enfrentamento aprendidas com pais manipuladores pode levar a uma vida inteira de relacionamentos ruins e desfeitos. Como muitos desses pais têm transtornos da personalidade e os filhos imitam seus comportamentos, muitas vezes os próprios filhos são diagnosticados equivocadamente como portadores de transtornos da personalidade (Donatone, 2016).

Alguns filhos de *gaslighters* também se tornam *gaslighters* na idade adulta, mas outros não. Na verdade, alguns desenvolvem uma personalidade oposta – eles se tornam codependentes e assumem o papel de pais do próprio pai ou da mãe, ou seja, há uma inversão de papéis. Vou dizer o que você deve fazer se estiver nessa situação e como deve lidar com os *gaslighters* quando não for possível afastar-se completamente deles. Você também vai aprender o que fazer se seus irmãos ou filhos adultos forem *gaslighters*. Nem sempre você pode deixar de entrar em contato com essas pessoas, como faria com colegas de trabalho e amigos. Você vai aprender a lidar com irmãos que são *gaslighters*. E vai saber mais sobre o "filho predileto" (ou "filho de ouro") e o "filho bode expiatório"; vai descobrir como esses papéis influenciam o relacionamento entre irmãos na idade adulta.

O termo *frenemy*, uma mistura de amigo (*friend*) e inimigo (*enemy*), deve ter sido inventado por *gaslighters*. Trata-se de pessoas que aparentemente são suas amigas, mas que estão sempre competindo e rivalizando com você. No Capítulo 9, você conhecerá esses "vampiros emocionais", capazes de sugar toda a energia de alguém. Os *gaslighters* coletam informações fornecidas por você e mais tarde usam o que sabem a seu respeito para prejudicá-la. Eles tratam a sua vulnerabilidade, geralmente uma parte sadia dos relacionamentos, como uma fraqueza a ser explorada. Os *gaslighters* também são famosos por jogar amigos uns contra os outros – de modo que precisem lhe pedir ajuda. Esse capítulo também traz dicas sobre o que fazer quando esses manipuladores espalham boatos a seu respeito, uma tática comum usada quando percebem que você está se afastando.

No Capítulo 10, vou explicar como lidar com um ex-marido do qual você não pode fugir. Se tem filhos com um *gaslighter*, você não pode cortar relações com essa pessoa definitivamente, e talvez tenha de ver seus filhos sofrerem por causa disso. A alienação parental, o ato de colocar os filhos contra o pai ou a mãe, é um objetivo comum dos *gaslighters* (Kraus, 2016). Uma tática de alienação parental usada por eles é fazer com que os filhos chamem o ex-parceiro ou a ex-parceira pelo nome, e não de pai ou mãe; ou pedir ao outro que chame o filho por um novo apelido, para criar uma distância emocional entre eles (Warshak, 2015).

Alguns *gaslighters* chegam a fazer acusações de maus-tratos para obter a guarda dos filhos, mas não estão interessados no bem-estar deles; querem controlá-los e punir o ex-parceiro. Já vi longas batalhas nos tribunais que arruinaram emocional e financeiramente um dos pais. O Capítulo 10 analisa como proteger seus filhos e lutar pelos direitos e pela saúde mental deles.

Nesse ponto, talvez você perceba que tem um comportamento típico de *gaslighters* – ou talvez suspeitasse disso desde o início e exatamente por isso está lendo este livro. O Capítulo 11 vai ajudá-lo a descobrir se você tem o hábito de manipular as pessoas. Vou dar orientações sobre como encontrar um psicólogo para lidar com isso e como perceber se você tem magoado as pessoas que estão à sua volta. Você verá que a convivência com manipuladores, não importa por quanto tempo, pode fazer com que você tenha o mesmo comportamento como uma forma de lidar com a situação. Isso se aplica especialmente se seus pais, um parceiro ou uma parceira de longa data forem *gaslighters*.

Por fim, no Capítulo 12 vamos voltar a tratar do aconselhamento terapêutico para se proteger e se curar do *gaslighting*. Vou lhe dizer como encontrar o melhor profissional de saúde mental e que perguntas você deve fazer quando ligar para marcar uma consulta. Você vai conhecer diversas abordagens de psicoterapia e saber quais funcionam melhor para você. Você encontrará informações detalhadas sobre diferentes tipos de psicoterapia: Terapia Centrada no Cliente; Terapia Cognitivo-Comportamental; Terapia Comportamental Dialética; Terapia de Aceitação e Compromisso; e Terapia Focada na Solução. Você encontrará também técnicas para diminuir a ansiedade, que pode praticar sozinha sem necessidade de um psicólogo. Além disso, você vai descobrir o que é melhor para você: terapia individual ou terapia em grupo. Vou fornecer informações sobre meditação e como ela pode ajudá-la a se curar do *gaslighting*. A meditação é uma maneira fácil e sem custo de reduzir o estresse e aumentar sua capacidade de enfrentamento.

O livro apresenta depoimentos de pessoas que vivenciaram o *gaslighting*. Por motivos de privacidade e segurança, os detalhes que permitiriam sua identificação foram mascarados, os nomes foram trocados e, em alguns casos, as histórias foram mescladas.

Sem mais demora, vamos ao que interessa.

1

Sou Eu ou Você Está Me Fazendo Pensar que Sou Eu?

Retrato de um *gaslighter*

Os *gaslighters* têm algumas características que você precisa conhecer. A lista que encontrará neste capítulo pode parecer longa ou excessiva. Meu objetivo não é apresentar uma definição clínica, mas compor o melhor retrato possível de um *gaslighter* e mostrar de que modo ele age e como você pode identificá-lo.

Você pode se pegar pensando: "Bem, isso pode muito bem descrever a dinâmica entre mim e minha irmã às vezes, e ela não é uma *gaslighter*". É preciso ficar claro que o *gaslighting* se define por padrões. Quando alguns comportamentos estão presentes e são persistentes numa pessoa, é grande a possibilidade de estar lidando com um *gaslighter*.

Então, vamos começar a pintar o nosso retrato.

Eles não são sinceros ao se desculpar

Uma das primeiras coisas que as pessoas notam sobre os *gaslighters* é que eles são mestres em se solidarizar. Sabe quando alguém diz: "Sinto muito que você esteja se sentindo assim"? Saiba que isso não é um pedido de desculpas; a pessoa não está assumindo a responsabilidade pelo comportamento dela, está reconhecendo seus sentimentos para que você acredite que está recebendo atenção. *Os gaslighters* só vão se desculpar se estiverem tentando conseguir alguma coisa. Mesmo que eles peçam desculpas de fato, se você ouvir com atenção, verá que se trata, na verdade, de desculpas falsas; além disso, eles só se desculpam se você pedir ou se forem forçados por um juiz ou mediador.

> "Fiquei chocada ao ouvir isto: 'Lamento ter te traído, mas, se você fosse uma esposa melhor, eu não teria procurado carinho em outro lugar'."
>
> – Toni, 56

Eles usam a triangulação e o distanciamento

> "Por ordem de meu chefe *gaslighter*, fui avisado por um colega de trabalho que estava demitido. Caramba! Teria sido muito melhor se ele mesmo tivesse me comunicado!"
>
> – James, 35

Os gaslighters têm um arsenal de truques para manipular as pessoas, mas dois desses truques são seus favoritos: a triangulação e o distanciamento entre as pessoas. Causar discórdia entre você e as outras pessoas é algo que atende muito bem à necessidade que eles têm de dominar e controlar.

Vamos dar uma olhada nessas duas táticas. Os *gaslighters* praticam a triangulação e distanciam as pessoas para:

- Colocá-las umas contra as outras.
- Fazer com que elas concordem com eles.
- Evitar o confronto direto.
- Evitar a responsabilidade por suas ações.

- Macular o caráter delas.
- Espalhar mentiras.
- Criar o caos.

Vamos analisar essas duas táticas mais de perto.

Triangulação

Triangulação é o termo usado na psicologia para designar a comunicação entre duas pessoas que se dá por meio de terceiros. Em vez de falar diretamente com alguém, os *gaslighters* se valem de um amigo comum, um colega de trabalho, um irmão ou um dos pais para transmitir uma mensagem. A mensagem pode ser implícita, como: "Eu queria que Sally parasse de me ligar", cujo objetivo é que o receptor passe a mensagem a Sally; ou ostensiva, como: "Por favor, diga a Sally para parar de me ligar". Em ambos os casos, a mensagem é manipuladora e indireta.

> "Segundo meu marido, minha sogra não concorda com o modo como educo meu filho. Eu disse a ele que ela pode falar comigo pessoalmente e me recusei a conversar com ele sobre o assunto. Esse comportamento faz parte de um padrão de manipulação que ela demonstra."
>
> – Joanie, 30

Distanciamento

Os *gaslighters* também adoram colocar as pessoas umas contra as outras. Essa prática, muito conhecida pelos psicólogos, dá ao *gaslighter* uma sensação de poder e controle. Um exemplo dessa tática é inventar que um amigo em comum disse algo desfavorável sobre você.

Os *gaslighters* são insidiosos e provocadores por excelência. Sentem-se poderosos quando conseguem fazer com que as pessoas se irritem e briguem umas com as outras; e costumam ficar assistindo confortavelmente o desenrolar da briga que causaram.

"Meu ex-marido me disse que meu filho estava cansado de mim. Liguei para meu filho e perguntei se havia algo que ele gostaria de dizer. Ele disse que não, que estava tudo bem, e conversamos um pouco. Eu sabia o que aconteceria se eu tivesse falado 'através' do meu ex: caos total."

– Maggie, 55

Siga esta regra simples: *só acredite no que lhe for dito diretamente; não dê ouvidos a intrigas.*

Os *gaslighters* sabem como se aproximar de você e distanciá-la das outras pessoas. Fique sempre atenta.

Eles são bajuladores

Os *gaslighters* são mestres em bajular as pessoas para conseguir o que querem. Assim que você atender às necessidades deles, deixam cair a máscara da gentileza. Confie em seus instintos. Se a simpatia parecer forçada ou falsa, cuidado.

Eles esperam tratamento especial

Os *gaslighters* acham que as regras sociais comuns, como polidez, respeito e paciência, não se aplicam a eles, pois acreditam estar acima dessas regras. Um *gaslighter* vai esperar que sua parceira sempre esteja em casa na hora do jantar e que o sirva quando ele chegar. Se ela por alguma razão não faz isso, ele perde a cabeça, fica irritado e faz retaliações.

Eles tratam mal as pessoas que julgam inferiores

"Meu ex-namorado provocava meu irmãozinho, mas não de um jeito brincalhão. Era mais como se dissesse: 'Vou descobrir quais são seus pontos fracos e contar pra todo mundo'."

– Heidi, 29

Você pode descobrir muito sobre uma pessoa pelo modo como ela trata quem tem menos poder do que ela. Por exemplo, veja como ela trata os garçons num restaurante. Faz o pedido com educação ou é grosseira? Gosta de fazer cena e gritar se algo não está a contento? Humilhar garçons pode ser um sintoma de *gaslighting*.

Outra maneira de detectar o *gaslighting* é reparar no comportamento de uma pessoa ao lidar com crianças e animais. Há uma diferença entre ser indiferente a crianças ou animais e tratá-los com desdém. Os *gaslighters* podem provocar ou tratar mal animais ou pessoas que ele julga inferiores.

Você também pode descobrir que os *gaslighters* têm problemas com a raiva quando estão ao volante. Se alguém corta a passagem deles ou se esquece de dar seta, eles encaram isso como uma afronta pessoal. Sentem-se no direito de se vingar e querem punir o "culpado". Esse comportamento coloca em perigo os outros motoristas e os passageiros do carro do *gaslighter*.

"Num jantar com minha ex-namorada, ela gritou com o garçom quando ele trouxe o prato errado."

– Daniel, 28

Eles usam suas fraquezas contra você

Muitas vezes, você começará um relacionamento com um *gaslighter* se sentindo muito segura; então faz o que qualquer pessoa convencida de que está num relacionamento saudável faria: conta a ele sobre seus pensamentos e sentimentos mais íntimos. Isso é normal, natural, uma parte saudável do desenvolvimento de um relacionamento afetivo. No entanto, o *gaslighter* raramente revela informações íntimas sobre si mesmo. Mas as informações que você compartilhou com ele logo serão usadas contra você. Por exemplo, a confidência que você fez sobre o relacionamento problemático que tem com sua irmã é usada contra você em comentários como: "Não admira que estejamos discutindo. Sua irmã não suporta você também; você a trata da mesma maneira que me trata".

"Quando ele me viu chorando durante uma briga, usou isso como uma oportunidade para me atacar. Ele notou uma fraqueza como os animais farejam sangue fresco."

– Dominique, 30

Eles comparam você com os outros

Os *gaslighters* usam a comparação como uma maneira de causar discórdia entre as pessoas e, assim, obter controle. Pais que praticam o *gaslighting* muitas vezes comparam os filhos uns com os outros de modo irrealista e ostensivo. O pai manipulador normalmente tem um filho predileto (ou "filho de ouro") e um filho bode expiatório. Aos olhos dele, o primeiro é incapaz de fazer qualquer coisa errada; e o segundo não é capaz de fazer nada certo. Isso cria atrito entre os irmãos, colocando-os uns contra os outros, e esses sentimentos de rivalidade normalmente duram até a idade adulta.

Um chefe manipulador pode dizer: "Por que você não é tão eficiente quanto Jane? Ela chega às oito horas todas as manhãs. Se ela pode, você também pode". Você sempre sai perdendo na comparação, exceto quando o *gaslighter* quer denegrir a imagem do seu "rival". Isto é, o *gaslighter* pode falar bem de você se o objetivo dele for fazer com que os outros pareçam profissionais incompetentes. Mas, lembre-se, a perfeição é inatingível, não importa quanto você tente; e as expectativas de um *gaslighter* quase nunca são sensatas.

Eles são obcecados pelas próprias realizações

"Quando minha namorada e eu começamos a brigar, ela sempre me lembra de que foi oradora da turma na sua formatura. Isso faz com que ela se sinta mais inteligente do que eu. Mas a formatura dela foi há quase vinte anos e a turma de formandos tinha só quinze alunos!"

– Victor, 37

Os *gaslighters* costumam se gabar das suas conquistas, como, por exemplo, um prêmio por ter sido o funcionário do mês. Não importa que tenha acontecido quinze anos atrás! Eles vão se ofender se você não reagir com entusiasmo e admiração quando lhe contarem mais de uma vez sobre a ocasião em que venceram uma discussão com alguém. Os *gaslighters* dão muita importância às suas próprias realizações, não importa quanto possam ser ilusórias e delirantes.

Eles preferem se associar a bajuladores

Amigos que os confrontam, questionando seu comportamento, não têm lugar na vida dos *gaslighters*. Esses manipuladores se associam apenas a pessoas que os colocam num pedestal, tratando-os da maneira que eles acreditam merecer. Se acharem que não estão mais sendo admirados e paparicados, deixam a pessoa de lado.

Eles colocam você num duplo vínculo

Duplos vínculos são situações em que você recebe mensagens conflitantes ou é forçada a escolher entre duas opções indesejáveis. Por exemplo, seu marido diz que você precisa perder peso, mas lhe dá chocolates de presente. Você fica num dilema. Os *gaslighters* gostam de colocar as pessoas em dilemas emocionais – sua indecisão é um sinal de que eles têm controle sobre você.

Eles são obcecados pela própria imagem

Como você se atreve a fazer um manipulador se sentir mal?! Eles vão revidar. Os *gaslighters* são obcecados pela própria imagem. Tendem a gastar fortunas com produtos de beleza e passam muito tempo diante do espelho. Podem não gostar quando você mexe no cabelo deles ou usa um de seus produtos de beleza. Perseguem o ideal inatingível de perfeição e chegam a renunciar a suas necessidades básicas para pagar cirurgias plásticas e procedimentos estéticos.

Eles são obcecados pela imagem do parceiro

Os *gaslighters* não são apenas obcecados pela própria aparência, podem também se preocupar com o modo como você se apresenta. O peso corporal tende a ser um alvo dos *gaslighters*. Eles vão ridicularizar você caso esteja acima do peso ou use roupas que não lhes agradem. O *gaslighter* quer, ele mesmo, comprar as roupas que você veste. A mensagem subjacente é sempre a de que você não é boa o suficiente.

Eles enganam as pessoas

> "Meu irmão disse que precisava de mil dólares emprestados para o aluguel, pois estava passando por uma fase difícil. Ele chorou e parecia que a vida dele estava desmoronando. Eu juntei o dinheiro e lhe emprestei. Descobri depois que ele gastou tudo em apostas."
>
> – Shana, 35

Tudo é um jogo para os *gaslighters* – e enganar é uma parte essencial desse jogo.

Esses manipuladores querem ver até onde podem enganar você, emocional ou financeiramente. Mas não são tão inteligentes quanto pensam, pois vangloriam-se abertamente da habilidade que têm para enganar as pessoas, revelando muitas vezes seu desejo de manipulação.

Eles provocam medo nas pessoas

> "Eu estava com minha turma de alunos numa excursão da escola, quando uma das mães que nos acompanhava começou a gritar com um garoto porque ele esbarrou nela. Ele era da sexta série e estava se divertindo com os amigos; não foi nada pessoal. O filho dessa mulher, também um aluno da sexta série, disse ao amigo: 'Agora você deixou minha mãe com raiva'."
>
> – Alex, 30

A família e os amigos de um *gaslighter* evitam confrontá-lo e até o defendem se alguém tem a audácia de censurá-lo. Isso ocorre por duas razões principais: (1) os amigos e familiares se acostumaram com o comportamento manipulador e o consideram normal; e (2) eles não querem parecer desleais aos olhos do *gaslighter*. Isso é especialmente comum nos filhos de pais manipuladores. (Você saberá mais sobre parentificação dos filhos de *gaslighters* no Capítulo 5.) Quando a família e os amigos sofrem retaliação de um *gaslighter*, aprendem a temê-lo e a evitar, a todo custo, confrontá-lo.

Eles são temperamentais

Como os *gaslighters* têm um ego frágil e acham que os outros lhe devem lealdade, tudo é levado para o lado pessoal, com consequências desastrosas para as vítimas.

A violência armada é uma preocupação entre os *gaslighters*, devido ao seu temperamento explosivo. Nos Estado Unidos, 8,9% da população têm um comportamento raivoso e impulsivo, e também têm porte de arma (Swanson *et al.*, 2015).

Os *gaslighters*, a princípio, tentam expressar em silêncio essa raiva, como se quisessem manter sua fachada de perfeição. No entanto, só conseguem disfarçar por um tempo. A primeira vez que você vê um *gaslighter* tirar a máscara pode ser bastante assustadora.

> "Ele disse à minha filha que ela era uma inútil e teria sorte se encontrasse algum idiota para se casar com ela. O que minha filha fez para deixá-lo tão furioso? Disse a ele para parar de gritar com ela."
>
> – Nora, 45

Eles se mostram indiferentes quando são punidos

Quando são disciplinadas ou punidas, pessoas com distúrbios da personalidade do Grupo B, aquelas com maior grau de comportamentos manipuladores, demonstram um padrão diferente de disparo neural, assim como não costumam valorizar as recompensas (Gregory *et al.*, 2015). Isso significa que punições e recompensas tendem a ter menos efeito sobre os *gaslighters*, o que os torna propensos a "fazer as coisas do jeito deles", sem se preocupar com a reação dos outros.

Eles fingem sentir empatia

Os *gaslighters* podem dar a impressão de que entendem como você se sente ou o que pensa, mas preste atenção e perceberá um tom robótico em suas expressões de empatia. As reações dos manipuladores parecem superficiais ou automáticas, não há nenhuma verdade por trás das palavras que dizem. Os *gaslighters* são especialistas em "empatia cognitiva", ou seja, demostram empatia sem realmente senti-la.

Eles se recusam a assumir a própria responsabilidade

A culpa sempre é dos outros. Esse é o mantra dos *gaslighters*. Os transtornos da personalidade têm uma característica chamada comportamento egossintônico. Isso significa que pessoas com transtornos da personalidade acham que são normais e todo mundo é louco; elas se comportam de acordo com as necessidades do seu ego e acham que têm um comportamento aceitável. Essa é uma das razões por que é tão difícil lidar com pessoas com esse tipo de transtorno: elas não acham que haja algo errado com elas ou com o modo como se comportam.

"Eu estava fazendo psicoterapia com uma família e a mãe não queria mais comparecer às sessões, queria que só o filho continuasse a frequentá-las, para que eu pudesse 'consertá-lo'. Mas ela estava mais do que disposta a me ligar, a qualquer hora do dia, para me dizer como o filho era insuportável. Quando eu disse que a participação dela nas sessões era uma condição para o sucesso da terapia, ela disse que eu era um péssimo terapeuta."

– Jason, 50

Eles desgastam você com o tempo

Os *gaslighters* apostam na ideia de que, com o tempo, vão minar suas forças. Esperam que, à medida que intensifiquem seu comportamento manipulador, você se torne como o sapo na panela cheia de água, que não percebe a temperatura aumentando e morre quando a água ferve. De modo semelhante, eles vão intensificando o comportamento manipulador tão lentamente que você nem percebe que está sendo "queimada viva", do ponto de vista psicológico. No começo do seu relacionamento com um *gaslighter*, tudo pode ser um mar de rosas (na verdade, tudo é bom demais para ser verdade). Ele chega até a elogiar você de vez em quando. Mas, com o tempo, começam as críticas. Qual a razão dessa oscilação entre admiração e desprezo? O *gaslighter* sabe que a confusão enfraquece a psique. Com a incerteza vem a vulnerabilidade, e você acaba acreditando em mentiras flagrantes que nunca teria aceitado no início da relação.

Eles têm o hábito de mentir

Se os *gaslighters* forem pegos com a "boca na botija", vão olhar nos seus olhos e dizer que não fizeram nada. Isso faz com que você questione sua própria sanidade. *Talvez eu não tenha visto de fato o que pensei que vi.* Isso é o que eles querem: que você se torne dependente da versão da realidade que eles oferecem. Eles podem até ir mais longe e dizer que você está enlouquecendo. O que os manipuladores falam não significa nada; eles são mentirosos contumazes. Por essa razão, você sempre deve prestar atenção ao que eles fazem, não no que dizem.

"Meu ex me dizia que eu nunca tinha visto nenhuma mensagem imprópria no telefone dele. Ele, na verdade, dizia que achava que eu estava ficando louca. Comecei a pensar que talvez ele estivesse certo."

– Audra, 29

Eles são debochados

Os *gaslighters* adoram debochar. No começo, são coisas pequenas que ele diz quando vocês dois estão sozinhos, como ridicularizar o seu penteado ou o modo como você fala. Com o tempo, esse comportamento vai atingindo proporções maiores e o deboche passa a acontecer na frente dos amigos. Quando você diz que não gosta dos comentários dele ou do hábito que ele tem de remedá-la, ele diz que você está sendo muito sensível. Isso é diferente das provocações que costumam acontecer entre irmãos ou das

"Meu irmão está sempre me chamando de burro. De vez em quando, tudo bem. Mas um dia ele passou a fazer isso na frente da garota por quem eu estava interessado, e falava de um jeito realmente maldoso. Eu disse a ele que eu não achava isso legal e ele simplesmente não deu a mínima, como se dissesse, 'Não estou nem aí para o que você acha'."

– Javier, 25

brincadeiras entre amigos; com o *gaslighter*, a gozação acontece o tempo todo, é cruel e, o mais importante, seus pedidos para que ele pare são ignorados.

Os elogios deles não são autênticos

O *gaslighter* sabe, como ninguém, fazer comentários que são, ao mesmo tempo, elogios e insultos. Não existem elogios verdadeiros quando se trata de um *gaslighter*; ele está sempre proferindo insultos disfarçados de elogios ou fazendo comentários passivo-agressivos (veja a página 263).

"Ele disse que o jantar que eu preparei estava muito bom... e que ele estava feliz em ver que finalmente tinha conseguido me ensinar a cozinhar. Em questão de segundos, ele me fez oscilar entre sentimentos de extrema felicidade e de extrema frustração."

– Mila, 23

Eles projetam suas emoções

Os *gaslighters* podem ter tão pouca consciência das próprias emoções e atitudes que não fazem ideia de que estão projetando seu comportamento em outra pessoa. Por exemplo, um *gaslighter* dirá que você precisa tomar cuidado com as drogas, quando ele mesmo é quem as está consumindo.

Eles isolam você dos outros

Os *gaslighters* tendem a dizer que seus parentes e amigos são má influência ou que você não parece feliz quando está perto de seus entes queridos. Também podem se recusar a ir a encontros de família com você, com a desculpa de que "Sua família me deixa pouco à vontade" ou alguma outra justificativa vaga e sem fundamento. O *gaslighter* aposta que, em vez de ter que explicar para sua família por que você está passando as datas festivas sem seu par, você prefira passar a ocasião na companhia dele. Quanto mais o *gaslighter* conseguir isolar você, mais suscetível você estará ao controle dele.

Eles usam "macacos voadores"*

Os *gaslighters* vão tentar enviar mensagens para você por meio de outras pessoas, principalmente quando você tomar a atitude corajosa de cortar relações com eles. Essas pessoas às vezes estão inconscientemente transmitindo mensagens de um *gaslighter*. (Você vai saber mais sobre "macacos voadores" no Capítulo 2.)

Eles dizem aos outros que você tem um parafuso a menos

Os *gaslighters* vão criar discórdia entre você e as outras pessoas das maneiras mais variadas e inteligentes. Depois de sair de um emprego no qual tinha um chefe manipulador, por exemplo, seus colegas podem lhe contar que o chefe comentou que você era meio descontrolada. Não há maneira mais eficaz de desacreditá-la do que dizer às pessoas que você é meio louca. Você passa a ser vista como uma pessoa frágil e instável.

Eles não cumprem promessas

Os *gaslighters* não têm palavra. Se lhe prometerem alguma coisa, não crie muitas expectativas. Se o *gaslighter* for seu empregador, peça que ele registre essas promessas por escrito. (No Capítulo 4, você aprenderá mais sobre *gaslighters* no local de trabalho.)

"O chefe do meu ex-namorado afirmou que ele poderia ser transferido caso eu conseguisse um emprego em outra região do país. Mas, quando meu novo trabalho foi confirmado, o chefe do meu ex voltou atrás. E essa não foi a primeira vez que ele mudou de opinião no último minuto."

– Jerusha, 28

Eles exigem lealdade, mas não são leais

Os *gaslighters* exigem uma lealdade absoluta e irrealista, mas não espere lealdade por parte

* Personagens da história infantil *O mágico de Oz*, cuja função é realizar maldades sob as ordens da Bruxa Malvada do Oeste. Um "macaco voador" é um "pau-mandado". (N.T.)

deles. Como você descobrirá no Capítulo 2, o *gaslighter* demonstra uma infidelidade compulsiva; fazem o que querem com você, mas Deus a ajude se ele achar que você o traiu. Ele fará da sua vida um inferno.

Eles pisam em quem já está no chão

Não satisfeitos em puxar o tapete das pessoas, os *gaslighters* continuam a agredir aqueles que já foram abatidos. Eles sentem um prazer doentio quando veem o sofrimento alheio. E ficam mais satisfeitos ainda quando sabem que o sofrimento foi infligido *por eles*.

Eles não admitem os problemas que causam

Os *gaslighters* dirão que você, ou as pessoas ao seu redor, são irracionais e fazem tudo errado, quando, na realidade, estão evitando ter que explicar ou assumir a responsabilidade pelas próprias ações. O *gaslighter* pode, por exemplo, colocar seus colegas de trabalho em risco por não seguir as diretrizes de segurança no local de trabalho; confrontados em razão dessas violações, argumentam que ninguém se machucou e que estão sendo alvo de acusações injustas. Pais manipuladores que são informados pelo professor do filho de que a criança deve ler mais em casa culpam o outro genitor pelos problemas do filho ou criticam o professor e a escola por fazer essa exigência.

Eles fazem "propaganda enganosa"

Seu chefe *gaslighter* pergunta se você tem alguns minutos para conversar sobre uma nova função. Você fica animada, especialmente porque esse trabalho extra pode ser um incentivo para ganhar um aumento. Na reunião, você é informada de que será responsável por essa nova função porque outro funcionário foi dispensado. Agora você tem mais responsabilidade, sem ganhar nem um centavo a mais por isso. Antes que possa fazer qualquer pergunta, o chefe diz que está ocupado e fecha a porta. Essa é uma manipulação clássica: prometer uma coisa e, depois que você aceita o que ele propôs, revelar que se trata de algo bem diferente.

MAS MANIPULAR NÃO É ALGO QUE TODO MUNDO FAZ DE VEZ EM QUANDO?

Qual é a diferença entre um *gaslighter* e alguém que manipula outra pessoa para obter um determinado benefício? A diferença é mínima. A manipulação (ou influência) de fato é uma parte essencial de algumas profissões, como vendas, por exemplo, mas, no caso dos *gaslighters*, isso é um padrão de comportamento – é um modo de ser. Isto é, quando a maioria das pessoas mente, faz isso para obter um resultado específico – para evitar confrontos, progredir na carreira ou conseguir um favor. Mas no caso dos *gaslighters*, não há uma razão específica que os levem a mentir. Eles fazem isso repetidamente, muitas vezes numa escalada crescente, à medida que se dão conta dos efeitos do seu poder. Eles mentem por nenhum motivo em particular – só para conquistar, controlar e confundir você. Os *gaslighters* manipulam os outros não apenas em situações específicas, mas como um estilo de vida.

POR QUE OS *GASLIGHTERS* SE COMPORTAM DESSA MANEIRA?

Para o *gaslighter*, a vida se resume a exercer poder sobre os outros e suprir, desse modo, sua enorme carência afetiva. Existe um debate sobre "natureza *versus* criação", quando se trata de *gaslighters*. Às vezes, as pessoas são simplesmente manipuladoras natas. O comportamento do *gaslighter* também pode ser aprendido com os pais ou com outras pessoas que participaram da educação da criança. Para suportar a crueldade infligida a ele, o *gaslighter* que sofreu violência psicológica quando criança aprendeu técnicas de enfrentamento não muito apropriadas. (No Capítulo 7, você saberá mais sobre *gaslighters* no ambiente familiar.)

Muitos *gaslighters* têm uma ferida narcísica – uma ameaça à sua autoestima ou valor próprio. Por isso reagem com uma raiva narcísica. Essa fúria nem sempre é expressa verbalmente; ela pode ser silenciosa, mas é igualmente perigosa. Na verdade, quando o narcisista está cheio de raiva, geralmente demonstra uma estranha calma – capaz de causar arrepios.

POR QUE VOCÊ VIVE DESSE JEITO?

É preciso estar em *dissonância cognitiva* para permanecer ligada a um *gaslighter* – seja ele um parceiro, irmão, um dos pais, um colega de trabalho ou um político que você ajudou a eleger. A dissonância cognitiva ocorre quando você tem informações sobre o *gaslighter* que são completamente contraditórias se comparadas com o que você supostamente sabia a respeito dessa pessoa. Quando estamos em estado de dissonância cognitiva, reagimos de uma das seguintes maneiras:

- Ignoramos as informações contraditórias.
- Combatemos as informações contraditórias.
- Substituímos nossas crenças e valores pelas informações contraditórias.

Você suporta isso porque se convenceu de que a situação é normal. A maneira mais saudável de resolver a dissonância cognitiva é voltar a entrar em sintonia com suas próprias crenças e valores – e muitas vezes isso significa se afastar do *gaslighter* ou deixá-lo definitivamente. Você aprenderá neste livro como fazer isso de maneira saudável, mesmo que seja obrigada a conviver com o *gaslighter*, como no caso em que tem filhos com ele.

ENTÃO O QUE VOCÊ PODE FAZER?

Ao longo deste livro, veremos maneiras de diminuir a influência de um *gaslighter* na sua vida. Muitas dessas estratégias se resumem a uma única coisa: afastar-se o máximo possível dele. Como o *gaslighter* é uma pessoa extremamente evasiva e manipuladora, a melhor opção é cortar completamente o contato. Se você não pode fazer isso, reduza esse contato drasticamente. Além disso, *nunca deixe que veja quanto é difícil conviver com ele*. A recompensa do *gaslighter* é saber que ele incomoda. Se você não reagir nem demonstrar incômodo, ele tende a deixá-la em paz.

Algumas pessoas tentam fazer o *gaslighter* "experimentar do próprio veneno", gritando e tentando manipulá-lo também. Isso pode funcionar por algum tempo, chocando o *gaslighter* a ponto de fazê-lo se calar, mas não se deixe enganar. A vingança não tardará. Esse é um jogo cheio de armadilhas. E a que custo para você? (No Capítulo 7, veremos como é tentador agir como o *gaslighter*.) Isso não funciona. É melhor não agir como um *gaslighter*, por mais forte que seja sua vontade.

SE VOCÊ ESQUECEU COMO AS PESSOAS SAUDÁVEIS SE COMPORTAM...

Se já faz um tempo que você convive com um *gaslighter*, pode nem se lembrar de como se comporta uma pessoa saudável do ponto de vista psicológico. As pessoas psicologicamente saudáveis:

- Incentivam a expressão de opiniões.
- Dizem o que sentem e sentem o que dizem.
- Apoiam você, mesmo que você não concorde com o que elas dizem.
- Dizem de forma direta e gentil quando você as magoou.

- São capazes de ter intimidade emocional – o compartilhamento mútuo de sentimentos e ideias.
- Confiam nos outros.
- Têm comportamentos genuínos e autênticos.

Agora vamos descrever como o *gaslighter* se comporta no namoro e nos relacionamentos íntimos. Tantas pessoas boas, inteligentes e amorosas se envolvem com *gaslighters*! Mas eu quero mostrar que existe saída. Você não tem que viver sua vida sob o feitiço dessas criaturas.

2

Seduzida, Fisgada, Desvalorizada e Descartada

O *gaslighting* nos relacionamentos íntimos

O *gaslighting* é muito frequente nas relações íntimas, pois os *gaslighters* são extremamente sedutores. Ele vai deixar você nas nuvens (chamamos isso de *bombardeio de amor*, como você verá mais adiante) e depois jogá-la no fundo do poço! Mas a sedução inicial é tão intensa que, quando as coisas começam a desandar, é difícil não se sentir culpada ou não tentar, de algum modo, conseguir de volta a pessoa maravilhosa que você conheceu.

Mas não é assim que as coisas funcionam com um *gaslighter*. O charme inicial faz parte do jogo. Não há como recuperar aquela pessoa maravilhosa. Porque ela não existe.

Como mencionei na Introdução, tanto homens quanto mulheres podem ser *gaslighters*. Na verdade, até onde sabemos, os gêneros estão representados igualmente. Uma razão que nos leva a pensar no *gaslighting* como um "esporte" masculino é que os homens se mostram muitas vezes mais relutantes (talvez mais envergonhados)

"Quando eu o peguei me traindo, ele disse: 'Nós nunca combinamos que seríamos monogâmicos'."

– Ted, 50

em falar com outra pessoa sobre uma parceira emocionalmente violenta. Outras vezes, quando sentem que precisam criar coragem para falar sobre isso, as outras pessoas não lhes dão ouvidos.

Um dos meus objetivos neste livro é corrigir esse ponto de vista. Homens que estão sendo manipulados por uma mulher precisam de apoio tanto quanto as mulheres! Sem mencionar que o *gaslighting* acontece em relacionamentos LGBT também.

Os relacionamentos com *gaslighters* são sempre tumultuados – a tal ponto que é fácil sentir vergonha. Mas ser atraído por um *gaslighter* não é motivo de vergonha. Mesmo pessoas brilhantes, bem-sucedidas e, em outras situações, com muito discernimento são facilmente seduzidas pelos muitos encantos iniciais de um *gaslighter*. Com os recursos e dicas deste capítulo, você poderá não apenas descobrir se está num relacionamento com um *gaslighter*, como aprender algumas estratégias para fugir dele.

Depois que o comportamento do *gaslighter* vem à tona, raramente há um momento de tranquilidade. Você está constantemente se perguntando o que fez para contrariá-lo. Você não consegue descobrir o que fez de errado e talvez procure ajuda na internet, mas não conseguirá encontrar. Sua família e seus amigos ficam preocupados com você. E, enquanto isso, o *gaslighter* fica lhe dizendo que sua família e seus amigos estão tramando alguma coisa e que você precisa se afastar deles. (Tudo faz parte da armadilha do manipulador.)

Como algo que começou de modo tão maravilhoso pode se deteriorar dessa maneira? Isso acontece porque os *gaslighters* são mestres em envolver as pessoas – e depois descartá-las. Eles sabem como ninguém tratar você com total frieza.

VOCÊ ESTÁ QUERENDO DIZER QUE A FALHA NÃO É MINHA?

Muitas vezes, é um grande alívio quando digo aos meus clientes que eles não têm culpa de nada! É muito normal que as pessoas se culpem pelo comportamento do parceiro. *Se eu fosse uma pessoa melhor, ele não teria agido daquele jeito.* Também é normal, quando você convive com um *gaslighter*, sentir-se culpada pelas coisas que *ele* faz. Essa é a projeção clássica.

> "Eu sempre achava que tinha feito alguma coisa para que ele agisse daquele jeito."
>
> – Charmaine, 28

Um bom exemplo de projeção *gaslighting* é o caso de um marido infiel que acusa constantemente a esposa de traí-lo. O *gaslighter* vai dizer coisas como "Eu sei que você e esse seu colega de trabalho têm um caso" ou "Eu vi você flertando com ele" ou "Você sempre usa esse vestido insinuante quando sai com as suas amigas. Está planejando conhecer alguém?", quando, na verdade, é o *gaslighter* quem está enganando você o tempo todo.

Os *gaslighters* distorcem a realidade. Isso é definitivamente algo que se precisa observar. Se você começar a culpar a si mesma pelo mau comportamento do seu parceiro ou pelo modo como ele trata você, por favor, pense melhor. Ao longo deste livro, vou dar mais dicas sobre como fazer isso.

> "Não é por minha causa que ela age assim?"
>
> – John, 43

OS *GASLIGHTERS* E O SEXO

Os *gaslighters* são muito bons em fingir um comportamento romântico e um sentimento de ligação no começo do relacionamento, mas eles não conseguem continuar agindo assim para sempre. Logo se tornam muito unilaterais com relação ao sexo. Tudo gravita em torno do prazer deles, não do seu. Por acaso você está ali, junto com ele; você é só um meio para que ele atinja um fim. Logo você se sentirá mais como um objeto do que como uma parceira, amada e valorizada.

Os *gaslighters* muitas vezes estabelecem "regras" para o sexo. Regras expressas em voz alta ou tácitas, como as seguintes:

- Você deve estar sempre disponível quando ele quiser sexo.
- Se você quiser fazer sexo, ele provavelmente dirá não.
- Se quiser punir você, ele vai se negar a fazer sexo.
- Se quiser receber sexo oral, você tem que "merecer".
- Se você não der a ele o que ele quer sexualmente, ele vai menosprezar você.
- Ele dirá que se sentiria muito mais atraído sexualmente se você mudasse a sua aparência.
- Ele, na verdade, não se importa se você está sentindo prazer ou não.
- E ele não se importa se você está sentindo dor.

Muitas vezes, se você se recusa a fazer algo no sexo, o *gaslighter* a pressiona para que faça isso de qualquer maneira. Essa pressão pode ser qualquer coisa desde falar, "Mas você é tão boa nisso..." até forçá-la a fazer sexo ou praticar certas atividades sexuais.

Os *gaslighters* também não gostam de ser rejeitados no sexo. Como punição, eles vão dizer que nunca mais vão querer sexo com você – como uma maneira de "ensiná-la" sobre a maneira correta de se comportar. Para saber mais sobre *gaslighting* no que se refere à agressão sexual e à violência em geral, consulte o Capítulo 5.

Infidelidade e *gaslighting*

Aqui estão alguns exemplos de como funciona o *gaslighting* quando se trata de infidelidade:

John, de 43 anos, contratou Jane como assistente, para trabalhar em seu escritório. A esposa de John, Mary, estava convencida de que John e Jane estavam tendo um caso, embora John insistisse em dizer que eles eram apenas colegas de trabalho, e ele não conseguia entender por que Mary estava tão certa da traição. Mary começou a perseguir e assediar Jane pela internet e a lhe fazer telefonemas ameaçadores, a ponto de Jane obter uma ordem de restrição contra Mary, que também passou a agredir John fisicamente. Ela chegou até a atirar no marido um vaso pesado, que por pouco não o acertou. Depois comentou que, se *realmente* quisesse machucá-lo, teria mirado a cabeça dele. Mary também disse a John que Jane tinha ligado várias vezes, dando informações detalhadas sobre o suposto caso entre eles. Quando John perguntou o que Jane havia dito, Mary respondeu: *"Quer mesmo saber? Eu já sei o bastante"*. John se culpou pelo comportamento descontrolado de Mary. Ele sentia que devia ter feito *alguma coisa* para instigar a reação de Mary, porque o comportamento dela era extremo!

O comportamento de Mary era mais do que apenas ciúme irracional. Ela estava manipulando Jane e John e afetando-os psicologicamente, para manter o poder sobre o marido, particularmente quando ele não estava em casa com ela.

Mesmo que John *estivesse de fato* traindo Mary, a reação dela foi desproporcional. As pessoas saudáveis não perseguem nem assediam as outras, independentemente do comportamento "ruim" que elas acham que o parceiro está apresentando.

John passou a fazer sessões de terapia e continuou assim por vários meses, a pedido da irmã. Ele percebeu que tinha um casamento tóxico e tomou providências para romper o relacionamento com Mary. Depois que John saiu da casa, Mary nunca mais falou com ele. Todo o processo de divórcio transcorreu por meio do advogado dela. Posteriormente, na terapia, John aprendeu a detectar "sinais de alerta", para quando começasse a namorar outra pessoa.

Brian notou que Sarah estava voltando para casa, depois do trabalho, mais tarde do que de costume. Ela tinha o hábito de voltar para casa às sete da noite, mas passou a chegar regularmente em casa às nove, sem nem telefonar ou mandar uma mensagem avisando sobre o atraso. Brian levou mais de um mês para perguntar a Sarah o que estava acontecendo no trabalho. Ele até perguntou, sem fazer rodeios, se ela estava tendo um caso. Ele teria perguntado antes, mas estava com medo de que ela lhe desse um gelo e se fechasse, como havia feito várias vezes durante o casamento.

Quando questionada, Sarah respondeu friamente, dizendo que não sabia do que Brian estava falando, pois ela sempre chegava em casa do trabalho no mesmo horário. Ela então disse que estava preocupada com estado mental de John ultimamente, e se perguntou se não era ele quem tinha um caso. Brian nunca questionou os atrasos de Sarah outra vez, embora pensasse nisso constantemente. Ele até se convenceu de que Sarah poderia estar certa. Talvez ela sempre tivera o hábito de voltar para casa aquela hora.

Sarah disse a Brian que ele precisava fazer terapia "para descobrir por que ele sentia necessidade de persegui-la". Ela participou de uma sessão com ele, mas se mostrou irritada desde o início, dizendo ao terapeuta que ela não sabia direito o que havia de errado com Brian, mas que ele precisava descobrir, do contrário ela o deixaria. Então Sarah começou a voltar para casa com hálito de bebida. Brian tentou afastar os pensamentos sobre o comportamento de Sarah. No entanto, uma noite ele a flagrou num telefonema íntimo. Quando confrontada, ela negou ter um caso. Brian finalmente descobriu a verdade quando a esposa de um dos colegas de trabalho de Sarah entrou em contato com ele. Ela contou que Sarah e o marido dela estavam tendo um caso já fazia pelo menos seis meses. Quando Sarah saiu de casa para sempre, suas palavras de despedida para Brian foram: "Se você fosse um marido melhor, eu não precisaria procurar carinho em outro lugar". Brian se perguntava por que ele não tinha simplesmente ido embora quando, no primeiro encontro, ela admitiu que ainda morava com o namorado. Ele percebeu, em retrospecto, que gostou do fato de ter "vencido" a disputa com o namorado dela, quando Sarah decidiu ir morar com ele. Mas agora ele percebia que o fato de Sarah enganar o ex-namorado e iniciar, logo em seguida, um novo relacionamento era um sinal de alerta. No futuro, ele procuraria saber por que tinha se sentido atraído por alguém como Sarah.

Existem algumas características-chave nessas histórias, com que eu me deparo com frequência (Sarkis, 2017). Os *gaslighters*:

- São pegos traindo e o parceiro não toca no assunto por receio de violência e/ou retaliação.
- Têm um histórico de traições em relacionamentos anteriores.
- Ostentam abertamente a sua traição, relativamente certos de que o parceiro não irá confrontá-los.
- Projetam sua infidelidade no parceiro, desviando a atenção da sua própria infidelidade.
- Mudam rotinas e comportamentos para esconder a traição ou o abuso de drogas, e, em seguida, negam essas mudanças quando questionados.
- Reagem a um comportamento "ruim" do parceiro de uma maneira totalmente desproporcional. Essa reação pode incluir perseguições e ameaças.
- Na terapia de casal, dizem ao terapeuta que a culpa é do parceiro e insinuam ou afirmam que o parceiro precisa ser "corrigido" para que o casamento dê certo.

- Desde o início do namoro, enviam sinais de alerta que o parceiro não identifica ou opta por ignorar.
- Culpam o parceiro pela sua própria infidelidade, muitas vezes alegando que o outro não atendeu às suas necessidades.
- Nunca se desculpam, mas esperam um pedido de desculpas do parceiro.
- Nutrem sentimentos ilusórios de que estão sendo "injustiçados".
- Deixam imediatamente o parceiro se forem acusados ou descobertos, recusando-se a se comunicar com ele, como se o outro praticamente não existisse mais.

Nunca é demais repetir: ninguém faz um parceiro trair. *Você não fez o seu parceiro traí-la.* Ele a traiu por vontade própria. Seu parceiro tinha opções, inclusive conversar com você se tinha alguma queixa com relação ao relacionamento, propondo uma terapia de casal ou simplesmente terminando o relacionamento. *Trair foi uma escolha que ele fez.*

Também é importante frisar que, não importa o que ele tenha dito, seu parceiro não a traiu porque "faltava" alguma coisa em você. Ele a traiu porque os *gaslighters* anseiam por novidade e atenção. Mesmo que você fizesse tudo de modo "perfeito", o que quer que isso signifique, o *gaslighter* ainda sentiria dentro de si um vazio sem fim que nunca poderia ser preenchido. Você seria acusada de ter provocado a traição, não importa o que fizesse.

Assumir responsabilidade pessoal não é uma característica dos *gaslighters* – eles sempre acham que a culpa é da outra pessoa. E raramente sentem empatia ou remorso. Esse é outro exemplo do comportamento egossintônico que mencionei anteriormente.

Se você descobrir que um parceiro *gaslighter* foi infiel, certifique-se de fazer um exame para saber se tem alguma doença sexualmente transmissível (DST). O *gaslighter*, embora possa ter dito o contrário, na verdade não se importa com o seu bem-estar, incluindo a sua saúde sexual. Ele provavelmente não usou proteção quando estava traindo você. Você era a coisa mais distante da mente dele naquele momento.

BOMBARDEIO DE AMOR, *HOOVERING** E *STONEWALLING***

Quando Josie conheceu Jamie, foi amor à primeira vista. No primeiro encontro do casal, Jamie disse a ela: "Sei que é muito cedo para dizer algo assim, mas acho que vamos ficar juntos por muito tempo". Jamie oferecia a Josie muitos presentes e viagens, dizendo a ela: "Nunca senti nada assim por ninguém". Jamie conversou com Josie sobre casamento e filhos na primeira semana de namoro. Josie disse que se sentia "nas nuvens" com toda a atenção que Jamie lhe devotava. Ela passou a ficar o tempo todo na companhia dele e, por fim, parou de ver os amigos. Jamie dizia que eles eram "más influências" para Josie e constantemente a lembrava de que ela era mais feliz quando não estava perto deles. "Eu nunca tinha sido tratada com tanta devoção – ele me colocou num pedestal!"

Depois de alguns meses de "felicidade", Josie começou a sentir os efeitos do *stonewalling*. Jamie a ignorava completamente, sem que Josie soubesse o que ela tinha feito para chateá-lo. Ela quebrou a cabeça tentando entender. Jamie não retornava as ligações dela, o que a deixou preocupada e a levou a se esforçar ainda mais para entrar em contato com ele.

---

* O termo em inglês "*hoovering*", retirado da marca americana de aspiradores Hoover, descreve a técnica de manipulação em que o *gaslighter* tenta "sugar" a vítima de volta para o relacionamento, quando ela tenta fazer valer seus direitos, deixando o *gaslighter* ou limitando seu contato com ele.

** Termo em inglês que significa "bloqueio, obstrução", usado para nomear a técnica de manipulação em que o *gaslighter* se recusa a cooperar ou se comunicar. O termo *stonewalling* envolve várias técnicas, entre elas ficar em silêncio, negando-se a responder a perguntas ou a reagir quando questionado ou provocado. (N.T.)

A irmã de Josie disse que ela precisava parar de tentar entrar em contato com Jamie e esperar que ele entrasse em contato com ela. "Foi uma das coisas mais difíceis que eu precisei fazer, porque eu ainda não sabia o que tinha feito de errado". Josie passou a ficar o tempo todo esperando que Jamie ligasse e vasculhava a internet à procura de artigos que dessem dicas sobre o que fazer quando um homem passa a ignorar a namorada.

Duas semanas depois, ela recebeu uma mensagem de Jamie pelo celular. Ela dizia: "Sua bicicleta está aqui". Josie disse que seu coração disparou e ela sentiu um frio na barriga. E respondeu à mensagem imediatamente. "Você está bem? Onde você está?" A resposta foi simplesmente mais silêncio. Depois de muito chorar, ela mandou outra mensagem: "Eu não aguento mais. Simplesmente não entendo o que está acontecendo".

Algumas horas depois, ela ouviu a campainha. Era Jamie, com a bicicleta dela e flores. "Ele me disse que precisávamos andar de bicicleta juntos, naquele mesmo instante. Eu me senti muito desconfortável com isso, mas fui mesmo assim". Durante o passeio de bicicleta, Jamie não mencionou nada sobre seu sumiço ou falta de comunicação – em vez disso, falou sobre a possibilidade de morarem juntos. "Foi como se nada tivesse acontecido. Eu acabei achando que ele só precisava de um pouco de espaço."

Cerca de dois meses depois de se reconciliarem, Jamie voltou a apresentar o mesmo comportamento, ficando vários dias sem falar com ela – e isso continuou assim por dois anos! Os intervalos entre os episódios de *stonewalling* ficaram "cada vez menores. Paramos de ter o que eu chamava de 'períodos de lua de mel'". Depois de propor que morássemos juntos, Jamie disse a ela que tinha mudado de ideia "porque eu era muito instável. Ele continuou me enchendo de promessas, dizendo que daríamos uma guinada no nosso relacionamento. Mas depois tudo desmoronava novamente".

Josie disse sobre Jamie: "Olhando para trás, percebo que Jamie aparentava ser uma ótima pessoa – inteligente, educado, engraçado... mas, agora que vejo o que ele realmente é, percebo que havia sinais de alerta desde o início. Ele tinha cortado o contato com o irmão e a irmã vários anos antes, e estava sempre culpando as pessoas no trabalho por nunca conseguir uma promoção. Ele também passou a me criticar cada vez mais com o passar do tempo, principalmente por causa de coisas que eu não tinha como mudar, como a minha família".

Bombardeio de amor

Os *gaslighters* são muito habilidosos quando se trata de esconder sua patologia até perceber que você foi fisgada. A primeira vez que seu parceiro mente descaradamente, você se ilude, achando que não ouviu direito; afinal de contas, a pessoa que lhe dá tantas demonstrações de amor simplesmente não faria isso. Mas ele mente, sim, e continuará mentindo sem nenhum pudor. O *gaslighter* distorce sua percepção da realidade até o ponto de você achar que não conseguiria viver sem ele.

O bombardeio do amor é uma maneira que o *gaslighter* tem de fisgar você. No caso de Josie e Jamie, Jamie encheu Josie de presentes e falou tudo que ele sabia que ela queria ouvir sobre o tipo de futuro que teriam juntos. Jamie também não tardou em assumir um compromisso com Josie. Quando um *gaslighter* ataca, é difícil fugir. A atenção que você recebe é inebriante. Não é parecida com nada que você já tenha recebido antes. Até que enfim, você pensa, alguém está me tratando do jeito que eu sempre quis ser tratada! Aquele pedestal em que o *gaslighter* a coloca faz com que você se sinta muito bem. Mas chega um dia em que você despenca lá de cima e sofre uma longa queda.

Hoovering

Ao tratar do *gaslighting*, também usamos o termo *hoovering* para descrever o modo como eles sugam você de volta para o relacionamento, quando sentem que você está se afastando. (Sim, é por isso que esse termo deriva do nome da marca de um aspirador.) Quando Jamie cortou o contato com Josie e ela parou de procurá-lo, ele imediatamente passou a investir outra vez no relacionamento – começou a falar em morarem juntos. Se o *gaslighter* percebe qualquer indício de que o parceiro pode deixá-lo, ele se empenha para "sugá-lo" de volta. Parte para cima de sua vítima com força total, para que você fique novamente nas garras dele.

Nada provoca mais medo nos *gaslighters* do que a sensação de abandono. Esse abandono é o que se conhece por *ferida narcísica*. O *gaslighter* é um poço de carência – carência de atenção. Não importa o que você faça, nunca será humanamente capaz de atender a todas as necessidades dele. Ele sempre se volta para algo ou alguém a fim de preencher esse vazio. Quando encontra essa coisa ou pessoa para a qual transferir sua atenção, ele ataca com unhas e dentes. *É confuso e de partir o coração*. Mas, quando você vê pela primeira vez uma rachadura na fachada do *gaslighter*, pode ser surpreendente perceber quem está por baixo.

É muito normal sentir que a culpa é sua por não ter notado a instabilidade de um *gaslighter* no início do relacionamento. No entanto, tenha em mente que os *gaslighters* são mestres em se comportar "normalmente". Na verdade, o *bombardeio de amor* é apenas uma forma exagerada de uma prática que a maioria das pessoas utiliza quando começa a sair com alguém e inicia um relacionamento. Vocês se sentem atraídos um pelo outro e ficam empolgados. A diferença é que, num relacionamento saudável, cada pessoa ainda mantém sua própria identidade e atividades. Você *quer* a companhia da outra pessoa, mas não *precisa* dela. No bombardeio de amor, esse namoro chega a um nível extremo. O *gaslighter* quer que você precise que ele seja o tipo de pessoa que ele está projetando em você; ele quer ter certeza de que você não vê a pessoa insegura que existe por baixo da fachada.

Com o *hoovering*, o *gaslighter* dá a você justamente o necessário para iludi-la e mantê-la interessada. Pode ser sugerindo ou prometendo algo do seu agrado. Se, no início do relacionamento, vocês dois conversaram sobre a possibilidade de se casarem e isso nunca se concretizou, quando você fala a respeito, depois do *stonewalling*, de repente o *gaslighter* começa a dizer que talvez ele esteja pronto para se casar. No caso de Josie, o *hoovering* foi a conversa de Jamie sobre morarem juntos. Esteja ciente: esses planos nunca se concretizam. O *gaslighter* sabe muito bem como manter você presa a ele com a promessa de fazer algo que você queira.

Muitas vezes, o *gaslighter* também usa objetos para trazer você de volta. Você recebe mensagens de textos e e-mails mencionando seus pertences que estão com ele. Ele dirá: "Eu estou com as suas coisas. Venha pegar ou vou jogar tudo fora" ou "Você quer de volta a sua cadeira/bicicleta/roupa?". Esteja ciente de que não é a intenção do *gaslighter* devolver esses itens e depois deixar você em paz – isso é apenas uma desculpa para ele entrar em contato com você.

O *hoovering* também envolve o contato físico do *gaslighter*. Não fique surpreso se o sexo estiver melhor do que nunca. O *gaslighter* dá a entender que está, na verdade, ligado a você emocionalmente. Oferecer o contato físico que você tanto quer é outra maneira que ele usa para atraí-la e mantê-la presa a ele novamente. Mas isso não vai durar.

> "Eu tive que pedir a ela que se desculpasse. E, mesmo assim, ela disse, simplesmente, 'Lamento que você seja tão sensível'."
>
> – Liz, 60

Uma das partes mais confusas de um relacionamento com um *gaslighter* é que ele não é cem por cento ruim. Assim como acontece em qualquer outro relacionamento tóxico. Quando o *gaslighter* está praticando o *hoovering*, o relacionamento fica, na realidade, muito bom, quase tão bom quanto no início. Quando as coisas estão seguindo nessa direção, é difícil lembrar que o *hoovering* é um meio para o *gaslighter* atingir um fim. Mas é isso o que ele é. E não vai durar para sempre.

Tal como acontece com todos os casos de *gaslighting*, é preciso observar os *padrões* de comportamento e saber quando você está sendo enganada.

Stonewalling

Eu já usei a palavra *stonewalling* algumas vezes neste capítulo sem explicá-la. *Stonewalling* é a atitude de desaparecer do mapa ou não retornar telefonemas ou mensagens de texto. O *gaslighter* faz isso quando é desmascarado e sente que fez algo "errado" ou simplesmente quando prefere não falar sobre algo porque isso é mais conveniente para ele. Se você não mora com o *gaslighter*, não o verá nem ouvirá a voz dele por um tempo. Ele não responderá às suas mensagens ou telefonemas. Enquanto isso, você fica cada vez mais ansiosa, à medida que o tempo passa e você não tem notícia dele. No caso de Josie e Jamie, Jamie praticou o *stonewalling* simplesmente parando de se comunicar com ela e desaparecendo de tempos em tempos, para voltar a aparecer só quando tinha vontade.

Incomoda os *gaslighters* que o silêncio deles seja um tormento para você? Longe disso. Eles adoram quando o comportamento deles faz com que você fique chateada. Se você mora com um *gaslighter*, o *stonewalling* pode ficar tão intenso a ponto de ele agir como se você não existisse, mesmo que esteja bem na frente dele.

Qual é a melhor maneira de lidar com quem pratica o *stonewalling*? Fazer o mesmo com ele. Não deixe que o *gaslighter* incomode você.

Como já mencionei, ele está esperando uma reação. Não dê isso a ele. Continue a viver como se o comportamento dele não fizesse nenhuma diferença na sua vida. Porque, na realidade, não faz mesmo. Lembre-se, os *gaslighters* não têm nenhum poder real sobre você.

ROMPENDO UM RELACIONAMENTO COM UM *GASLIGHTER*

Procurar aconselhamento psicológico é imperativo quando você está pensando em terminar um relacionamento com um *gaslighter* ou já fez isso. Você pode se sentir isolada, indefesa, ansiosa e deprimida. Todos esses são sentimentos muito comuns quando você está deixando alguém que é tóxico. Você pode continuar nutrindo esses sentimentos por um bom tempo, mesmo depois de ter deixado um *gaslighter*, pois você está aprendendo a reconstruir a imagem que tem de si mesma, sua autoestima e sua vida. Para mais informações sobre aconselhamento terapêutico, consulte o Capítulo 12.

"Eu fiquei com ele e o defendi porque não entendia o que o comportamento dele estava fazendo comigo. Ele é muito inteligente e, mesmo me perseguindo, conseguiu sair impune, porque manipulou a polícia."
– Daisy, 50

Esse é o momento em que você precisa ser firme. Se está num relacionamento com um *gaslighter*, você precisa terminar. Trata-se de um relacionamento tóxico, e não vai melhorar. Você precisa se afastar. Recomendo que faça o seguinte, com o apoio de familiares e amigos, se possível:

- Configure o seu e-mail para bloqueá-lo. Bloqueie todos os seus endereços eletrônicos.
- Bloqueie telefonemas e mensagens de texto pelo celular.
- Bloqueie as ligações dos amigos dele.
- Bloqueie as ligações dos pais dele.
- Desfaça a amizade com ele nas mídias sociais e o bloqueie.

- Desfaça a amizade com pessoas que podem relatar suas atividades e seu paradeiro para o *gaslighter.*
- Se possível, mude para uma região da cidade onde é menos provável que você o encontre por acaso.
- Se você não pode se mudar, evite os lugares que sabe que ele frequenta.

Você precisa terminar esse relacionamento. Espero ter deixado bem claro. As coisas só vão piorar com o *gaslighter*. Talvez desta vez você não tenha pego uma doença sexualmente transmissível, provando que ele anda traindo você... mas e da próxima vez? Se você ficar, é quase garantido que haverá uma próxima vez. Além disso, se você ficar, o *gaslighter* terá provas de que poderá se aproveitar de você, pois você não o deixará – o que resultará em mais traição.

"É tão difícil partir! Tão difícil! Para as outras pessoas, pode ser fácil... Elas dizem, 'Ele trata você como lixo, vá embora!'. Mas você chega a um ponto em que acha que literalmente não pode sobreviver sem ele."

– Winnie, 53

Deixar o *gaslighter* é um processo muito difícil. Pode parecer quase impossível para você agora. Você talvez pensasse que deixar um *gaslighter* seria um alívio, mas, pelo contrário, isso causa a maior mágoa que você já experimentou num relacionamento. Como você pode ter se enganado tanto? Será que todos os homens ou mulheres são assim? A resposta é não. Não são todos assim. Há um futuro brilhante esperando por você. Essa relação não está alimentando sua alma ou ajudando você a se tornar uma pessoa melhor. Está sugando toda a sua energia e aumentando sua depressão e ansiedade. Você não é a pessoa que era quando iniciou esse relacionamento. Você não gostaria de voltar a ser aquela pessoa alegre e vibrante? Isso é possível.

Como se mudar da casa de um *gaslighter*

Se algumas coisas suas ainda estão na casa do *gaslighter* (ou na casa que vocês alugaram ou compraram juntos), alguém precisa ir buscá-las para você. Você também pode pedir à polícia que a acompanhe. Primeiro, pergunte a si mesma se realmente precisa desses objetos. Eles são valiosos ou têm um significado especial para você? Se a resposta for não, pense que talvez eles sejam apenas o preço que você precisa pagar para recuperar sua sanidade. Além disso, seja sincera com si mesma. Você realmente precisa desses objetos ou só está procurando uma maneira de manter a ligação com o *gaslighter*?

O *gaslighter* pode ser como uma droga e você pode estar procurando experimentá-la. Qualquer contato com o *gaslighter* dá a ele a possibilidade de atrair você de volta. E o padrão nunca vai mudar. É difícil, mas pelo bem da sua saúde e bem-estar, você precisa permanecer forte e inacessível. Se estiver na sua própria residência, tenha alguém com você quando o *gaslighter* for retirar as coisas dele. A polícia pode mandar alguém para garantir a sua proteção e a segurança de sua propriedade. Isso é importante principalmente se o *gaslighter* tiver armas de fogo em casa. A polícia pode aprender as armas de fogo antes que o *gaslighter* pense em usá-las. Sempre que possível, siga estas precauções:

"Eu sinceramente não sei o que faria sem a ajuda da polícia. Eles me ajudaram a me proteger e a proteger meus filhos quando eu o deixei... Eu não tinha ideia nem de como conseguiria chegar ao final daquele dia."
– Sherise, 36

- Ligue para uma delegacia de polícia para pedir que um policial esteja presente quando seu ex-parceiro for tirar seus pertences da sua casa. E se seu ex-parceiro tem armas de fogo, avise a polícia, para se certificar de que elas sejam retiradas da sua casa com segurança.

- Coloque os pertences do *gaslighter* na garagem ou em outro local, como uma unidade de armazenamento alugada, para que ele tenha acesso limitado à sua casa.
- Troque suas fechaduras e códigos das portas imediatamente.
- Se você mora num condomínio fechado que tenha porteiro ou tem uma empregada doméstica, alerte esses funcionários de que, dali em diante, essa pessoa não tem mais livre acesso à sua casa. Forneça um nome e uma foto. Se você se sente desconfortável fazendo isso, certifique-se de que os seguranças do seu condomínio têm a incumbência de zelar pela segurança pessoal dos moradores também, não só de vigiar as dependências do condomínio.
- Altere a senha do seu Wi-Fi, do seu e-mail e de outras contas virtuais.
- Considere a possibilidade de instalar webcams ou recorrer a outras formas de segurança. Alguns *gaslighters* são conhecidos por hackear contas, perseguir ex-parceiros e "testar" sistemas de segurança.
- Remova seu nome e dados de contato das informações das ferramentas de busca *on-line*.

Se achar que a sua vida ou a vida de seus familiares está em perigo, entre em contato com o seu advogado para que o juiz emita uma ordem de restrição para o *gaslighter*. Essa restrição não impede que o *gaslighter* persiga você ou a ameace, mas você pode denunciar o comportamento dele para a polícia, e o *gaslighter* pode ser preso por violar a ordem do juiz. Para as vítimas do *gaslighter,* pode ser bastante difícil ficar completamente longe dele, devido à influência que ele tem sobre elas. No entanto, as vítimas também precisam manter distância do *gaslighter* e não entrar em contato com ele em nenhuma circunstância.

Mantenha tudo documentado. Se o seu ex entrar em contato com você diretamente ou por intermédio de outras pessoas, anote a data, a hora e outros dados exatos, incluindo citações diretas. Aplicativos para fazer anotações no celular ou no notebook podem ser úteis nesse caso. Se você tiver que recorrer à polícia ou a um advogado, será muito mais rápido para você e prático para eles, se você tiver todas as informações guardadas num único lugar.

Provavelmente, existe assistência jurídica gratuita na sua cidade e abrigos para vítimas de violência doméstica. Violência é violência, seja emocional, verbal ou física.

Depois de terminar o relacionamento com um *gaslighter*, não é incomum que a pessoa se sinta tão deprimida que tente ferir a si mesma. Os *gaslighters* realmente sabem como fazer alguém se tornar dependente deles, destruindo sua autoestima e valor próprio. Se você estiver pensando em ferir a si mesma ou nutrindo pensamentos suicidas, ligue para o número do Centro de Valorização da Vida (CVV).*

"Macacos voadores"

Depois de ter terminado seu relacionamento com um *gaslighter*, amigos e parentes bem-intencionados podem se aproximar de você e dizer que eles acham que você deveria dar a ele outra chance. Podem até dizer que você sempre foi sensível ou difícil demais. Existe a possibilidade de que o próprio *gaslighter* tenha entrado em contato com essas pessoas para colocá-las a par do término do relacionamento. As pessoas que voluntariamente, e às vezes involuntariamente, atendem ao pedido do *gaslighter* são conhecidas como "macacos voadores". Esse termo refere-se às criaturas aladas que acompanhavam a Bruxa Má do Oeste em *O Mágico de Oz*. O *gaslighter* envia esses mensageiros

* O CVV (Centro de Valorização da Vida) propicia apoio emocional e prevenção do suicídio, atendendo voluntária e gratuitamente todas as pessoas que querem e precisam conversar, sob total sigilo, por telefone, e-mail e chat 24 horas, todos os dias. Caso você sinta que precisa de suporte imediato e urgente, não deixe de entrar em contato pelo número 188. (N.T.)

para que você se sinta culpada por terminar o relacionamento. As declarações mais comuns dos macacos voadores são as seguintes:

- Eu realmente acho que você deveria dar a ele outra chance.
- Tenho certeza de que ele na verdade não quis dizer essas coisas. Você sabe que às vezes se torna uma pessoa difícil.
- Ele está realmente chateado agora. Acho que você deveria ligar para ele.
- Ele disse que vai jogar o restante das suas coisas na rua.
- Vocês dois formavam um lindo casal.
- Ouvi dizer que ele está interessado em outra pessoa que parece perfeita para ele.

Seja muito clara com essas pessoas, às vezes bem-intencionadas, dizendo que você não falará com elas sobre o seu ex em nenhuma circunstância. Se os macacos voadores tocarem no nome do seu ex outra vez, coloque um ponto final na conversa imediatamente. Em casos extremos, talvez seja necessário limitar ou interromper seu contato com essas pessoas também.

Filhos

Se você tem filhos com o *gaslighter*, fique tranquila, porque, no Capítulo 8, vamos discutir o que fazer. Existem soluções para situações em que você não pode cortar completamente o contato com o *gaslighter*.

Animais de estimação

Se você tem um animal de estimação com um *gaslighter*, leve o animal com você ao sair de casa – mesmo que o tenham adotado juntos. O bem-estar do seu animal de estimação está em risco. O *gaslighter* o usará para fazer você voltar. Ele pode até machucá-lo ou ameaçar feri-lo, como uma maneira de se vingar ou de chamar sua atenção. Caso o *gaslighter* se recuse a deixar que você fique com seu animal de estimação, entre em contato com a polícia e contrate um advogado.*

É possível que o *gaslighter* já tenha maltratado o seu animal de estimação. Como você descobriu no Capítulo 1, os *gaslighters* têm pouca consideração pelos sentimentos ou sofrimento de outros seres vivos. Nunca deixe seu animal de estimação sozinho com um *gaslighter*. Há uma grande chance de ele ser perder ou morrer "acidentalmente".

Se o animal de estimação já era do *gaslighter* antes do início do seu relacionamento, talvez você não consiga levar o animal com você, mas ainda assim pode denunciar quaisquer maus-tratos ou atitude suspeita que testemunhar. Espere o seu ex *gaslighter* exibir a "custódia" do animal. A ex-esposa de um de meus clientes publicou nas redes sociais inúmeras fotos dos cães do meu cliente com o novo namorado dela.

É difícil, eu sei, mas você precisa seguir em frente.

Não tem certeza se você deve deixar o *gaslighter*?

Se você não tem certeza se deve deixá-lo, pare um minuto e pense em alguém que você admira. Pode ser alguém da sua família ou alguém que você nunca conheceu pessoalmente. O que essa pessoa diria a você sobre essa situação? O que você falaria se uma amiga estivesse nessa mesma situação? Provavelmente diria: *"Deixe esse cara!"*.

---

* Dependendo da cidade onde você mora, existem delegacias que atendem exclusivamente assuntos que envolvam animais, sejam eles domésticos ou não. Abandono, casos de envenenamento, espancamento, falta de higiene, mutilação, manter o animal num espaço inadequado, entre outras coisas, podem ser notificados em qualquer delegacia por meio de um Boletim de Ocorrência. Policiais devem ir ao local da denúncia averiguar os fatos caso alguém ligue para o 190 se queixando sobre uma situação. Se você mora em São Paulo, conta com a Delegacia Eletrônica de Proteção Animal, a DEPA, que atende todo o estado e garante o sigilo sobre o denunciante (N.T.)

Pergunte a si mesma o que você aprendeu com esse relacionamento. Quais são os pontos positivos e negativos dessa relação? Como você acha que esse relacionamento estará daqui um ano? E em cinco anos? Se você não consegue se imaginar com essa pessoa, mesmo daqui a um ano, é hora de terminar o relacionamento.

Suas necessidades estão sendo atendidas? Pode ser difícil se lembrar do que precisa depois de passar tanto tempo tentando atender às necessidades do *gaslighter*. Necessidades saudáveis num relacionamento incluem:

- Ser ouvida e ouvir.
- Ser você mesma sem reservas.
- Receber afeição física.
- Se sentir segura.
- Ser respeitada.

Como o seu relacionamento se encaixa em seus valores fundamentais? Se você se relaciona com um *gaslighter* há um tempo considerável, pode não estar certa sobre quais são seus valores e opiniões. Isso é porque o *gaslighter* corroeu a sua autoconfiança a ponto de você não ter mais certeza do que é importante para você e no que acredita. É normal se sentir perdida com relação a essas coisas depois de manter um relacionamento com um *gaslighter*.

Os valores de uma pessoa podem incluir:

- Honestidade.
- Bondade.
- Segurança e proteção.
- Ajudar os outros.

Quais são as coisas que seu parceiro ridicularizou em você? Quais são as atividades que você costumava apreciar, mas que ele disse que eram tolas ou sem sentido? Volte a praticar essas atividades. Se passar a praticar uma atividade de que gosta, é bem provável que você se redescubra como pessoa.

Há pessoas em sua vida das quais você se distanciou por causa de coisas que o *gaslighter* lhe disse sobre elas? Você gostaria de voltar a entrar em contato com essas pessoas? Se a resposta é sim, talvez você precise romper seu relacionamento para fazer isso.

Lembre-se de que você nem precisa de um motivo para terminar um relacionamento. Também desista da ideia de que esse rompimento deve ocorrer de modo civilizado – isso é quase impossível com um *gaslighter*. Vai ser doloroso, vai ser difícil, mas você vai ficar bem. Talvez não agora, talvez não num futuro imediato, mas você vai ficar bem.

Agora você vai descobrir como identificar um *gaslighter* quando estiver num encontro, para que possa evitar o início de um relacionamento como nenhum outro em sua vida. Se você conhecer a "lábia" dos *gaslighters*, ficará menos propensa a ceder à manipulação deles. Esses manipuladores podem demonstrar alguns de seus comportamentos de dominação até mesmo antes do primeiro encontro.

3

Passional, Confiante... e Fora de Controle

Como não se apaixonar por um *gaslighter*

Antes mesmo de você se envolver com um *gaslighter*, pode aprender a identificar alguns sinais de alerta. Na verdade, esses sinais de alerta, nos estágios iniciais do namoro, muitas vezes são tudo de que você precisa para perceber que o relacionamento com ele será prejudicial para o seu bem-estar.

> "No nosso segundo encontro, ele falou muito bem da ex-esposa. Eu perguntei por que ele tinha terminado o relacionamento. Ele disse que não era da minha conta. Isso já devia ser um sinal de alerta."
>
> – Maggie, 27

Algumas coisas você precisa saber de antemão: em primeiro lugar, os *gaslighters* tendem a viver em cidades grandes. Eles precisam do anonimato para ter sucesso em seu jogo. Numa cidade grande, é menos provável que a fama do mau comportamento dele se espalhe. E as chances de você se deparar com um dos seus ex-parceiros, por exemplo, também diminui. Claro que, se você mora numa cidade grande, não vai querer evitar todos os seus possíveis pretendentes só porque os *gaslighters* moram em

"Eu devo ser um ímã para manipuladores. Acho que sou muito legal e tento ver só o lado bom das pessoas. Mas eu me recuso a sentir amargura por causa disso. Por isso eles saem ganhando."

– Vanessa, 24

cidades grandes também, mas essa é uma peça do quebra-cabeça que você precisa ter em mente.

Pelas mesmas razões – o relativo anonimato e o fato de ser mais improvável que você encontre um ex-parceiro do *gaslighter* –, os relacionamentos virtuais tem sido uma vantagem para os manipuladores. Existem, no entanto, outras razões, que vamos analisar posteriormente, para eles se beneficiarem desse tipo de relacionamento. Eu também vou descrever os sinais de alerta que você pode perceber no primeiro encontro e descrever como os *gaslighters* selecionam suas vítimas, quem eles veem como uma presa fácil e como não se envolver emocionalmente, caso seus instintos lhe digam que há algo errado.

RELACIONAMENTOS VIRTUAIS

Aplicativos e sites de relacionamentos se tornaram a maneira mais comum de se marcar encontros. Nós achamos mais fácil encontrar um parceiro em potencial através da internet, do que nas festas de amigos, nos bares e nas reuniões sociais e de trabalho. A razão desse fato não é nenhuma surpresa. Atualmente, nossos dispositivos digitais estão sempre à mão. Além disso, esse método é eficiente e, de certa forma, menos assustador. Você pode ter uma ideia melhor de como a pessoa é antes de realmente conversar com ela ou conhecê-la pessoalmente. Mas, tudo tem seus prós e contras. O lado negativo do namoro *on-line* é que ele pode torná-la um alvo mais fácil para os *gaslighters* (e outros sujeitos assustadores).

Também não surpreende que os *gaslighters* gostem tanto de aplicativos e sites de relacionamentos. Eles podem ser quem eles quiserem em seus perfis. Podem dizer exatamente o que você quer ouvir.

Por meio dos sites e aplicativos de namoro, os *gaslighters* têm acesso a muitas pessoas (vítimas em potencial) que, de outra forma, não conheceriam, e podem identificar facilmente indícios de vulnerabilidade nos perfis dessas pessoas. Entender essas pistas, que geralmente damos de maneira inconsciente, é um boa maneira de se defender dos *gaslighters*.

O que faz um *gaslighter* escolher você?

Com tantos perfis nos sites de relacionamento, o que faz um *gaslighter* optar por falar justamente com você? Para você não pensar que foi ingênua nem se culpar, em primeiro lugar entenda que você raramente é a única vítima em potencial do *gaslighter*. Especialmente porque, graças à eficiência dos aplicativos e sites de relacionamentos, ele geralmente tem muitos alvos.

Como você descobriu no Capítulo 1, sumir do mapa é uma tática que os *gaslighters* gostam de usar, e o relacionamento *on-line* torna esse jogo muito fácil. Você está conversando com uma pessoa e de repente – puf! – ela desaparece. Você pergunta o que aconteceu. Procura artigos na internet para tentar descobrir se ele está interessado. E se convence de que os homens são como elásticos – quanto mais perto chegam, mais recuam depois. Mas, quando você está prestes a desistir, o *gaslighter* aparece novamente. Ele só tinha lançado mão da tática do "sumiço".

Se você reagir demonstrando simpatia e agindo como se nada tivesse acontecido, geralmente passa no teste do *gaslighter* e ele continua a falar com você. Se fizer muitas perguntas, do tipo, "Por que você estava ignorando as minhas mensagens?", ele provavelmente vai deixar você de lado, responsabilizá-la e até mesmo acusá-la de estar desesperada.

Isso é porque o *gaslighter* sente, pela sua reação, que você é alguém que provavelmente vai responsabilizá-lo pelo comportamento que ele tiver no futuro, e ele não quer isso! A maneira como tudo começa no relacionamento com a outra pessoa geralmente mostra o rumo que as coisas vão tomar daquele ponto em diante. Se você conhece alguém que, até mesmo antes do primeiro encontro, nem sequer explica por que parou de falar com você, como acha que será esse relacionamento?

O melhor curso de ação ao encontrar uma pessoa que some e reaparece é não responder mais às mensagens dela e seguir em frente.

Se o seu perfil *on-line* indica que você:

- não se relaciona faz um tempo;
- já foi casada várias vezes;
- parece ter dinheiro;
- procura ver o melhor nas pessoas;
- não foi bem tratada pelo seu ex no passado;
- acha que seu ex era uma pessoa horrível;
- quer ter filhos quanto antes;
- tem dificuldade para se entrosar com as pessoas;
- gosta de correr riscos;
- é maliciosa / liberal / indomável...

... você também pode ter pintado um alvo na sua testa. Essas são as "vulnerabilidades" que os *gaslighters* procuram. Eles, muitas vezes, vão presumir, com razão, que, se você dá pistas de algum item dessa lista, é mais provável que caia na rede deles e seja mais tolerante com o seu mau comportamento.

Você pode estar pensando, *mas por que alguém colocaria essas coisas no próprio perfil?* Poucas pessoas fariam isso de modo tão explícito.

Mas frequentemente falamos muito sobre nós mesmos, mesmo que não seja diretamente. Dizemos muito *nas entrelinhas*.

- "Gosto de ser bem tratada." = "Eu não fui bem tratada no passado."
- "Estou cansada de perder tempo com os caras errados." = "Estou preocupada com o fato de ainda não ter encontrado o cara certo."
- "Eu vejo o lado bom das pessoas." = "Eu posso aceitar que você minta para mim."

Então, o que você deve colocar no seu perfil para se tornar uma pessoa à prova de *gaslighters*? Trata-se de algo muito sutil, mas o importante é que você mostre que é uma pessoa ativa e feliz. *Gaslighters* não gostam de parceiros que sejam positivos, otimistas e independentes. Eles preferem que sejam carentes, vulneráveis e ressentidos.

SINAIS DE ALERTA EM SEU PRIMEIRO ENCONTRO

Uma das coisas que mais dificultam a identificação dos *gaslighters* é que, até que você seja fisgada, eles sabem muito bem esconder sua verdadeira personalidade. De acordo com a advogada Wendy Patrick, em seu artigo intitulado "The Dangerous First Date" [O Perigoso Primeiro Encontro], publicado na edição de dezembro de 2017 da revista *Psychology Today*, comportamentos perniciosos podem ser mascarados nos estágios iniciais de relacionamento, de modo que pareçam qualidades encantadoras. Por exemplo, um comportamento protetor se transforma em possessividade; uma natureza acolhedora

> "Eu sabia que aquele encontro não ia dar certo, porque ele disse algumas coisas que realmente me ofenderam. Eu disse a ele que ia para casa mais cedo. Ele bateu o punho na mesa e disse que eu não ia embora ainda. Essa foi a minha deixa para sair de lá rapidinho."
>
> – Sara, 35

> "A primeira coisa que ele falou no nosso encontro? Da ex-esposa e da mãe – e não foi de uma maneira muito lisonjeira."
>
> – Jessica, 30

pode se transformar num desejo de controle; um comportamento assertivo se transforma em comportamento agressivo; o comportamento apaixonado se torna violento; uma personalidade direta se transforma em grosseria; e confiança se transforma em condescendência.

Fique atenta aos comportamentos a seguir sempre que estiver num encontro. Por exemplo, embora talvez pareça romântico que ele faça o pedido por você no restaurante, como se só estivesse sendo atencioso (antes de você dizer o que quer comer), esse é na verdade um sinal de uma personalidade controladora. Isso pode parecer bom no começo, mas depois que o relacionamento começa a ficar mais sério, seu parceiro passará a tentar controlar todas as suas escolhas.

Eis aqui alguns sinais de alerta num primeiro encontro com um *gaslighter*:

- Ele diz que você é a pessoa mais linda/maravilhosa/incrível que já conheceu.
- Já fala em assumir um compromisso sério com você.
- Fala sobre ter filhos – não apenas em geral, mas com você.
- Fala de si mesmo... quase como se você não estivesse presente.
- Diz que já foi infiel num relacionamento anterior.
- Conta sobre sua história familiar problemática.
- Não faz perguntas sobre a sua vida.
- Não quer falar sobre a sua família.
- Escolhe o que você vai comer.
- Não se importa em ter boas maneiras.
- Trata os garçons com grosseria.
- Fala em morar com você.

- Começa a pegar na sua mão ou ter outro contato físico com você imediatamente.
- Invade o seu espaço pessoal.
- Diz que seu parceiro ou parceira anterior era um "idiota" ou uma "puta" e coisas do tipo.
- Passa muito tempo falando sobre seus relacionamentos anteriores.
- Diz que tem dificuldade para assumir compromissos sérios, mas acha que, com você, ele não terá esse problema.
- É vago sobre o que faz para ganhar a vida.
- A história dele não corresponde ao que você lê nas redes sociais.
- As histórias que ele conta não são consistentes.
- Fala sobre a própria casa e carro, mas não vai de carro ao encontro.
- Veste-se de maneira um pouco desleixada.
- Usa roupas que demonstram certo *status* social (leva um avental branco de médico no jantar, por exemplo, quando um médico de verdade normalmente não faria isso).
- Menciona o nome de pessoas conhecidas de quem ele é amigo ou colega, numa tentativa de impressionar você.
- Diz que tem um emprego bem remunerado, mas pede para você pagar a conta, alegando que esqueceu a carteira ou dando outra desculpa qualquer.
- Conta sobre viagens a outros países que parecem fantasiosas ou irreais. (Ele faz isso porque é mais difícil para você verificar se é verdade.)
- Tem desculpas para explicar por que você não conseguiu encontrar informações sobre ele. (A identidade dele foi roubada etc.)
- Tem dificuldade para fazer contato visual.
- É encantador, mas não parece sincero.
- Menciona que tinha muitas opções, mas preferiu você.

- Não vai embora quando você pede.
- Impede que você vá embora.

Reiterando, nenhum desses itens por si só significa que você está na companhia de um *gaslighter*, mas todo cuidado é pouco. Os sinais de alerta geralmente são esses.

A isca do narcisismo

Às vezes, o *gaslighting* é muito parecido com o narcisismo. Pessoas narcisistas tendem a parecer interessantes à primeira vista. Mas parecem boas demais para ser verdade – porque não são. Os narcisistas podem ser educados, poderosos e atraentes – e também são manipuladores perigosos. A confiança que demonstram, gostos e preferências que você nunca viu antes, pode ser inebriante, até você perceber que ela faz parte de um padrão – uma necessidade egoísta e infinita de se enaltecer e se valorizar.

Histórico de infidelidade

Os *gaslighters* costumam ser infiéis nos relacionamentos. Se alguém que você está namorando diz que traiu seu parceiro num relacionamento anterior, preste atenção, pois esse é um sinal de alerta. Segundo um estudo realizado em 2017 por Kayla Knopp e seus colegas, pessoas que traíram num relacionamento anterior estão três vezes mais propensas a relatar infidelidade em seu relacionamento atual do que pessoas que foram fiéis em seus relacionamentos anteriores.

Se você está satisfeita com seu relacionamento, pode ser tentador pensar que seu parceiro só teve uma experiência isolada de infidelidade e isso não vai afetar você. Ou talvez ele tenha dito que mudou... Mas pense bem. Trair pode ser um padrão de comportamento. E, se você for traída, isso afetará seus relacionamentos futuros também, pois, no mínimo, plantará sementes da dúvida quanto à sinceridade do seu parceiro atual. De fato, segundo Knopp, pessoas que relataram que seu parceiro anterior foi infiel estão quatro vezes mais propensas a desconfiar do seu parceiro atual.

Os *gaslighters* insistem para que você tome bebidas alcóolicas

O *gaslighter*, muitas vezes, pede drinques sem perguntar se você quer beber. Se você não pedir nenhum drinque, ele vai persuadi-la e até intimidá-la para que peça uma bebida. Ele faz isso porque o álcool diminui suas inibições e aumenta a possibilidade de você fazer escolhas ruins.

É melhor se abster de beber se estiver saindo com alguém que ainda não conhece direito. No entanto, se optar por beber, nunca deixe sua bebida longe dos seus olhos. Tenho certeza de que você já ouviu falar da possibilidade de outra pessoa colocar alguma droga na sua bebida, e isso aumenta drasticamente suas chances de sofrer algum tipo de violência. Neste mesmo capítulo, você vai descobrir por que os *gaslighters* são particularmente propensos a cometer abusos sexuais.

Os *gaslighters* não estão nas mídias sociais

Como a traição é muito comum entre os *gaslighters*, evitar as mídias sociais é uma maneira de não ser pego em flagrante com alguém – ou em algum lugar onde eles não deveriam estar. Se você for a um encontro e a pessoa lhe disser que não usa o Facebook, pode ser que ela simplesmente não goste de redes sociais. Mas sugiro que você pergunte por quê. O *gaslighter* geralmente dá uma resposta vaga. Se disser: "Não estou a fim disso" ou "Não tenho tempo pra isso", fique atenta.

Confie na sua intuição

A maioria das mulheres tem uma intuição, ou um "sexto sentido", que diz quando há algo errado, e muitas vezes ela está certa. Se você sentir que uma situação não é segura ou que você não pode confiar numa pessoa, peça licença e vá embora. Você nem precisa dar uma desculpa. Os *gaslighters* sentem quando uma pessoa está suspeitando deles e mudam de atitude rapidamente, passando a usar a tática do bombardeio de amor. Esses manipuladores são mestres em mudar de tática na última hora, fazendo com que você pare de pensar, "Essa pessoa me causa uma sensação ruim", e passe a pensar, "Puxa, ele parece uma boa pessoa!". Por isso, afaste-se enquanto pode.

Supere o impulso para ser simpática

Nós, mulheres, aprendemos desde muito jovens a ser atenciosas e educadas com os outros. Para se defender contra o *gaslighter* e fazer que ele recue, você pode ter de ir contra isso. Lembre-se de que o *gaslighter* não se importa com você ou com os seus sentimentos. Você é um objeto, descartável, um meio para ele atingir um fim. É perfeitamente aceitável que você se defenda e que se arrisque a ser vista como uma pessoa "rude". Por exemplo, se está em seu carro e vai dizer boa-noite à pessoa com quem teve um encontro e ela se inclina, ficando muito perto de você, em vez de aceitar a proximidade ou tentar se esquivar, diga: "Por favor, se afaste". Se ele não se afastar, repita com mais firmeza e em voz mais alta. Lembre-se, com um *gaslighter*, você não pode se preocupar com a possibilidade de ser rude, você precisa se preocupar com a sua segurança pessoal.

Os *gaslighters* e o risco de violência

Como se você já não tivesse o suficiente com que se preocupar, precisa saber que os riscos de ser vítima de violência nas mãos de um *gaslighter* são muito reais. Os *gaslighters* têm mais propensão para a violência porque seu limiar de frustração é muito baixo e eles geralmente não sabem lidar muito bem com situações de estresse. Você deve estar preparada para se proteger. Como mencionei anteriormente, num primeiro encontro com outra pessoa, *nunca* se afaste do seu copo, não importa o que aconteça. Mesmo que a outra pessoa lhe diga que você não tem com que se preocupar ou que você está sendo simplesmente paranoica. Se isso significa que você precisa levar sua bebida com você ao banheiro, faça isso. Melhor ainda, abstenha-se de beber, como já sugeri. O *gaslighter* vai pressioná-la a consumir bebidas alcóolicas, para deixá-la mais vulnerável. Uma pessoa com boas intenções nunca faria isso.

Se essa pessoa com quem você está se encontrando pela primeira vez a pressionou para que você consumisse bebidas alcoólicas, ela pode estar preparando o terreno para cometer assédio ou estupro. Não tenho dados específicos para fundamentar a ligação entre os *gaslighters* e o estupro, mas como esse é um crime de violência e imposição de poder, é sensato incluí-lo nessa lista de advertências.

Para informações sobre agressão sexual, consulte o Capítulo 5.

SINAIS DE ALERTA NAS PRIMEIRAS FASES DE NAMORO

Se você já foi além do primeiro encontro e começou a sair regularmente com uma pessoa, saiba que, nessa fase, há também todo tipo de sinal de alerta. Preste atenção a eles.

Fique de sobreaviso se:

- Sua família diz que acha que há algo "errado" com o seu parceiro.
- Seu parceiro diz que sua família está tentando separar vocês dois.
- Seu parceiro diz que você não tem o direito de expressar sua opinião sobre os filhos dele ou outros membros da família.

Por exemplo, você vê o filho do seu parceiro batendo num coleguinha e diz a ele que está preocupada com o comportamento da criança. Ele, então, lhe diz que não há nada com que se preocupar e que você está imaginando coisas.

- Os filhos do seu parceiro não têm limites e outros membros da família dele invadem a vida de vocês.
- Ele compartilha fotos, pensamentos e acontecimentos da vida de vocês em excesso na internet ou se preocupa demais com os filhos e outros familiares dele.
- Seu parceiro diz que gosta das mesmas atividades que você, mas, quando vocês fazem essas atividades juntos, ele sempre parece desinteressado e entediado.
- Você está sempre pagando tudo. Se pede ao seu parceiro para pagar, ele sempre se ressente, como se estivesse sendo explorado.
- Seu parceiro não permite que você tenha acesso a alguns aspectos da vida dele, como os amigos e o celular.

Não importa se o seu relacionamento é bom 90 por cento do tempo; se os 10 por cento restantes consistirem em mentiras e inconsistências, você precisa rompê-lo. Relacionamentos como esses só pioram. Esses 10 por cento se tornam 20, depois 30 e assim por diante. Mentiras e inconsistências muitas vezes levam à violência física e emocional. De acordo com a Coalizão Nacional Contra a Violência Doméstica dos Estados Unidos (2017), 10 milhões de norte-americanas são vítimas de violência doméstica a cada ano. Se o seu parceiro mente para você, mesmo que seja de vez em quando, é hora de rever seu relacionamento.

Rápido na intensidade, lento na insanidade

Não seria ótimo se as pessoas pudessem dar sinais claros das suas patologias, quando as encontramos pela primeira vez? Claro, mas nós não podemos contar com esse luxo! Além disso, os *gaslighters* são muito bons em se comportar como gente "normal". Eles procuram ter certeza de que você já foi fisgada, antes de recebê-la em seu santuário de insanidade. Mesmo profissionais de saúde mental são atraídos para relacionamentos com *gaslighters*. Eles agem de maneira tão "normal" que até mesmo um profissional tem dificuldade para identificar o que há por baixo da máscara desses manipuladores. Mas, como já foi mostrado, isso não significa que não seja possível detectar alguns sinais.

O *gaslighter* tende a aumentar a intensidade do relacionamento muito rapidamente, ao mesmo tempo que esconde sua insanidade até você contrariá-lo. E depois disso, muito cuidado. A insatisfação dele pode ser causada apenas pelo fato de você se defender, queixando-se de algo que a aborreceu ou não seguindo algumas regras que nem sabia que tinha de seguir. De repente, você deixa de ser a pessoa mais importante da vida dele e passa a ser um estorvo. O *gaslighter* estabelece as coisas de tal maneira que você sempre acaba caindo do pedestal em que ele a coloca. Idealizando e depois desvalorizando você, ele a mantém desorientada. Isso faz com que você viva com uma sensação de instabilidade – e isso a torna psicologicamente mais dependente dele, que é exatamente o que ele quer.

PAIXÃO *VERSUS* AMOR

Como vimos no Capítulo 2, os *gaslighters* adoram "bombardear" sua parceira de amor no começo do relacionamento. Eles a colocam num pedestal. Enchem-na de atenção. Mas tenha em mente que o *gaslighter* tenta fazer você se apaixonar pela ideia de quem eles são, não pela sua

> "Ele era o clássico 'príncipe encantado'. Inteligente, educado, divertido. Só depois de seis meses conheci seu lado sombrio e possessivo."
>
> – Jessie, 28

pessoa real. A pessoa real está atrás da máscara. O *gaslighter* sabe agir como uma pessoa "normal" para enganar você.

Você pode sentir um "amor" instantâneo por essa pessoa. Mas ninguém passa a amar outra pessoa tão rapidamente. O que você provavelmente sente é paixão. Você fica nas nuvens, seu coração dispara quando vê a pessoa e você tem vontade de tirar a roupa toda vez que ela está por perto. Você se sente incrível! Mas a paixão também é passageira. Não há um sentimento real de permanência. Você se sente insegura. Sente como se pudesse perder a pessoa a qualquer momento. Sente ciúme quando ela sai com os amigos. Quer passar todo o seu tempo com o alvo da sua paixão e fica aflita quando está longe dele.

O amor é um sentimento mais profundo. Às vezes as pessoas sentem paixão no início de relacionamento, mas esse sentimento desaparece em cerca de seis meses a dois anos. É quando as coisas começam a ficar mais reais. Alguns relacionamentos terminam nesse ponto, porque as coisas não são mais tão excitantes quanto antes. É nessa fase também que você pode começar a ver o verdadeiro eu de um *gaslighter*. Num relacionamento saudável, os estágios iniciais são emocionantes, mas também há uma sensação de tranquilidade e conexão. A conexão física é ótima e a conexão emocional torna a física ainda melhor. Quando ama alguém, você gosta de estar com ela, mas também se dedica à sua própria vida e gosta de passar algum tempo sozinha. Num relacionamento saudável, seu parceiro não se importa que você saia com os seus amigos – na verdade, um parceiro saudável a incentiva a sair com eles e faz questão de conhecê-los.

Tenha em mente a diferença entre paixão e amor quando estiver namorando. Diga ao seu cérebro para desacelerar um pouco para que você possa pensar de forma mais racional sobre a pessoa por quem está se apaixonando. Com *gaslighters*, o sentimento não passa da paixão para o amor; ele vai da paixão para o desespero. Embora eu tenha que admitir que é muito bom se sentir apaixonada, é muito importante não confundir paixão com amor e ficar sempre atenta aos sinais de *gaslighting* e manipulação.

TRAMAR E ROUBAR

Além do controle, o *gaslighter* geralmente tem outros motivos e objetivos. O objetivo principal de alguns deles é roubar seu dinheiro, seu carro e suas propriedades. Eles selecionam suas vítimas principalmente em sites de relacionamentos, porque essas pessoas são vistas como "presas fáceis". Esses *gaslighters* tendem a ter como alvo homens e mulheres mais velhos e de maior poder aquisitivo. Eles começam dizendo que esqueceram a carteira num encontro e, um dia, fazem você assinar um papel passando todos os seus bens para o nome deles.

> "Ele me disse que era médico. Descobri depois que era viciado em drogas e escondia isso muito bem. Começou a me perguntar sobre o meu dinheiro e tentou forjar meu nome em prescrições."
>
> – Jane, 68

Estudo de caso: John Meehan (baseado em reportagens do jornal *Los Angeles Times* de 10/1/2017 a 10/8/2017)

A história de John Meehan parece tirada de um filme, mas é verídica e foi relatada numa série de reportagens do *Los Angeles Times* e num *podcast* de Christopher Goffard (2017). Meehan era um homem cuja vida se resumia a enganar pessoas, especificamente mulheres. Ele mentia o tempo todo para as mulheres, afirmando que era, entre outras coisas, médico anestesista que atuara voluntário no Iraque, com a organização Médicos sem Fronteiras. John proibiu sua primeira esposa de entrar em contato com a família. Quando ela fez isso contra a vontade dele, ele teve um ataque de fúria. A esposa havia descoberto que John não era o que dizia ser. John a ameaçou várias vezes, gabando-se de ter laços com a máfia. Em 2014, ele encontrou

Debra Newell, uma empresária bem-sucedida, num site de relacionamentos. John também disse a Debra que era anestesista e prestara serviços voluntários no Iraque, com a organização Médicos sem Fronteiras. Ele a pressionou para que se casassem rapidamente, apenas alguns meses depois de começarem a namorar.

A família de Debra foi quem descobriu as mentiras de John. Ele era um enfermeiro que havia perdido o direito de exercer a profissão e tinha cumprido pena por posse de narcóticos. Quando confrontado, John agrediu Debra. Ela o deixou. John implorou perdão, dizendo que tudo tinha sido um mal-entendido, e que a família dela não queria que ela encontrasse o amor e fosse feliz. Debra voltou para ele. Quando ela o deixou pela segunda vez, John ameaçou Debra e a família dela. Ele disse a Debra que ela havia recebido dinheiro dele, quando, na verdade, ela é quem lhe dera dinheiro. John enviou fotos de Debra nua para a família dela. Por fim, perseguiu e atacou a filha de Debra, Terra, esfaqueando-a repetidamente. Ela conseguiu tomar a faca dele e o apunhalou para se defender. Terra sobreviveu; John morreu devido ao ferimento.

Como Debra, uma mulher bem-sucedida, se deixou enganar por um impostor como John Meehan? Será que ela não percebeu que John estava praticando *gaslighting* com ela? Não necessariamente. Os *gaslighters* são muito, mas muito bons em agir como pessoas comuns. Eles agem quase que de maneira "normal demais" e parecem bons demais para ser verdade. John sabia o que uma mulher de sucesso como Debra desejava: um parceiro estável, cooperativo e culto. E John sabia como fazê-la acreditar em suas mentiras.

Acrescente o fato de que a irmã de Debra tinha sido assassinada a tiros pelo marido e a mãe de Debra tinha testemunhado *a favor* do assassino de sua filha, o que o levou a receber uma sentença mais leve. O que isso ensinou a Debra? Que os homens estão certos, não importa o grau de comportamento hediondo deles? Infelizmente, parece que sim. Sua história familiar tem muito a ver com o fato de você ser vulnerável ao ataque de um *gaslighter*. (Você aprenderá mais sobre famílias e *gaslighting* no Capítulo 6.)

COMO SE PROTEGER

Como você viu até agora, precisamos estar alertas quando formos a um encontro romântico pela primeira vez ou visitarmos sites de relacionamento em busca de um companheiro. Nunca baixe a guarda. Saiba que existem *gaslighters* por aí cujo principal objetivo é encontrar vítimas em potencial. Siga as dicas a seguir para se proteger:

> "De agora em diante, estou verificando os antecedentes dos homens com quem me encontro. Um amigo me disse que estou sendo muito dramática, mas eu realmente prefiro saber de antemão se ele tem um histórico de violência doméstica ou qualquer outro tipo de comportamento violento."
>
> – June, 27

- Se você está pensando na possibilidade de utilizar um site ou aplicativo de relacionamentos, prefira um que seja pago. Os *gaslighters* são notoriamente sovinas, por isso visitar um site ou aplicativo pago pode reduzir suas chances de encontrar um deles.
- Antes de postar seu perfil ou sua foto, peça a opinião dos seus amigos a respeito disso. Escolha seus amigos mais cautelosos para a tarefa, pois eles provavelmente apontarão qualquer coisa que possa dar sinais de que você é carne fresca para um *gaslighter* faminto.
- Tente conhecer pessoas em festas ou encontros presenciais, em vez de frequentar sites e aplicativos de relacionamentos. Mas, caso as encontre *on-line* e comece a conversar, procure conhecê-las pessoalmente para que possa ter condições de avaliá-las melhor.

- Marque encontros com pessoas que foram recomendadas a você por seus amigos. Será ainda melhor se o seu amigo conhecer a pessoa há um tempo considerável – desde a infância, por exemplo.
- Faça uma verificação dos antecedentes criminais antes de marcar outro encontro.*
- Pesquise a pessoa no Google antes de sair com ela. Se houver alguma inconsistência entre as informações que você encontrou *on-line* e as que a pessoa deu em seu perfil ou no bate-papo, simplesmente interrompa toda a comunicação. Esse é um grande alerta vermelho.
- Antes de sair para um encontro, combine com os amigos mensagem de SOS que você possa enviar a eles, de modo que possam ligar para você e dizer que ocorreu uma emergência e você precisa ir embora imediatamente. Não aceite a oferta do *gaslighter* para levá-la de carro.
- Não entre no carro do *gaslighter*. Uma das táticas desses manipuladores é levá-la para o território deles e isolar você. Quando você é tirada do local original do encontro, suas chances de ser atacada ou morta aumentam significativamente.
- Não leve o *gaslighter* à sua casa nem vá à dele no primeiro encontro.
- Não troque fotos ousadas antes de conhecer bem a pessoa.
- Providencie para que se encontrem num local público.
- Se algo parecer errado na sua comunicação *on-line* com uma pessoa, pare de falar com ela. Embora o costume de simplesmente desaparecer não seja recomendado em relacionamentos

* No Brasil, é possível acessar os dados referentes aos antecedentes criminais de uma pessoa por meio do site da Polícia Federal. Qualquer pessoa tem acesso à certidão de antecedentes criminais de outros indivíduos, desde que tenha as informações solicitadas pelo site. A emissão *on-line* ocorre sem custo algum. (N.T.)

românticos saudáveis, você deve "sumir" quando se trata de um *gaslighter*. A continuidade do contato, até mesmo para dizer "Acho que não combinamos", aumenta a probabilidade de você ser manipulada por ele.

- Se você precisar interromper o contato com a pessoa, bloqueie todos os números de telefone, e-mails e perfis associados a ela.
- Denuncie a pessoa ao site de relacionamentos caso ela tenha violado qualquer um dos termos do site, como insultar, praticar assédio ou perseguição.
- Entre em contato com a polícia caso tenha sido ameaçada, assediada ou perseguida – *on-line* ou na vida real. Procure um advogado para que o juiz emita uma ordem de restrição, estabelecendo uma distância mínima entre você e o *gaslighter*.
- Não poste alertas sobre o *gaslighter* em sites. Ele pode facilmente rastrear essas postagens e descobrir que partiram de você.
- Confie nos seus instintos. Mesmo que seus amigos lhe digam que ele é uma ótima pessoa, se você não sente o mesmo, não saia com ele novamente.

"Ele me disse que era cirurgião. Mas não havia nenhum registro dele no departamento de saúde do estado. Disse também que tinha acabado de se mudar para o estado, por isso sua licença não apareceria na lista. Ele zombou de mim, dizendo que eu era paranoica e andava assistindo a muitos programas policiais. Acontece que ele não era médico coisa nenhuma."

– Janis, 55

FAÇA UMA LISTA DO QUE VOCÊ ESTÁ PROCURANDO NUM PARCEIRO

Pode não parecer muito romântico, mas, quando se trata de namoro, é melhor fazer escolhas com base na razão do que no coração. Quando estamos apaixonados, tendemos a ignorar os sinais de alerta. Nosso cérebro entra num estado temporário de insanidade.

Perdemos a razão. "Ah, você matou alguém com um machado? Tudo bem, isso aconteceu há muito tempo..." Para se preparar para fazer uma escolha mais saudável, experimente exercício a seguir. Sente-se e faça uma lista das qualidades do seu parceiro ideal. Seja o mais específica possível. Você pode querer incluir itens como:

- Gostar de cachorros/gatos.
- Se dar bem com a família.
- Ser um bom ouvinte.
- Preferir resolver conflitos.
- Fazer exercícios físicos regularmente.
- Ter um emprego estável.
- Falar respeitosamente comigo e com as outras pessoas.

Concentre-se em atributos positivos. Em vez de escrever "não xingar as pessoas", experimente escrever "falar respeitosamente com as pessoas". Isso ajuda você a se concentrar mais no que quer do que naquilo que você não quer.

Quando conhecer alguém que pareça a melhor pessoa que já surgiu na sua vida, dê uma olhada na lista. Quantas das qualidades desejadas essa pessoa tem? Essa lista ajuda você a usar a razão para tomar decisões mais sensatas com relação à sua vida amorosa, quando seu coração quiser seguir apenas a emoção.

CONFIE NOS SINAIS E USE O BOM SENSO!

Eu acho essas duas coisas muito úteis. Sair com um pessoa em geral é algo repleto de riscos, porque os *gaslighters* podem ser muito inteligentes, muito charmosos e aparentemente muito "normais". E o relacionamento *on-line*, por outro lado, pode torná-la uma presa fácil para esses manipuladores. Mas agora você conhece os sinais de alerta.

Tem novas ferramentas para se proteger no mundo do namoro virtual. Se eu tivesse que lhe dar um conselho sobre namoro, eu diria: confie nos sinais. Como disse a escritora e poeta Maya Angelou: "Quando alguém lhe mostra quem realmente é, acredite logo de cara".

Agora, vamos nos voltar para outra arena onde os *gaslighters* geralmente mostram seu melhor desempenho: o local de trabalho. Você vai descobrir como trabalhar com pessoas que não se preocupam com o seu bem-estar, como denunciar comportamentos de formas mais eficazes e como descobrir leis que podem protegê-la contra o assédio sexual e outras formas de *gaslighting* no ambiente de trabalho.

4

Sabotadores, Assediadores, Folgados e Larápios

O *gaslighting* no local de trabalho

Os *gaslighters* não causam estrago apenas na nossa vida pessoal. Eles destroem muitas carreiras e empresas. Manipulam colegas de trabalho e subordinados para fazer o trabalho por eles e depois ficam com o crédito. Fazem falsas alegações de assédio quando, na verdade, são eles os assediadores. (Na verdade, acho seguro dizer que a maioria, se não todo o assédio, é uma forma de *gaslighting*.) Eles puxam o tapete de colegas de trabalho e recusam-se a assumir qualquer responsabilidade por seu comportamento. Uma coisa é encontrar uma pessoa que interfira na sua vida pessoal, outra completamente diferente é encontrar alguém que quer destruir sua vida profissional.

Na época em que este livro foi escrito, uma onda de mulheres estava fazendo acusações de assédio sexual no local de trabalho – e elas finalmente estavam sendo levadas a sério. Várias celebridades e figuras públicas estão enfrentando acusações de assédio no local de

"Meu colega de trabalho estava de plantão, mas se recusava a atender ao telefone. Isso fez com que os clientes começassem a ligar para mim. Eu me queixei aos meus superiores sobre esse comportamento dele, mas esse colega tinha algumas informações prejudiciais sobre o chefe, então saiu ileso."

– Juan, 40

trabalho. Neste capítulo, você vai descobrir como identificar um *gaslighter* no ambiente em que você trabalha, proteger sua carreira e descobrir maneiras de não trabalhar com um *gaslighter* novamente. No Capítulo 5, você também saberá mais sobre o *gaslighting* e o assédio, os maus-tratos e a violência sexual.

Como você sabe que está trabalhando com um *gaslighter*? Você pode se deparar com uma pessoa que apresenta os comportamentos a seguir:

- Leva o crédito pelo trabalho que você fez.
- Faz elogios ambíguos a você.
- Ridiculariza você na frente dos seus colegas de trabalho.
- Responsabiliza você por tudo.
- Conhece o seu ponto fraco e tira proveito dele.
- Tenta levá-la a ser rebaixada de cargo ou demitida.
- Fala mentiras para levar vantagem.
- Parece competir com todos para ser "o melhor" no local de trabalho.
- Espalha boatos sobre você e se nega a admitir isso quando é confrontado.
- Sabota o seu trabalho.
- Informa o horário e a data errados de reuniões importantes.
- Faz pressão para que você faça algo antiético.
- Tem inveja das suas realizações, em vez de parabenizá-la.
- Tem surtos de raiva quando as coisas não estão do agrado dele.
- Intimida e ameaça você e outros colegas.
- Assedia sexualmente você e outras colegas.

Os *gaslighters* podem fazer até mesmo o mais pacato dos empregos parecer um verdadeiro pesadelo. Suas tramas, sabotagens e "puxadas de tapete" nunca têm fim. Quando são pegos pelos superiores agindo de modo desrespeitoso ou prejudicando um colega, os *gaslighters* parecem se arriscar ainda mais e se comportar de modo ainda pior. Alguns podem agir com mais moderação por um breve período antes de retomar a sua prática de *gaslighting*. Muito raramente eles interrompem seus comportamentos manipulativos. Como já foi mencionado neste livro, muitos *gaslighters* têm tão pouca consciência de si mesmos que não se dão conta do seu mau comportamento. Eles realmente acreditam que todo mundo está errado, menos eles.

"Não importava do que se tratava o projeto, esse sujeito levava o crédito por tudo. Não apenas isso; ele dizia ao chefe que éramos uns preguiçosos e ele tinha que compensar a nossa incompetência. E se esforçava ao máximo para nos prejudicar."

– Doug, 55

ASSÉDIO SEXUAL E OUTROS TIPOS DE ASSÉDIO NO LOCAL DE TRABALHO

Os *gaslighters* usam o assédio moral e sexual como uma maneira de obter controle sobre você e sobre o local de trabalho. Eles apostam que, se a assediarem, você não vai falar nada a respeito de outros tipos de mal comportamento que eles têm no trabalho.

Um tipo de assédio é o assédio sexual. A Comissão de Oportunidades Iguais de Trabalho dos Estados Unidos (EEOC, na sigla em inglês) define o assédio sexual como "avanços sexuais não desejados, pedidos de favores e outros assédios verbais ou físicos de natureza sexual" (EEOC, 2017).

"Meu colega de trabalho roçava a mão na minha bunda toda vez que passava por mim e depois se desculpava, como se fosse sem querer. Ele era muito esperto quando fazia isso, ninguém via. Eu ia denunciá-lo, mas fiquei preocupada com a possibilidade de ele dizer que eu estava mentindo. Que prova eu tinha?"

– Lydia, 28

Você pode ser vítima de assédio sexual se:

- Disserem a você que o seu emprego ou incumbência depende de você fazer alguma atividade sexual.
- Alguém a observa intensamente sem motivo.
- Uma pessoa bloqueia sua saída do seu escritório ou baia.
- Alguém a olha com malícia quando você passa.
- Você recebe cantadas ou ouve comentários do tipo "Você precisa sorrir mais".
- Alguém numa posição superior ou mais influente a chama para sair.
- Você está sendo retaliada por não aceitar cantadas.
- Fotos ou mensagens de natureza sexual são colocadas no seu armário ou escrivaninha.

Outras formas de assédio incluem:

- Ser alvo de "pegadinhas" dos seus colegas de trabalho.
- Ter seus pertences tirados continuamente da sua mesa e depois devolvidos.
- Descobrir que seus colegas de trabalho fazem brincadeiras com a sua comida na geladeira do escritório.
- Seu armário foi arrombado.
- Ter seus itens pessoais escondidos de você.
- Ter seu armário ou espaço de trabalho invadido por colegas sem a sua autorização.

Embora a maioria dos *gaslighters* não demonstre o seu mau comportamento no local de trabalho a ponto de ele ser considerado um assédio, alguns fazem isso, principalmente quando vocês trabalham num ambiente que parece recompensar esse tipo de mau comportamento. Por exemplo, embora não haja nada de errado, pelo menos aparentemente, no fato de superiores darem incentivos aos funcionários para aumentar a produtividade, essa é uma prática que favorece os *gaslighters*. Eles farão o que quer que achem necessário para ganhar vantagem sobre os outros, e isso inclui um comportamento desonesto e prejudicial. Em algumas áreas do mundo dos negócios, um comportamento rude é algo que faz o *gaslighter* ser visto com mais respeito, mas isso nada mais é do que medo em relação ao *gaslighter* disfarçado de respeito. Nesta seção, vamos analisar quando os hábitos de trabalho agressivos realmente constituem assédio e as providências que você pode tomar para combatê-los.

"Eu tinha um chefe que ficava me olhando enquanto eu trabalhava. Mas ele não me observava simplesmente – era um olhar malicioso. Realmente assustador. No final do dia, quando havia menos pessoas no escritório, eu começava a me sentir insegura e saía correndo de lá."

– Marisol, 36

De acordo com a EEOC, o assédio passa a ser crime quando um empregado tem que suportar o comportamento de assédio como uma condição para permanecer no emprego, ou se o assédio é tão grave ou ostensivo que qualquer pessoa sensata o acharia intimidante, agressivo ou hostil.

Você não precisa ser o alvo direto do comportamento para qualificá-lo como assédio. Se o comportamento de uma pessoa em relação a outro colega de trabalho estiver afetando a sua capacidade de fazer o seu trabalho ou de permanecer no seu local de trabalho, você pode qualificá-lo como assédio moral.

Assédio tem a ver com poder. É uma prática para "manter você no seu lugar". Os *gaslighters* adoram ter poder sobre as pessoas. Eles se sentem bem quando sabem que o seu meio de sobrevivência – o seu trabalho – está em risco. E eles podem ser muito sutis em seu assédio – fazer apenas o suficiente para afetar você, mas não para que você prove que se tratou de um assédio. Muitos casos de assédio acabam se tornando apenas a palavra de uma pessoa contra a de outra. Por essa razão, e pela preocupação com a retaliação, muitos casos de assédio nunca são sequer denunciados, muito menos resolvidos.

Além disso, quando você se depara pela primeira vez com o assédio, é muito comum ficar num estado de choque, a ponto de duvidar de si mesma ou da sua percepção da experiência. *"Será que ele me disse isso mesmo ou eu que imaginei? Talvez ele não tivesse más intenções."* Se você já morou com um *gaslighter*, e particularmente se você foi criada por um deles, ficará ainda mais propensa a questionar o seu senso de realidade. Você foi treinada, desde cedo, para não acreditar em seus próprios olhos e ouvidos, então é claro que automaticamente questionará sua experiência.

Comece a acreditar. Se o comentário parecer um assédio e tiver todo jeito de assédio, sexual ou não, é bem provável que seja mesmo um assédio!

LEIS QUE PROTEGEM VOCÊ

"Eu ouvi o clássico comentário, 'Fulano de tal me disse que seu trabalho é péssimo'. Ah, tudo bem, então o fulano de tal pode vir me procurar pessoalmente e dizer isso na minha cara. Até lá, não é problema meu."

– Josh, 28

Nos Estados Unidos, a Lei de Direitos Civis de 1964 protege os cidadãos da discriminação no local de trabalho com base em idade, gênero, religião, raça, cultura e origem nacional.

O assédio no local de trabalho, incluindo o assédio sexual, também viola a Lei de Direitos Civis de 1964.

Aqui está uma das coisas complicadas com relação a essa lei. Quem trabalha em empresas menores pode não ter tanta sorte. Essa lei americana aplica-se apenas a empresas com quinze funcionários ou mais, ou para repartições públicas municipais, estaduais ou federais. De acordo com ela, é ilegal sofrer retaliação no local de trabalho por denunciar assédio. Lembre-se, não é preciso ser o alvo direto do assédio para que a denúncia seja válida. Qualquer um no local de trabalho afetado pelo comportamento do assediador – se ele provocou o que chamamos de clima de intimidação – pode registrar uma denúncia de assédio. *Mesmo que, aos olhos dos outros funcionários, você pareça ter aceitado o comportamento na época*, você ainda assim tem o direito de denunciar comportamentos intimidadores e indesejados.

Pode haver leis no local em que você trabalha que protejam você de assédio e discriminação. Você pode conhecê-las fazendo uma pesquisa rápida na internet. Conhecer seus direitos é o primeiro passo para se proteger desse tipo de comportamento e passar para os ombros do assediador o fardo de ter de provar sua inocência. Informar-se é um dos passos mais importantes que você pode dar para combater os *gaslighters* e seu assédio.*

Providências que você pode tomar

Se você está sendo assediado, o EEOC, que protege os direitos dos trabalhadores nos Estados Unidos, recomenda que se tome uma

* Desde 2018, o assédio sexual é crime no Brasil, com pena prevista de 1 a 5 anos de prisão. A lei federal estabelece o crime de importunação pessoal, que consiste em "praticar contra alguém e sem a sua anuência ato libidinoso com o objetivo de satisfazer a própria lascívia ou a de terceiro". De acordo com o Ministério do Trabalho, as práticas de assédio moral são geralmente enquadradas no artigo 483 da Consolidação das Leis Trabalhistas (CLT), que determina que o empregado pode considerar rescindir o contrato e pleitear indenização quando, entre outros motivos, "forem exigidos serviços superiores às suas forças, contrários aos bons costumes ou alheios ao contrato, ou ainda quando for tratado pelo empregador ou por seus superiores hierárquicos com rigor excessivo ou ato lesivo da honra e boa fama". (N.T.)

série de providências. A mulher tem o direito (e é mesmo incentivada) a entrar em contato com um advogado durante esse processo.*

Em primeiro lugar, é recomendável que se entre em contato com o *gaslighter* diretamente, queixando-se do comportamento dele. Você tem a opção de fazer isso pessoalmente ou por escrito. Se for pessoalmente, considere a possibilidade de ter uma testemunha. Como você já sabe, os *gaslighters* são muito hábeis em distorcer a verdade. O que aconteceu entre você e o *gaslighter* certamente não será a história que ele contará aos outros. Ter uma testemunha faz com que você tenha alguém que apoie a sua versão dos fatos.

> "Meu colega de trabalho me insultava com piadas raciais e fazia isso com um sorriso nos lábios e um tom de voz amável. Ainda me dá calafrios pensar nisso. Eu disse a ele para parar, mas ele continuou. Eu até contei ao meu patrão. Nada aconteceu. Eu não sabia mais o que fazer. Estava preocupado com a possibilidade de perder o meu emprego se continuasse a me queixar."
>
> – Dan, 35

Entrar em contato com o *gaslighter* por escrito é uma maneira de criar uma prova eletrônica. Será difícil para o *gaslighter* mentir sobre o que você disse se você tiver um e-mail que prove isso. Embora confrontar o *gaslighter* possa ser muito desconfortável para você, isso o coloca na berlinda e servirá de prova caso o assédio continue e você resolva denunciá-lo.

* As mulheres são as principais atingidas com essa forma de violência no ambiente de trabalho. Segundo pesquisa realizada pela médica Margarida Barreto, da Pontifícia Universidade Católica de São Paulo (PUC-SP), as mulheres são mais "assediadas moralmente do que os homens – 65% das entrevistadas relatam atos repetidos de violência psicológica, contra 29% dos entrevistados. No mesmo sentido, estudos realizados pela Organização Internacional do Trabalho, em parceria com a Secretaria de Políticas para as Mulheres da Presidência da República (SPM), demonstram que as discriminações e as desigualdades tornam-se mais evidentes no espaço social do trabalho, no qual a mulher fica relegada ao desempenho de papéis / funções outorgados por outras pessoas, sob a óptica de uma ideologia, ainda dominante, de que a divisão de papéis é naturalmente determinada pela diferenciação biológica. Assim, além do gênero, a raça e a etnia são também fatores de discriminação, de modo que as mais afetadas por assédio moral são as mulheres negras. (N.T.)

Para uma denúncia de assédio ter sucesso, você precisa provar que o comportamento do *gaslighter* não é bem-vindo, e o fato de você ter notificado o assediador é considerado uma prova. Mesmo que você não tenha se oposto ao comportamento dele na ocasião ou em algum momento posterior, você ainda tem o direito de dizer a ele que tal comportamento era indesejável. Na ocasião em que o assédio aconteceu, você talvez estivesse rodeada de colegas de trabalho e não tivesse feito objeções porque na hora se sentiu constrangida. Você pode ter dado risada, porque se sentiu muito desconfortável. Pode ter tentado ignorar o assédio e se concentrar no seu trabalho. De qualquer forma, agora você está dizendo para o *gaslighter* parar.

"Eu era sócio de um cara que era o *gaslighter* em pessoa. Ele disse aos nossos clientes que eu era 'mentalmente instável' e por isso eles deveriam procurar apenas a ele se quisessem fazer negócio. Finalmente, um dos clientes me disse: 'Eu acho que você não sabe disso...' e me contou a história toda. Eu vendi minha parte do negócio e saí da sociedade."

– Wade, 60

Faça um registro de quando você falou com o *gaslighter*, incluindo a data, a hora e se alguém estava presente, além de citações diretas suas e também do assediador. (Consulte a página 105 para saber mais sobre esse assunto.) Se você achar que sua segurança estará em risco caso entre em contato com o assediador diretamente, comece fazendo uma reclamação no departamento de recursos humanos da empresa.

Se o assédio não parar ou você temer pela sua segurança, achando que não quer correr o risco de entrar em contato com o *gaslighter* diretamente, "apresente uma queixa formal" ao seu superior, ao departamento de recursos humanos ou à ouvidoria da sua empresa. Você também pode consultar o manual de direitos, deveres e benefícios da sua empresa ou repartição pública, e averiguar se há uma seção sobre queixas e reclamações. Você também pode perguntar ao departamento de recursos humanos da sua empresa como registrar um assédio ou denunciar uma discriminação.

Siga as instruções exatamente como elas foram escritas ou informadas a você. É sempre útil tê-las por escrito. Sempre guarde uma cópia do documento que você entregar. Quando registra uma queixa formal no seu local de trabalho, você está colocando seu empregador a par de que existe um problema. Você também está dando à empresa uma oportunidade de eliminar ou corrigir o problema. Você precisará desse procedimento formal de reclamação porque, se precisar abrir um processo civil, a empresa só se responsabilizará caso tenha conhecimento do assédio e já tenha tomado providências para resolvê-lo. A empresa passa a ser responsável por resolver a situação.

Se o assédio ainda assim continuar ou a sua reclamação não for atendida a contento, você deve tomar algumas providências antes de entrar com uma ação judicial de acordo com a lei federal.*

O QUE NÃO CONSTITUI ASSÉDIO?

Às vezes pode ser difícil diferenciar o assédio do comportamento humano normal. Mas, se você experimentar um sentimento de humilhação ou repulsa diante do comportamento de alguém com relação a você, é muito provável que esteja sendo assediada. Contudo, por si só, os itens a seguir não caracterizam assédio:

- Ser elogiada pela sua roupa.
- Dizer que você está bem hoje.
- Ser convidada para sair quando essa pessoa não é seu superior no local de trabalho.

---

* No Brasil, para denunciar assédio sexual ou moral, a vítima pode procurar o departamento de recursos humanos da empresa ou o sindicato da categoria, ou registrar ocorrência na delegacia e nas Superintendências Regionais do Trabalho. A vítima tem o direito de deixar o emprego e solicitar a rescisão indireta do contrato, além de indenização por danos morais e físicos. (N.T.)

- Dizer que seu desempenho no trabalho poderia melhorar em alguns aspectos.
- Ser convidada para uma conversa com seu empregador com o intuito de resolver uma questão preocupante.

Se você já passou por uma dessas experiências com uma pessoa para quem você já deixara claro que preferia que ficasse longe de você ou que tem uma história que a incomoda ou incomoda outros funcionários, isso constitui assédio.

GASLIGHTERS EM CARGOS DE CHEFIA

O *gaslighting* não é um comportamento de "fracassados". Muitas pessoas em cargos elevados também são *gaslighters*. Você pode ter um chefe que pratique o *gaslighting* com você. Os *gaslighters* sabem como manipular e burlar o sistema. Eles chegam ao topo mentindo sobre suas realizações e alcançam o sucesso à custa do trabalho árduo de outras pessoas. Podem ter até chantageado uma pessoa ou várias para serem promovidos. Também são mais propensos a usar favores sexuais para obter promoções. Os *gaslighters* também podem ser tão eficientes no trabalho quanto qualquer outra pessoa. Essa talvez seja uma das partes mais frustrantes de se ter um chefe *gaslighter* – eles são realmente competentes no que fazem, o que torna mais difícil a possibilidade de que sejam demitidos.

Aqui estão alguns sinais a serem observados.

Eles vão observar você enquanto trabalha

Ser observada pelos seus superiores enquanto trabalha não é nenhuma surpresa, mas os *gaslighters* vão fazer isso de maneira ostensiva e desagradável. Você pode reparar que o seu chefe *gaslighter* presta muito mais atenção em você do que nos seus outros colegas de trabalho. Também pode perceber que ele se aproxima mais de você quando há menos pessoas por perto. E pode até tentar isolar você de seus colegas.

Esse hábito de "observar" se transforma num olhar malicioso – ele olha para você de uma forma que a faz se sentir desconfortável. Mas você tem o direito de dizer em voz alta: "Por favor, pode se afastar um pouco?". Isso mostra aos outros funcionários que essa pessoa está se comportando de forma inadequada – e também produz testemunhas. Os *gaslighters* costumam recuar quando sabem que os outros podem considerá-los menos do que perfeitos. A imagem que as pessoas têm deles é tudo para esses manipuladores.

"Eu adorava o meu trabalho e era muito boa no que fazia. Mas não contava com o esforço dos meus chefes para me demitir. Eles criavam situações em que parecia que eu não estava fazendo o meu trabalho direito. Diziam aos seus superiores que eu me recusava a trabalhar em algo, embora nunca tivessem falado comigo a respeito. Eu comecei a questionar se eles de fato tinham mencionado alguma coisa e eu tinha me esquecido. Mas então comecei a anotar exatamente o que eles me diziam. Eles estavam simplesmente mentindo. Chegou um dia em que não aguentei mais e pedi demissão. Nenhum dos meus chefes se dispôs a me defender e a dar um basta naquilo."

– Amber, 28

Chefes que praticam *gaslighting* podem se unir e se tornar aliados

Os gaslighters às vezes se unem contra você. E até pessoas que normalmente não são *gaslighters* podem participar desse complô. Isso é conhecido como "psicologia da multidão". Ficamos mais propensos a nos envolver com um comportamento quando outras pessoas também estão envolvidas – mesmo se ele for contra os nossos princípios. Comportamentos de grupo são contagiosos e podem nos fazer sentir menos responsáveis pelas nossas ações. Um empregador também pode pressionar funcionários em cargos de chefia a praticar *gaslighting* com os seus subordinados.

Eles a avaliam mal, apesar das evidências

> "Meus supervisores se reuniram e passaram a praticar *gaslighting* contra mim em grupo. Todos eles deram informações falsas sobre o meu desempenho no trabalho, para que eu fosse demitido."
>
> – Jameel, 28

Se o seu chefe *gaslighter* chamar você para uma reunião de avaliação de desempenho, peça que outro superior fique na sala como testemunha. Se a avaliação for desfavorável e injustificada, você pode solicitar outra avaliação de desempenho com um supervisor de cargo superior. Se o seu chefe perguntar por que, você pode apenas dizer que notou algumas discrepâncias entre seu trabalho e a avaliação que recebeu. Certifique-se de se apresentar para a avaliação com uma documentação que prove suas realizações no trabalho. Você precisa ter provas concretas de que a avaliação de desempenho que recebeu não foi precisa. Consulte também o seu manual de direitos, deveres e benefícios para ver se há instruções sobre como proceder se discordar da sua avaliação de desempenho.

Se o seu chefe *gaslighter* lhe disser que você precisa assinar sua avaliação de desempenho, mas você achar que a avaliação é prejudicial ou incorreta, você não é obrigada a assinar. As avaliações de desempenho são políticas da empresa, não uma exigência legal. Geralmente, a sua assinatura nessa avaliação significa simplesmente que você a recebeu. No entanto, se estiver escrito na avaliação, em letras miúdas, algo como "Eu concordo com os comentários e a avaliação acima", não assine. Sua avaliação de desempenho também pode ter um campo onde é possível escrever comentários sobre ela. Eu recomendo veementemente que você não faça comentários escritos sobre sua própria avaliação, especialmente no momento em que recebê-la. Pense no que quer escrever primeiro. Isso evita que escreva com base nas suas emoções, em vez de escrever com base em fatos. Você pode enviar seus comentários posteriormente.

ASSÉDIO NA UNIVERSIDADE

"Meu chefe me disse que eu seria o favorito para uma promoção se trabalhasse num grande projeto para ele. Quando terminei o trabalho, ele apenas disse, 'obrigado' e saiu da sala. A promoção nunca aconteceu."

– Curtis, 40

O *gaslighting* também existe nas escolas e universidades, assim como em qualquer outro lugar. Professores e assistentes de ensino podem praticar *gaslighting* com estudantes ou funcionários; até mesmo os alunos podem praticar *gaslighting* com seus professores. Lembre-se, os *gaslighters* se alimentam de poder. Se uma aluna receber uma nota baixa, por exemplo, e o professor não melhorar a nota dela, essa aluna pode dizer à diretoria que está sendo assediada pelo professor. Essa é uma forma de *gaslighting* também.

Se você é estudante ou funcionária de uma universidade e está sendo assediada, ou se conhece alguém que está sofrendo assédio, você tem algumas opções. Consulte o manual do aluno ou dos funcionários para saber como fazer uma reclamação. Muitas universidades também têm um *ombudsman*, um profissional contratado para receber críticas, sugestões e reclamações de alunos e funcionários. Normalmente, o *ombudsman* recomenda que se procure o diretor antes de buscar a ajuda dele. Além disso, você sempre tem a opção de fazer um boletim de ocorrência caso se sinta ameaçada.

"Meu professor dava em cima de mim, mas eu não queria nada com ele. Depois disso, ele passou a me fazer as perguntas mais difíceis em sala de aula e também me dava falta mesmo quando eu estava presente."

– Reese, 23

Não aceite "Vamos conversar com ele" ou "Você tem certeza de que não entendeu mal?". Essas não são respostas aceitáveis da sua universidade. Você precisa ver a prova de que tomaram providências para que esse comportamento não acontecerá mais com você nem com qualquer outra aluna no futuro. E é de seu interesse procurar um advogado. Embora muitas universidades procurem agir rápido no caso de denúncias, também há casos de universidades que não aceitaram as reclamações ou as ignoraram completamente. Como ocorreu nos casos de Larry Nassar, no estado de Michigan, e de Jerry Sandusky, em Penn State (ambos nos Estados Unidos), relatórios de assédio são às vezes "varridos para debaixo do tapete" até que as acusações sejam inevitáveis – geralmente quando os casos vão para o tribunal. Faça com que sua voz seja ouvida e os culpados assumam a responsabilidade pelos seus atos.

"Eu fui à sala do meu professor conversar sobre a possibilidade de ele aumentar minha nota e ele me disse que talvez eu pudesse fazer algo por ele também. Eu disse que de jeito nenhum. Ele disse que, se eu dissesse alguma coisa, nós dois poderíamos ficar em apuros."

– Casey, 22 anos

ASSÉDIO POR CLIENTES

Não são apenas os empregadores e os colegas de trabalho que podem praticar *gaslighting*; seus clientes também. Pode ser um verdadeiro problema quando uma pessoa que contratou seus serviços profissionais dá em cima de você. Muitas vezes esses indivíduos fazem isso porque você disse a eles algo que não queriam ouvir ou porque lhe devem dinheiro.

"Uma cliente fez um pedido e depois disse ao meu supervisor que eu não tinha preenchido o formulário de pedidos corretamente e que tinha sido rude com ela. Não vejo outra razão para ela ter feito isso a não ser a vontade de me prejudicar."

– Ken, 36

Mesmo que você tenha regras de confidencialidade em sua profissão, isso não significa que você não esteja protegida de comportamentos ameaçadores. Depois que seu cliente se queixa de você para a diretoria da sua empresa, eles não podem mais manter a confidencialidade. Você também tem o direito de procurar seus direitos e fornecer o nome do cliente, caso ele a tenha ameaçado.

Se você é terapeuta, uma maneira de reduzir as falsas reclamações dos *gaslighters* é fazer com que seus clientes paguem pela sessão antes que possam marcar outro horário com você. Se um cliente *gaslighter* lhe deve dinheiro e a conta só continuar aumentando, ele tentará fazer o possível para se livrar do pagamento. Como já mencionei antes, os *gaslighters* gostam de passar a impressão de que têm dinheiro quando isso não é verdade, pois têm dificuldade para manter seus empregos ou são apenas muito sovinas (mais uma característica comprovada dos *gaslighters*).

Você também pode considerar a possibilidade de incluir em contrato ou no termo de responsabilidade uma cláusula afirmando que, se um cliente tiver algum problema com você, você gostaria que ele falasse com você primeiro. Se a questão não for resolvida a contento, ele pode então se queixar para a sua empresa, se for o caso, ou denunciá-la à sua entidade de classe. Acrescente essa cláusula ao seu contato. Às vezes, ser transparente sobre o procedimento formal de queixas reduz o número de reclamações. Sua entidade de classe geralmente pode encaminhá-la a um advogado para aconselhamento jurídico gratuito. Os conselheiros profissionais também podem ter informações sobre seus direitos quando um cliente a assedia.

"Meu cliente não quis pagar a conta e depois me denunciou para a minha associação de classe por 'má conduta'."

– James, 48

GASLIGHTERS E VIOLÊNCIA NO LOCAL DE TRABALHO

Embora os *gaslighters* tendam a fazer questão de passar uma imagem de perfeição, eles também podem ter propensão para a violência devido à sua tendência a levar para o lado pessoal o comportamento das outras pessoas. Quando os *gaslighters* levam algo "para o lado pessoal", eles consideram o comportamento de alguém como um ataque pessoal a eles. Em outras palavras, se você criticar o trabalho de um *gaslighter*, ele sentirá que seu ego foi atacado. Ser demitido de um emprego, para um *gaslighter*, é uma afronta pessoal, e deve haver retaliação contra o empregador.

A violência no local de trabalho pode englobar qualquer um dos seguintes comportamentos:

- Danos à propriedade ou sabotagem de informações eletrônicas.
- Perseguição.
- Ameaças de violência.
- Combate corpo a corpo (socos, chutes).
- O uso de armas (armas de fogo, facas etc.; incêndio criminoso ou ameaças de bomba).

Como você pode evitar um *gaslighter* ou se proteger de algum que possa partir para a violência no local de trabalho?

- Denuncie ao seu empregador comportamentos perturbadores dos funcionários.
- Tenha um protocolo estabelecido em caso de violência no local de trabalho.
- Execute exercícios para o caso de haver violência no local de trabalho.
- Tenha um local de encontro caso seja preciso evacuar o edifício.

Se o seu empregador não verifica os antecedentes dos funcionários, nem entra em contato com os empregadores anteriores, sugira que isso se torne uma prática padrão. O fato de precisar ir ao seu local de trabalho não significa que você deva ser um alvo fácil.

O Departamento de Segurança Interna dos Estados Unidos oferece as seguintes diretrizes sobre o que fazer se houver um atirador ativo em seu local de trabalho:

- Primeiro, saia do prédio o mais rápido possível. Deixe seus pertences para trás. Sua bolsa, identificação e cartões de crédito podem ser substituídos – você não.
- Se for impossível deixar o prédio, esconda-se. Coloque o telefone no modo vibrar. Tranque a porta e coloque algo pesado na frente dela, como uma máquina de xerox, por exemplo.
- Se o atirador ativo se aproximar de você e você não tiver como fugir, lute.

Em resumo, siga as seguintes etapas: sair, se esconder, lutar. Isso também se aplica a outras formas de violência no local de trabalho, como alguém portando uma faca ou ameaçando explodir uma bomba.

Não deixe seu local seguro, a menos que a polícia diga que é seguro sair dali.

Os *gaslighters* podem ter um histórico de violação de leis, uso de armas letais, comportamento violento, intimidação, vingança, perseguição, ameaça de membros da família de uma vítima e desrespeito à vida humana, mesmo antes de começarem as agressões físicas.

Os sinais estão sempre presentes, para quem quiser ver. Nós apenas temos que aprender a prestar atenção – e tomar providências quando necessário e antes que o comportamento do *gaslighter* se torne violento.

COMO SE PROTEGER MAIS?

Se você trabalha com um *gaslighter* ou para ele, além de registrar uma queixa contra ele por assédio, aqui estão algumas medidas que você pode tomar para se proteger do seu colega cujo comportamento é prejudicial e às vezes ilegal:

Nunca fique sozinha com um *gaslighter* no local de trabalho

Sempre faça questão de ter alguém na sala quando tiver uma reunião com um *gaslighter*. Se você não conseguir encontrar uma testemunha antes da reunião, reagende-a. Você talvez ache que pode estar colocando sua carreira em risco remarcando uma reunião importante, mas sua carreira pode depender do fato de você não ficar sozinha com essa pessoa.

Se um *gaslighter* seguir você até uma área onde não houver mais ninguém, deixe o lugar ou insista em trazer um colega de trabalho com você. Sem testemunhas, é mais provável que você seja assediada sexualmente, tocada de maneira imprópria ou agredida. O *gaslighter* também vai mentir sobre a interação que vocês dois tiveram. Com uma testemunha, ele provavelmente vai se comportar melhor. Isso é especialmente verdadeiro se o *gaslighter* sabe que a testemunha não percebeu quem ele realmente é. O *gaslighter* ainda tem interesse de que a testemunha o idealize. Se você estiver sozinha com um *gaslighter* e fizer uma queixa contra ele, o *gaslighter* dirá às pessoas que você é louca ou que estava dando em cima dele. Como você já leu anteriormente neste livro, os *gaslighters* sabem que uma das maneiras mais eficazes de desacreditar você é dizer que você tem um parafuso a menos.

Reunião com seu chefe uma vez por semana

Faça uma reunião semanal com seu chefe para poder rever os projetos em que vocês estão trabalhando e também para colocá-lo a par do seu progresso. Registre tudo por escrito. Dessa maneira, se um *gaslighter* afirmar que o trabalho foi totalmente dele, você já terá informado seu chefe de que o trabalho foi na verdade seu. A reunião semanal com seu chefe também lhe dá uma chance de expressar suas queixas regularmente.

Se o seu chefe disser que não acredita que o *gaslighter* roubaria o seu trabalho, documente a data, a hora e o conteúdo da sua resposta. Se o seu chefe disser que você precisa resolver isso primeiro com seu colega de trabalho, diga a ele que já tentou e conversou com a pessoa, mas tem a impressão de que a tentativa de resolver as coisas só contribuiu para piorar a situação. Mostre a ele suas anotações sobre o que o *gaslighter* tem feito.

Se o *gaslighter* é o seu chefe, ou se você não tem superiores ou um departamento de recursos humanos aos quais possa recorrer, procure um advogado ou o seu sindicato.*

No mínimo, peça para ser transferido para uma baia ou escritório diferente, o mais longe possível do *gaslighter*.

Não beba nas festas da empresa

Nas festas da empresa e outros eventos sociais relacionados ao trabalho, abstenha-se de beber. Até a mais leve embriaguez dará ótimas oportunidades para o *gaslighter* vitimizá-la, seja furtando algo de você, mentindo sobre o seu comportamento ou até mesmo agredindo-a. Se você sente que precisa de uma bebida na mão para se "entrosar" na festa, peça um drinque sem álcool ou uma *Schweppes*. Parece gim-tônica e ninguém bancará o espertalhão para cima de você. Se alguém perguntar por que você não está bebendo, diga que está dirigindo ou tomando antibióticos e não pode beber. Melhor ainda, diga que não está a fim.

Outra razão para não beber nas festas da empresa é que você pode ficar mais tentada ou propensa a discutir com o *gaslighter* e isso não vai ser bom para você. Lembre-se, você nunca vai ganhar uma briga com um *gaslighter*. Ele adora brigas – se alimenta dessa energia.

---

* Segundo o Conselho Nacional de Justiça, no Brasil a vítima também pode procurar o Ministério Público do Trabalho ou a Superintendência Regional do Trabalho. (N.T.)

Além disso, caso você tenha bebido e o *gaslighter* inventar uma história sobre o seu comportamento "ultrajante" em relação a ele na festa da empresa, isso infelizmente só dará mais credibilidade às mentiras dele.

Documente, documente, documente

Sempre faça anotações sobre sua interação com o *gaslighter*. Como você leu anteriormente neste capítulo, documentar tudo é essencial se você precisar relatar algo sobre o comportamento dele ao seu empregador ou ao sindicato. Se consultar um advogado, será obrigada a apresentar provas. A sua documentação deve incluir:

- Data do evento.
- Hora do evento.
- Quem esteve presente.
- O que foi dito (cite as palavras exatas que foram ditas sempre quanto possível).
- Quais comportamentos ocorreram.

Mantenha essas informações num dispositivo eletrônico pessoal, que não seja da empresa. Se você for demitida, seu dispositivo será tirado de você e seu empregador ficará com a sua documentação. Não converse sobre o comportamento do *gaslighter* com outras pessoas por meio de mensagens de texto ou e-mails cujo endereço eletrônico seja da empresa. Além disso, mantenha essa documentação protegida por senha.

Procure outro emprego

Uma das formas mais eficazes de se distanciar de um *gaslighter* no local de trabalho é mudar de emprego. Você pode precisar deixar a empresa ou, dependendo do seu tipo de trabalho e do tamanho da empresa, pode ser transferida para outro departamento ou outra filial. Embora essa não seja a solução mais fácil, você corta o problema pela raiz. Se você deixou seu chefe a par das suas preocupações e tem a impressão de que o *gaslighter* não será rebaixado ou demitido, também considere a possibilidade de deixar definitivamente a empresa. Embora isso esteja longe de ser justo, tenha em mente que o comportamento do *gaslighter* só tende a se acentuar com o tempo. Em outras palavras, ele vai ficar cada dia pior.

Você pode sentir que, ao desistir do seu emprego ou trocá-lo por outro, o *gaslighter* venceu a disputa. No entanto, esse não é o caso. Você é que saiu ganhando, porque deixou para trás um ambiente tóxico. O *gaslighter* dentro de uma empresa pode ser resultado de um problema em todo o sistema. Se você seguiu as diretrizes da empresa ao relatar o comportamento indesejado e o *gaslighter* ainda está trabalhando lá, isso pode ser prova suficiente de que você trabalha num ambiente de trabalho tóxico. Melhor sair de lá do que continuar sofrendo.

Se você não tiver certeza de que os seus direitos foram violados, consulte um advogado especializado em direito do trabalho. Um advogado pode lhe dizer quais são os seus direitos e se a sua experiência viola alguma lei.

Se você é o empregador

Se você é um empregador, verifique regularmente o comportamento dos seus funcionários. Tenha um código de conduta por escrito e siga os procedimentos operacionais padrão (POPs) em relação ao assédio no local de trabalho. Seus POPs devem incluir os passos que um funcionário deve seguir para denunciar o assédio, bem como a garantia de que não sofrerá retaliação. Sua investigação de uma queixa de assédio deve ser feita imediatamente após a apresentação da mesma, e concluída de forma imparcial.

Neste capítulo, vimos como os *gaslighters* agem no local de trabalho, praticando inclusive assédio sexual. No próximo capítulo, vamos dar mais detalhes sobre essa questão e também examinar como o *gaslighting* pode muitas vezes levar à violência doméstica.

5

Você Também

O assédio sexual, a violência doméstica e o *gaslighting*

O assédio sexual tem recebido mais atenção nos últimos tempos, e isso, por sua vez, atraiu mais atenção para a violência doméstica. Os *gaslighters* são aqueles que praticam ambos. Manipulação e controle são um modo de vida para os *gaslighters*, e eles tentam vencer a todos com essas práticas. Se você está sofrendo assédio no trabalho, em casa ou num relacionamento amoroso, saiba que esse é um fenômeno muito real (e contínuo), mas que as vítimas são muitas vezes questionadas, se foram realmente assediadas, e também são desacreditadas. Os perpetradores da violência doméstica usam o *gaslighting* como uma maneira de convencer as vítimas de que elas estão loucas, para que ninguém acredite se denunciarem que estão sofrendo maus-tratos. Esse continua sendo um ciclo de violência crescente que às vezes leva à morte.*

* Segundo o Fórum Brasileiro de Segurança Pública, o Brasil registrou mais de 600 casos de violência doméstica por dia em 2017. (N.T.)

#METOO

Embora o fenômeno da hashtag #MeToo [EuTambém] tenha começado na mídia social em 2017, devido às denúncias de ao menos vinte atrizes, modelos e assistentes contra Harvey Weinstein, magnata do cinema americano e cofundador da Miramax, produtora de clássicos como *Pulp Fiction*, e da The Weinstein Company, o verdadeiro movimento Me Too foi fundado pela ativista afro-americana Tarana Burke, em 2005. O assédio por *gaslighters* vem ocorrendo há muito tempo, sendo as mulheres seu alvo habitual. As revelações do alegado assédio de Weinstein fizeram com que outras mulheres se sentissem mais seguras para se defender e divulgar os anos de assédio que sofreram da parte de Weinstein e outros *gaslighters*. No caso de Weinstein, essas alegações remontaram a três décadas, incluindo um acordo em 1990; no entanto, só em 2017 essas histórias vieram a público.

Por que as vítimas não o denunciaram antes? Os *gaslighters* que praticam o assédio tendem a ter poder. Quando as vítimas resolveram se pronunciar, foram informadas de que estavam arruinando a própria carreira, a família e/ou a reputação ao agir assim. Elas e suas famílias foram até ameaçadas. E existe o clássico "Ninguém vai acreditar em você, de qualquer maneira".

Embora ainda não saibamos se houve uma redução geral na prática do assédio desde o movimento #MeToo de 2017, sabemos que muitas vítimas estão se pronunciando. Mulheres (e homens) sofreram assédio por vários anos, e muitas vítimas ainda não se sentem confortáveis em revelar essa violência.*

Na nossa sociedade, conseguimos chegar ao ponto em que é mais seguro ir a público e falar a verdade do que ficar quieto e envergonhado por algo que não é, evidentemente, culpa da vítima. No

---

* Segundo aponta pesquisa nacional do Datafolha, quatro em cada dez brasileiras (42%) relatam já ter sofrido assédio sexual. (N.T.)

entanto, ainda temos um longo caminho a percorrer. Falar sobre o assédio é um grande passo, mas agora precisamos colocar em prática ambos os parâmetros: reduzir e, esperamos, eliminar o assédio, e tomar providências para punir os assediadores.

Também precisamos ter uma definição clara do que significa assédio. Você ou alguém que você conhece pode ter ouvido alguém dizer que o assédio que você denunciou não foi assédio porque você tinha flertado com essa pessoa antes. Ou que, quando uma mulher bebe ou usa drogas, ela está "dando margem" para o assédio e a violência sexual. Quero deixar bem claro: ninguém "pede" para ser assediado ou para ser vítima de violência. Se você não está consciente, não pode dar seu consentimento, independentemente do que um *gaslighter* possa dizer.

Ao longo da história, as empresas mais se protegeram do que se pronunciaram contra o assediador. Tomemos, por exemplo, o caso da demissão de Matt Lauer, o âncora do programa *Today*, da rede de televisão norte-americana NBC News, por comportamento sexual inapropriado no local de trabalho. A NBC afirmou que não tinha ideia de que Lauer assediava as mulheres no local de trabalho até que uma colega o denunciou. No entanto, num artigo da revista *Vanity Fair*, de autoria de Sarah Ellison (2017), uma colega de Lauer disse que ele escolhia mulheres que eram estagiárias, contrarregras e assistentes de produção – mulheres com menos poder do que ele na NBC. Jovens e funcionárias novas são alvos do *gaslighter*, pois muitas estão começando em seu primeiro emprego e têm medo de ser demitidas por denunciar assédio ou nunca mais trabalhar na área se fizerem isso. Além disso, ex-funcionárias afirmaram no artigo (Setoodeh e Wagmeister, 2017) que Lauer tinha um botão sob a escrivaninha do seu escritório com o qual podia trancar a porta por dentro.

Tais *gasligthers* manejam seu poder como uma arma para manter as vítimas sob controle. Observam e perseguem as pessoas como o predador persegue uma presa. A princípio, todo mundo é uma vítima em potencial. Isso precisa ficar muito claro. Contudo, uma pessoa que sabe que tem livre-arbítrio não tem interesse nenhum para eles. Os *gaslighters* visam pessoas em que eles sentem vulnerabilidades das quais podem tirar proveito. Eles sabem que, se uma pessoa é nova num campo de trabalho e esse é seu primeiro emprego, ou se eles podem controlar sua ascensão num campo em que eles próprios têm poder, ela está menos propensa a lutar contra o assédio. O fato de eles deixarem claro que, se a pessoa rejeitar o assédio ou comentar sobre o comportamento deles, ela perderá o emprego e todas as suas perspectivas em sua carreira tem um enorme peso sobre alguém que precisa desse emprego. Isso compra o silêncio e a submissão dessa pessoa. Mas, nos dias de hoje, as vítimas percebem que não estão mais sozinhas e se sentem seguras para denunciar o *gaslighting*.

Parece que mais empresas estão percebendo as consequências legais da decisão de não tratar de reclamações de assédio imediatamente. A esperança é que essa pressão sobre as empresas leve a menos ocorrências desse tipo.*

VIOLÊNCIA DOMÉSTICA

A violência doméstica não discrimina ninguém; ela afeta todas as culturas, gêneros, orientações sexuais e classes socioeconômicas.

---

* Segundo registros da consultoria Protiviti, que instala e administra canais de denúncias, foram mais de mil as queixas de assédio sexual entre 2009 e agosto de 2017, em 110 empresas brasileiras. Mas, segundo a própria Protiviti, o número de corporações interessadas em adotar regras de conduta, ética e canais de denúncia está crescendo. A reforma trabalhista, porém, ao fixar limites para as indenizações e dano moral, acabou limitando as reparações em caso de assédio moral e sexual. Antes, não havia valor estipulado. Agora o dano é estipulado por graus: leve, médio, grave ou gravíssimo. O juiz determina o grau, e as indenizações vão sendo estabelecidas por múltiplos do teto do INSS, dependendo da gravidade. (N.T.)

TIPOS DE VIOLÊNCIA

Verbal

- Gritar
- Xingar
- Fazer críticas não construtivas
- Ameaçar a segurança e o bem-estar
- Dizer que a parceira é inútil ou burra
- Fazer a parceira ter vergonha do próprio corpo
- Imitar os trejeitos da parceira
- Repetir com deboche o que a parceira fala

Econômica

- Querer que a parceira peça permissão para pegar dinheiro
- Recusar-se a compartilhar informações financeiras
- Recusar-se a deixar que a parceira faça gestão financeira
- Colocar todos os bens ou propriedades no próprio nome
- Estipular uma mesada
- Tirar cartões de crédito e débito da parceira
- Não permitir que a parceira tenha conta em banco ou cartões de crédito no nome dela
- Não permitir que a parceira tenha um emprego ou uma renda
- Tomar ou danificar itens de valor da parceira

Física

- Empurrar, bater, morder e perfurar
- Encurralar
- Cuspir
- Puxar o cabelo
- Impedir a tentativa da parceira de sair de um ambiente
- Fazer cócegas quando a parceira pede para parar

- Lançar objetos na parceira
- Rasgar roupas

Sexual

- Estuprar
- Ameaçar ferir a parceira se ela não concordar em fazer sexo
- Ameaçar trair a parceira se ela não fizer sexo
- Ridicularizar a capacidade sexual da parceira
- Fazer a parceira "merecer" sexo
- Forçar a parceira a praticar prostituição
- Coagir a parceira para fazer sexo
- Forçar a parceira a participar de sexo grupal
- Filmar a atividade sexual da parceira sem o consentimento dela

Emocional

- Exibir ou limpar armas de fogo após fazer ameaças
- Humilhar a parceira, particularmente na frente dos outros
- Comparar constantemente a parceira com outras pessoas
- Separar a parceira dos filhos
- Acusar a parceira de trair sem ter provas
- Cancelar planos como punição
- Ignorar a parceira como se ela não existisse
- Dizer à parceira que ninguém vai acreditar nela em relação aos maus-tratos
- Colocar um rastreador no carro da parceira
- Ameaçar denunciar a parceira a serviços sociais sem justa causa

---

A violência doméstica inclui a agressão verbal, econômica, física, sexual e emocional. O objetivo do agressor é ganhar poder e controle.

Como você já leu anteriormente neste livro, os *gaslighters* ficam satisfeitos quando ganham poder e controle sobre suas vítimas.

A violência verbal inclui gritar, xingar, dizer que a parceira não tem valor e fazer críticas constantes e não construtivas. As pessoas que são verbalmente violentas nem sempre gritam – os *gaslighters* são conhecidos por dizer coisas muito cruéis com um sorriso no rosto. Eles têm esse comportamento incongruente porque: primeiro, não querem que ninguém em público os flagre praticando nenhum tipo de violência; também porque pegar a vítima desprevenida lhes dá uma sensação de controle; e, por fim, porque, quando estão sendo simpáticos e agradáveis, suas vítimas baixam a guarda por tempo suficiente para que eles encontrem uma oportunidade para atacar.

A violência econômica inclui exigir que a parceira peça permissão para pegar dinheiro, dar a ela uma mesada, não permitir que ela tenha controle sobre o dinheiro que ganhou, manter todos os bens e propriedades apenas no nome do *gaslighter*, recusar-se a partilhar informações financeiras com a parceira e insistir para administrar todo o dinheiro do casal, sem que a parceira dê opinião. Como já foi dito, tudo isso tem a ver com poder e controle. Se o *gaslighter* se recusa a permitir que a parceira pague qualquer coisa por conta própria ou gerencie seu próprio dinheiro, é porque ele sabe que ela está menos propensa a abandoná-lo se não tiver independência financeira.

A violência física inclui encurralar a parceira, empurrar, fazê-la tropeçar intencionalmente, beliscar, fazer cócegas mesmo depois de ela pedir para parar, puxar o cabelo, morder, cuspir, socar, bater ou puxar as roupas. Bloquear a porta quando alguém tenta sair também pode ser uma atitude considerada violência física, especialmente quando se usa força para impedir a pessoa de escapar de uma situação perigosa. Também inclui a violência física contra animais de estimação e filhos.

A violência sexual inclui estupro, ameaça de agressão se a parceira não realizar atos sexuais, coagir a parceira a praticar atos sexuais, forçar a parceira a praticar prostituição, negar sexo ou fazer a parceira "merecer" sexo.

A violência emocional inclui exibir ou limpar armas de fogo ou outras armas propositadamente, depois de fazer ameaças; humilhar a parceira especialmente na frente dos outros, dizendo coisas cruéis sobre ela em voz alta; colocar os filhos contra a parceira; acusar a parceira de ter um caso sem apresentar nenhuma prova; cancelar planos como uma punição por algo que a parceira supostamente disse ou fez; cancelar os planos da parceira com amigos ou familiares sem o consentimento dela; dizer à parceira que ela está ficando louca; dizer à parceira que ela nunca disse ou fez qualquer coisa que prestasse; contar a ela com detalhes sobre como as parceiras anteriores eram ótimas; xingar a parceira e provocá-la.

Uma das táticas mais comuns usadas pelos *gaslighters* é a violência emocional. Eles sabem que, ao contrário da violência física, esse tipo de violência não causa danos visíveis, como hematomas ou cicatrizes. Para os *gaslighters*, a violência emocional é a ideal, pois é uma maneira de eles assumirem o controle, ao mesmo tempo, passarem a imagem de ser um exemplo de parceiro e cidadão. O *gaslighter* pode fazer ameaças, dizendo à vítima que, se ela denunciá-lo, ninguém vai acreditar nela, porque todos acham que ele é um homem de bem, estimado por todos. Outras pessoas na vida da vítima podem dizer coisas como: "Se você disser alguma coisa, vai destruir a carreira dele". É claro em tais casos o motivo pelo qual as vítimas não compartilham suas histórias.

NÍVEIS DE VIOLÊNCIA

Uma das coisas insidiosas sobre a violência doméstica é que ela não começa com uma agressão explícita. Pode começar com o *gaslighter* sendo possessivo ou dizendo à parceira que as roupas dela são indecentes. Depois ele pode aumentar a frequência das ofensas e dos empurrões. Em seguida, intensifica as ameaças, depois machuca a parceira fisicamente. Se ela não se afasta do parceiro violento, a morte se torna uma possibilidade muito real. Não há como determinar em que ritmo os comportamentos da violência doméstica vão aumentar, mas o que se sabe é que eles aumentam com o tempo. A intensidade da violência, a duração e a frequência com que ocorre quase sempre pioram.

O CICLO DE VIOLÊNCIA

As pessoas que praticam a violência doméstica nem sempre se comportam de maneira violenta – e essa é apenas uma das razões pelas quais as vítimas acham difícil abandonar o parceiro. Se você está com alguém que é violento apenas 50% do tempo, mas uma pessoa boa para você nos outros 50%, isso pode confundir seu julgamento. Mas lembre-se de que, mesmo se uma pessoa for violenta com você ocasionalmente, ainda assim trata-se de um relacionamento tóxico. Os *gaslighters* geralmente não são 100% ruins; se fosse assim, seria mais fácil. Eles ainda podem ter momentos de comportamento humano. (Geralmente esses momentos acontecem quando o *gaslighter* descobre que você percebeu qual é o jogo dele. Isso faz com que o medo que ele tem de ser exposto fique mais forte.)

No Capítulo 2, você descobriu que o *gaslighter* inicia um relacionamento bombardeando a parceira de amor. Ele tem uma abordagem muito intensa – já chega "tirando os seus pés do chão". Parece que você nunca se relacionou com ninguém tão intenso antes. Diz que você é perfeita, que é a coisa mais maravilhosa que já aconteceu a ele, que ele esperou a vida toda por alguém como você... No entanto, um dia tudo isso muda.

Quando você cai do pedestal em que o *gaslighter* a colocou, nada volta a ser como antes. Nada. Ele deixa de idolatrar você e passa a desvalorizá-la. Agora você não faz nada certo aos olhos dele. Ele vai dizer que vive se perguntando o que viu em você. Você pode ter detectado sinais sutis de violência no começo do relacionamento – um leve comentário sobre o seu peso ou sobre a sua aparência, ou um comentário sobre como você é desajeitada ou pouco inteligente. Quando você demonstra vulnerabilidade ou incerteza, o comportamento manipulador e acusador do *gaslighter* rapidamente se intensifica. Ele pode passar a dizer que, na sua família, só tem gente insuportável e inútil. Pode dizer que suas amigas são más influências e que elas se vestem mal ou usam roupas de "piranha". Ou que você sempre volta para casa se comportando mal quando visita suas amigas e familiares, e precisa passar menos tempo fora de casa em prol do seu relacionamento. O *gaslighter* ameaça deixá-la porque você não dedica tempo suficiente a ele ou ao relacionamento. Ele diz que esse é o pior e mais insatisfatório relacionamento que já teve.

Se você tem uma suspeita de que ele pode ser infiel, ele dirá que você está louca e a chamará de paranoica. Diz que talvez devesse de fato traí-la, afinal você vive acusando-o de ser infiel... Se você tem prova da infidelidade dele, o *gaslighter* ainda insiste em dizer que não a traiu, e que a pessoa que está enviando mensagens para ele é uma ex-namorada maluca, obcecada por ele. Ele diz que há muito tempo se preocupa com a sua saúde mental e que a sua acusação de traição prova que você tem algum problema.

Você diz que vai embora ou que não aguenta mais. De repente, o *gaslighter* parece arrependido. Ele diz que fará qualquer coisa para melhorar o relacionamento. Ele lhe traz flores, leva você para jantar fora – tudo que você queria que ele fizesse. Mas ele não tem boas intenções por trás desse comportamento – está apenas preocupado com a possibilidade de perder o poder e o controle sobre você. No

Capítulo 2, você aprendeu sobre os *gaslighters* que tentam "sugar" você de volta para o relacionamento. Quando eles percebem que reconquistaram o controle sobre você, o padrão de violência retorna e aumenta novamente.

Esse ciclo da fase de lua de mel para a de violência e daí para a de arrependimento e lua de mel outra vez nunca termina. Esteja ciente de que, toda vez que passar por esse ciclo, a violência se tornará pior. Sua melhor opção é romper o relacionamento.

Como deixar o *gaslighter*

Depois que você enfrentar o *gaslighter*, verá que ele muda rapidamente. Ele vai ficar chocado, depois irritado e depois arrependido. O ponto principal é que o *gaslighter* não quer que seu próprio comportamento se torne de conhecimento público. Isso arruinaria a imagem dele.

Quando a vítima conta a um *gaslighter* que vai deixá-lo ou denunciá-lo, ele muitas vezes diz:

- "Quem vai acreditar em você?"
- "Eu tenho um cargo alto, você não é ninguém. Ninguém vai acreditar em você.
- "Você vai arruinar a sua carreira."
- "Você vai arruinar a minha carreira."
- "Vá em frente; todo mundo acha que você já está louca mesmo."
- "Claro, chame a polícia. Você sabe que eles vão prender você, não eu."
- "Eles vão prender nós dois. Você realmente quer que seu filho vá para um orfanato?"
- "Eles afastarão seus filhos de você."

- "Eu vou levar nossos filhos para longe de você."
- "Faça isso e você nunca mais verá nossos filhos."
- "Você não terá onde morar."
- "Vou contar aos nossos filhos sobre todas as vezes que você me tratou mal."
- "O quê? Já não estou pagando todas as suas despesas? E se não fosse eu, você não teria nem um teto sobre a cabeça!"

Algumas vítimas de violência doméstica filmaram o comportamento do *gaslighter* com o celular enquanto ele as maltratava. O *gaslighter* não quer que os outros vejam sua verdadeira personalidade, então isso é algo que pode reprimir o comportamento dele rapidamente. No entanto, também pode levá-lo a quebrar o celular da vítima ou lhe negar o acesso a um telefone. Tenha cuidado se pretende fazer isso.

Se o *gaslighter* paga sua conta de telefone, ele pode dizer que tem o direito de desligar a linha a qualquer momento. Ele também pode tomar de você o celular, para que você não tenha acesso a amigos e familiares. Se está planejando deixá-lo, providencie um celular cujo número você mantém em sigilo, exceto para alguns contatos de emergência. Isso permitirá que você ainda tenha como se comunicar com o mundo exterior se o *gaslighter* levar o seu telefone. Se é você quem paga sua própria conta de celular e o *gaslighter* quebrar seu aparelho ou tomá-lo de você, isso é considerado crime por dano à propriedade alheia ou roubo, e você pode fazer um boletim de ocorrência na delegacia.

"Eu fui ameaçada, meus filhos foram ameaçados – até os meus animais de estimação foram ameaçados! Estou lutando para sair desse relacionamento, mas estaria mentindo se dissesse que não estou apavorada."

– Fatima, 38

Segundo as doutoras Judith Wuest e Marilyn Merritt-Gray (2016), a vítima de um relacionamento violento precisa passar por quatro etapas: impedir a violência, libertar-se, não reatar o relacionamento e seguir em frente. Primeiro, você precisa ter um plano. Para onde você vai? Você tem um "kit de emergência" com itens essenciais, tais como medicamentos? Você já se informou sobre abrigos para vítimas de violência doméstica? Quais opções você tem com relação à assistência jurídica?

Romper esse relacionamento pode ser uma das coisas mais difíceis que você já fez na vida. Sua maior responsabilidade é cuidar de si mesma e de seus filhos da melhor maneira possível e nunca reatar com o *gaslighter*. Você também precisa estar ciente de sinais, no futuro, de que um parceiro em potencial pode ser um *gaslighter* e ter tendência à violência. Para aprender mais sobre sinais de alerta contra *gaslighters*, consulte o Capítulo 3.

É imperativo que você e seus filhos façam terapia. Muito provavelmente você passou por anos de traumas e maus-tratos e precisa de alguém com quem conversar, para que possa processar todos os sentimentos e danos que possam ter ocorrido, e para reconstruir a sua autoestima e independência, de modo que não volte para o *gaslighter*. Para mais informações sobre aconselhamento terapêutico, consulte o Capítulo 12.

Esteja muito ciente de que relacionamentos violentos não melhoram. Eles continuam a piorar, muitas vezes terminando em morte. *Gaslighters* não são pessoas que reconhecem seus erros, fazem um pedido sincero de desculpas e se esforçam para melhorar. Eles podem falar quanto quiserem, mas você sabe que não farão nenhuma tentativa real de obter ajuda ou melhorar seu comportamento violento. Os *gaslighters* não cumprem suas promessas e nunca cumprirão. É hora de desistir da ideia de que vocês dois podem corrigir esse relacionamento, pois ele já chegou ao fim quando os primeiros sinais de controle e violência apareceram.

SINAIS DE VIOLÊNCIA FATAL IMINENTE

Você precisa saber que sair de um relacionamento violento pode ser sua única chance de sobrevivência. Se você estiver num relacionamento violento com um *gaslighter* e ele tiver alguma das características a seguir, você corre um risco maior de ser assassinada em resultado da violência doméstica.

- Armas de fogo em casa.
- Antecedentes de violência doméstica.
- Antecedentes de qualquer comportamento violento.
- Os incidentes violentos tornaram-se cada vez mais de natureza física.
- Ameaças verbais, não apenas declarando que irá matá-la, mas fazendo também declarações indiretas, como "Você não será um problema por muito tempo".
- Contato com criminosos violentos.
- Ele maltratou animais de estimação, mutilou-os ou matou-os, seja no passado ou em seu atual relacionamento.

Você precisa romper esse relacionamento agora. Tem de ir embora ou existe uma possibilidade muito real de você e seus filhos serem mortos. O dr. Peter Jaffe e seus colegas relataram, num artigo de jornal de 2017, que, após a separação, existe uma grande probabilidade de que o filho do casal seja morto pelo *gaslighter* como vingança, e se houver uma história anterior de violência doméstica. Eles também descobriram que mais da metade das quase 40 mil crianças assassinadas a cada ano são mortas pelos pais ou padrastos.*

* No Brasil, dados do Fórum Brasileiro de Segurança Pública mostram que 70% das vítimas de violência sexual são adolescentes e crianças: é o estupro de vulnerável. E a maior parte dessas crianças é vítima de conhecidos, pai, padrasto, primo, tio, vizinho. (N.T.)

Portanto, se você não tem coragem de deixar o *gaslighter* pelo seu próprio bem, pelo menos deixe-o pelo bem dos seus filhos.

VIOLÊNCIA DOMÉSTICA E SEU IMPACTO SOBRE OS FILHOS DO CASAL

Quando você é vítima de violência doméstica, está menos disponível emocionalmente para seus filhos. Um estudo realizado em 2015, pela dra. Mariana Boeckel e seus colegas, revelou que, quanto mais grave a violência doméstica, menor é a qualidade do vínculo afetivo entre mãe e filho. Quanto mais fraca a qualidade do vínculo emocional entre mãe e filho, mais grave é o transtorno de estresse pós-traumático da criança (TEPT).

Se você está expondo seu filho à violência doméstica, há um risco maior de que ele também esteja testemunhando o *gaslighter* maltratar seus animais de estimação. Um estudo realizado em 2017, pelo dr. Shelby McDonald e colegas, revelou que a violência doméstica aumenta muito a chance de que a criança tenha traumas emocionais ao ver um animal de estimação sendo maltratado. O *gaslighter* maltrata os animais de estimação num esforço deliberado para controlar a criança.

LIGAÇÃO TRAUMÁTICA E SÍNDROME DE ESTOCOMO

Um dos aspectos mais intrigantes da violência doméstica é o fato de que, toda vez que um evento violento acontece num relacionamento, há uma reação química no cérebro que une o casal – até mesmo quando um é o perpetrador e o outro é a vítima. Isso é chamado de ligação traumática. O que é chamado de Síndrome de Estocolmo também pode ocorrer em relacionamentos violentos. Ela acontece quando uma vítima de agressão sente empatia pelo agressor e até mesmo o defende e ao seu comportamento violento. A ligação traumática e a Síndrome de Estocolmo são duas razões pelas quais as pessoas que estão num relacionamento com um *gaslighter* acham tão difícil romper com ele. Pode ser incrivelmente difícil partir. Se você se vê nessa situação, consulte o Capítulo 12 para obter informações sobre como conseguir ajuda.

VOCÊ PODE SER ACUSADA POR UM *GASLIGHTER*

A desvantagem do fato de as pessoas se sentirem mais seguras nos dias de hoje para falar de assédio é que alguns *gaslighters*, alegando serem vítimas de assédio, fazem falsas acusações para punir empregadores ou ex-parceiros. Infelizmente, trata-se da palavra da vítima contra a do *gaslighter*, o que torna mais fácil para um falso acusador mentir sobre eventos que nunca aconteceram, tirando a legitimidade de queixas legítimas.

Sem provas concretas, como um vídeo, não há uma maneira fácil de distinguir uma denúncia legítima de uma ilegítima. Essa é uma das razões que levam as vítimas de tal assédio a não se sentirem à vontade para compartilhar suas histórias. Se você é vítima de uma falsa queixa de assédio, consulte um advogado.

ENCONTRO MARCADO COM A VIOLÊNCIA

De acordo com o National Sexual Violence Resource Center (2015), nos Estados Unidos, uma em cada cinco mulheres já foi estuprada uma vez na vida, sendo que oito em cada dez mulheres conheciam seu agressor.* Encontros que acabam em estupro são um perigo muito real, especialmente quando a mulher está saindo com um *gas-*

---

* Segundo dados do Fórum Brasileiro de Segurança Pública, o Brasil registrou uma média de 164 casos de estupro por dia em 2017. Como a maioria dos casos nem chega ao conhecimento da polícia, estima-se que o total de casos do tipo, no Brasil, pode passar dos 500 mil por ano. (N.T.)

lighter. O estupro sempre tem a ver com poder e controle, e isso é exatamente o que os *gaslighters* procuram. Recomenda-se que as mulheres nunca se afastem do seu copo quando estiverem num encontro romântico, para evitar que o *gaslighter* jogue uma droga em sua bebida. É também importante que você tenha um contato de emergência, ou seja, alguém que sabe que, se você enviar até mesmo uma mensagem sem sentido, é porque precisa de ajuda. Sempre informe amigos ou familiares sobre o lugar aonde você irá quando sair para um encontro. No Capítulo 3, você pode saber mais a respeito de sinais de alerta ao marcar um encontro.

Se você se encontrar numa situação de maus-tratos ou violência, saiba que não está sozinha. Há muitas sugestões ao longo deste livro sobre como lidar com um *gaslighter* – ou deixá-lo.

Como você já sabe, existem *gaslighters* de todos os níveis sociais e econômicos. No capítulo a seguir, vamos analisar como um *gaslighter* que se envolve em assédio e violência pode ser um parceiro que tem poder sobre você ou ser alguém que é rico, poderoso e sabe que pode sair impune. O próximo capítulo examina mais de perto alguns desses *gaslighters* mais poderosos.

6

Sede de Poder

O *gaslighting* na política, na sociedade e na mídia social

Como já vimos, os *gaslighters* confundem, distraem e prejudicam suas vítimas, de modo a disfarçar comportamentos que, de outro modo, causariam alarde e indignação. Infelizmente, isso vale tanto para figuras públicas quanto para indivíduos anônimos. Pense no mal que os *gaslighters* podem causar quando estão na política, na mídia tradicional ou nos meios de comunicação sociais. O potencial para desestabilizar, distorcer a realidade, maltratar e controlar o comportamento e as escolhas das pessoas aumenta exponencialmente.

No âmbito nacional, eles têm a capacidade de criar ou violar regras que centenas de milhões de pessoas seguem todos os dias. Podem fazer leis que afetam nosso acesso a serviços como assistência médica e a qualidade do ar, da água e dos alimentos que consumimos. Esse tipo de poder nas mãos de alguém que pratica *gaslighting* é uma verdadeira receita para o desastre. É por isso que é tão importante que os cidadãos usem bem seu sagrado direito de voto e estejam dispostos a reivindicar seus direitos e partir para a ação quando pessoas em cargos públicos estão desconsiderando as necessidades do povo. Mas já estou me adiantando.

Neste capítulo, veremos como o *gaslighting* opera em público e o que podemos fazer para (1) ficar alerta para isso e (2) nos proteger. Vamos discutir especificamente:

- Como os políticos praticam o *gaslighting* contra seus eleitores.
- Como a mídia também pratica *gaslighting* ao maquiar as histórias para que chamem mais atenção, em vez de buscar a verdade.
- Como a mídia social pratica o *gaslighting* ao obter ou divulgar informações sem assumir a responsabilidade por isso.

GASLIGHTERS NA POLÍTICA

Os políticos entram na política pelos mais variados motivos. Alguns entram nela com a motivação de servir. Querem ajudar a resolver problemas e atender às necessidades e expectativas dos seus eleitores, para tornar a sua comunidade/cidade/estado/país um lugar melhor lugar para todos. Eles querem ajudar o maior número possível de pessoas e fazer o bem, embora com diferentes perspectivas sobre que tipo de bem poderia ser esse. Outros têm motivos menos nobres. Eles anseiam pelos holofotes e ficam satisfeitos quando têm poder e controle nas mãos.

Vamos dar uma olhada em algumas das características comuns dos políticos e líderes *gaslighters*. Você notará que eles têm muitas características que encontramos em todos os *gaslighters*, mas elas se expressam numa magnitude diferente e, obviamente, têm potencial para prejudicar em maior escala. Eu vou falar um pouco sobre ditadores (líderes autoritários), pois eles são sempre *gaslighters*, mas você descobrirá que existem muitos exemplos de líderes não ditadores que apresentam comportamentos *gaslighting* também. Com poder e controle na ponta dos dedos, as oportunidades são muitas.

CARACTERÍSTICAS MAIS COMUNS DOS *GASLIGHTERS* NA ESFERA PÚBLICA

Eles se comportam como se fossem todo-poderosos

Os *gaslighters* em cargos públicos agem como se estivessem no controle total e esperam que todos façam o que eles mandam. Ditadores e pessoas com um estilo de forte autoritarismo ao governar são exemplos perfeitos de *gaslighters* no poder. Eles podem ser tirados do poder, é claro, mas agem como se fossem onipotentes.

Eles mostram pouca empatia

Uma das marcas registradas dos *gaslighters* é sua falta de empatia, e na política não é diferente. Nós vemos isso nos Estados Unidos, onde os políticos podem votar a favor de projetos que tiram o direito de muitas pessoas à assistência à saúde ou privá-las de serviços vitais, como a entrega gratuita de refeições a moradores de rua ou educação de qualidade, ou sobrecarregar os cidadãos com exorbitantes impostos para encher os próprios bolsos. Eles mostram um desprezo arrogante pelas necessidades das outras pessoas. Isso também acontece em outros países. Um exemplo marcante da história mais recente aconteceu na Venezuela, em novembro de 2017. Enquanto os venezuelanos estava morrendo de fome durante um período de crise econômica, com uma hiperinflação, o seu ditador, Nicolás Maduro, fez um discurso em que tirou uma empanada da gaveta da sua escrivaninha, mordeu e continuou falando (Lisi, 2017). A mídia foi forçada a transmitir o discurso (Hayer, 2017).

Eles são megalomaníacos

Políticos *gaslighters* não se veem como servidores públicos. Eles podem até se iludir pensando que são salvadores da pátria. *Gaslighters* não pensam no bem maior quando mudam as leis. Eles agem apenas para beneficiar a si próprios e as pessoas que os apoiam. E não é por acaso que as suas políticas e leis acabam por encher seus bolsos de dinheiro.

Eles fazem retaliações

Se você se atrever a se opor a eles, ou até mesmo a expressar suas necessidades, um *gaslighter* no poder pode persegui-lo, para se vingar. Você será um alvo, ou pior, sua família será um alvo. Os *gaslighters* sabem que, para realmente obter uma revanche, o melhor é que afetem sua família, para que você sofra ainda mais.

Eles não assumem responsabilidade

Todos os *gaslighters* vivem para ter poder e nunca aceitam a responsabilidade quando abusam dele. Ela é sempre de outra pessoa. Eles culpam os adversários, culpam os cidadãos, culpam sua equipe – toda e qualquer pessoa está sujeita ao seu desprezo. Não é que eles não saibam quando cometeram um erro – eles sabem e muito bem –, a questão é que sempre apontam o dedo para outra pessoa.

> "Nós não discutimos com aqueles que discordam de nós, nós os destruímos."
> – Benito Mussolini

Eles detestam intelectuais

Os *gaslighters* no poder geralmente não mostram nada além de desprezo pelas pessoas com mais instrução. Não é difícil perceber por quê. As pessoas cultas são as mais propensas a se opor ao comportamento de um *gaslighter*. Cidadãos nos campos da Ciência, da Tecnologia, da Engenharia e da História são particularmente detestadas por *gaslighters* no poder. Por quê? Porque essas pessoas conhecem fatos que respaldam suas críticas aos *gaslighters*. E esses manipuladores não gostam de ser questionados – especialmente por fatos.

"Eu era responsável por tudo, por isso aceito a responsabilidade e a culpa, mas mostre-me, camarada, um documento provando que fui pessoalmente responsável pelas mortes."

– Pol Pot, ditador cambojano

Eles são obcecados por manipular os fatos

Os *gaslighters* sabem muito bem que uma grande parte da opinião pública depende da maneira como um evento ou pessoa é vista pelo público. Políticos *gaslighters* tiram pessoas de cena ou, inversamente, inflam os números para aumentar sua própria importância, afirmando, por exemplo, que o público de um comício ou evento político foi muito maior do que realmente era.

"Ler muitos livros é prejudicial."

– Mao Tsé-Tung

Eles são leais ao dinheiro, não aos cidadãos

Os *gaslighters* na política são leais primeiramente ao dinheiro, em particular ao dinheiro deles próprios. Eles vivem e morrem por ele. Não espere que ajam em favor das necessidades e vontades dos seus eleitores. Só agem em prol das pessoas e organizações que possam lhes dar lucros – votam e governam em favor daqueles que lhe oferecem o cheque mais polpudo. Embora se possa dizer que muitos políticos fazem o mesmo, os *gaslighters* levam esse comportamento ao extremo. Eles podem chegar ao ponto de aceitar subornos, sem sequer saber o que os seus eleitores querem e não se preocupar em encontrar pessoalmente aqueles que representam. Esse tipo de político sabe quem é fiel a ele e age de acordo com essa informação.

As leis norte-americanas relacionadas às armas são um reflexo perfeito desse sistema *"pay to play"* [algo como "pague para entrar no jogo"], no qual se idolatra o dinheiro. De acordo com um relatório de 2017 do Center for Responsive Politics, em 2016, a National Rifle Association (NRA) doou um milhão de dólares a políticos. Desde 1998, a NRA doou 4,23 milhões para membros atuais do Congresso dos Estados Unidos (Williams, 2017). Saiba como o Congresso norte-americano vota as leis relacionadas a armas, examinando um relatório da National Public Radio (Kurtzleben, 2018) – acha que é coincidência?

Eles não cumprem promessas

Embora muitos políticos prometam coisas durante as eleições e não as cumpram quando são eleitos, os *gaslighters* levam isso a um nível extremo. Como você já viu no Capítulo 1, os *gaslighters* fazem muitas promessas, mas raramente cumprem o que dizem. Uma maneira de verificar se os políticos, particularmente os legisladores tanto no nível estadual quanto no federal, estão fazendo o que dizem é procurar saber como eles estão votando no plenário.

"Política é quando você promete que vai fazer uma coisa pretendendo fazer outra. Então você não faz nem o que prometeu nem o que pretendia."
– Saddam Hussein

Eles transformam cidadãos em grupos marginalizados

Políticos *gaslighters* comparam seus oponentes aos piores males. Esse tipo de político alimenta o medo das pessoas. Se você fizer com que o povo se volte contra um determinado grupo – seja um partido político, uma raça, uma faixa etária ou uma cultura –, incitando o medo nessas pessoas, consegue que elas fiquem do seu lado. Desse modo, o político convenientemente encontra um bode expiatório para todas as desgraças que estão acontecendo no país. Isso está ligado à incapacidade do *gaslighter* de assumir responsabilidade: ele culpa um grupo por tudo e incita um grande número de pessoas contra ele. Isso faz com que os cidadãos atemorizados façam o trabalho para o *gaslighter*. Como você leu anteriormente, os *gaslighters* têm o maior prazer em manipular as pessoas em larga escala.

Eles parecem agir de modo irracional

"Agir" é a palavra-chave aqui. A atitude indignada pode ser apenas um disfarce, apenas algo para distrair as pessoas da personalidade fria e calculista do *gaslighter*. A expressão "esperto como uma raposa" descreve bem o *gaslighter*. Ele sabe exatamente o que está fazendo. E sabe como manipular as massas. Quando se incita a emoção básica do medo nas pessoas, é muito fácil manipulá-las. A Alemanha de Adolf Hitler é um bom exemplo disso. Hitler levava as multidões a um frenesi com sua retórica xenofóbica, gritando e fazendo movimentos bruscos com as mãos e gestos exagerados. Ele estava "agindo" – criando uma persona para hipnotizar seus ouvintes. E isso atraía a atenção das pessoas.

Eles desconhecem a palavra "cooperação"

Políticos *gaslighters* não acreditam em cooperação – eles colocam as pessoas umas contra as outras em prol de seus próprios interesses. Só esperam unanimidade no que diz respeito a um aspecto-chave: eles exigem que todos os seus subordinados façam o que eles querem. Em outras palavras, sigam suas ordens. Se não obedecerem, logo recebem uma repreensão e podem ser demitidos a qualquer momento. E Deus ajude os subordinados que, aos olhos do chefe *gaslighter*, ficaram contra ele em público! Essa é uma atitude intolerável.

Eles tornam as pessoas dependentes

Se tornar sua equipe e os cidadãos dependentes dele, o político pode se safar de qualquer coisa. Essas pessoas não vão questioná-lo, mesmo quando seu comportamento for ultrajante. Se questionarem, isso significa que correm o risco de ser demitidas. Uma das maneiras pelas quais os líderes *gaslighters* conseguem essa dependência é se unindo inicialmente a um aliado fraco. Eles se beneficiam do aliado e, no instante em que inevitavelmente atingem um nível de poder maior do que o dele, eles o tornam seu dependente. O aliado é às vezes "destruído" pelos *gaslighters*, sendo visto agora como um concorrente indesejado e descartável. Ao mesmo tempo, os *gaslighters* desejam que os outros dependam deles, pois isso atende às necessidades deles. Por exemplo, a czarina Alexandra Feodorovna, esposa do czar Nicolau II, acreditava que Grigori Rasputin tinha ajudado a curar seu filho dos efeitos da hemofilia. Quanto mais dependente Alexandra se tornava de Rasputin (especialmente quando o czar deixou a cidade para supervisionar os exércitos russos durante a Primeira Guerra Mundial), mais influência ele exercia sobre ela, contribuindo para a polarização entre a família e os cidadãos e o governo da Rússia (Radcliffe, 2017).

A "informação" que transmitem é questionável

Uma das acepções da palavra "propaganda" em inglês é, segundo o dicionário *Merriam-Webster* (2018), "ideias, fatos ou alegações divulgados deliberadamente para causar ou prejudicar uma causa oposta". Os *gaslighters* são famosos por usar essa propaganda enganosa para influenciar a opinião pública. É claro que eles não dizem que estão fazendo "propaganda" na acepção citada. Fazer esse tipo de propaganda pode ser qualquer coisa, desde não dizer

> "Que sorte é, para os governos, que as pessoas não pensem!"
> – Adolf Hitler

toda a verdade, usando equivalências falsas para provar o que se diz, até fazer generalizações que não são baseadas em fatos. E isso não é novidade. Gregos e romanos antigos usavam esse tipo de propaganda para influenciar a opinião pública (Jowett e O'Donnell, 2018). Geralmente a "informação" é apresentada de modo a assustar as pessoas, enfurecê-las e/ou transformá-las num determinado grupo. Como já foi mencionado, os *gaslighters* não estão interessados em fatos; seu objetivo é consolidar e manter o poder.

Eles tentam reescrever a História

Os líderes *gaslighters* odeiam qualquer simbolismo ou fato histórico que tenha ocorrido antes deles. É como se achassem que podem reprogramar os cidadãos para pensar que o mundo começou com o governo deles. Essa é uma forma de genocídio cultural que pode assumir várias formas, entre elas a destruição de artefatos ou edifícios religiosos. Em 2001, o governo fundamentalista do Talibã mandou dinamitar duas esculturas gigantescas, os Budas de Bamiyan, que haviam sido escavadas em nichos na rocha, no século VI. Setenta anos antes, para impor a política do estado ateu da URSS, Josef Stalin ordenou a destruição da Catedral original de Cristo Salvador, em Moscou. Qualquer resquício do passado ou de diferentes formas de pensar é uma ameaça para os líderes *gaslighters*.

Eles conferem títulos a si mesmos

Não contente em ser apenas "presidentes" ou "reis", os líderes *gaslighters* dão a si mesmos títulos especiais. Eles usam esses títulos como uma mensagem para todos de que são mais importantes do que as pessoas que eles servem. Na Coreia do Norte, Kim Il-sung (1912-1994) autointitulava-se o "Grande Líder"; o filho dele, Kim Jong-il (1941-2011), era o "Querido Líder"; e o governante atual,

Kim Jong-un, é o "Líder Supremo". Os *gaslighters* também tendem a usar esses títulos (ou seus nomes) na terceira pessoa, inclusive usando o pronome "nós" em vez de "eu", ao se referir a si mesmos, como a realeza muitas vezes faz.

Eles fazem projeções

A projeção é um comportamento clássico dos *gaslighters*, pois eles atribuem às outras pessoas seus próprios sentimentos e motivações. Por exemplo, um político pode chamar alguém de trapaceiro quando ele mesmo é quem carece de ética ou está violando a lei. Os *gaslighters* acusam um oponente de espalhar boatos sobre ele quando eles mesmos começaram a campanha de difamação, só para poder debochar do outro ou provocá-lo. Esse é um movimento clássico para desviar a atenção de si mesmo – e não pensar nos próprios defeitos ou fraquezas. Vale a pena prestar atenção ao que as pessoas dizem sobre os outros. Essa é muitas vezes uma indicação clara de como se sentem com relação a si mesmas.

"É mentira que eu fiz as pessoas morrerem de fome. Uma mentira, uma mentira descarada! Isso mostra até que ponto não existe patriotismo, até que ponto se cometem ofensas de traição."

– Nicolae Ceausescu

Eles têm formação reativa

"Formação reativa" é o termo usado na Psicologia para designar um mecanismo de defesa em que o indivíduo preocupado ou com medo de alguma coisa age como se fosse terminantemente contra ela. Embora a formação reativa seja prejudicial nas famílias, os políticos têm a capacidade de punir grupos populacionais inteiros por um comportamento que eles, na verdade, também apresentam. Por exemplo, um político que é contra os direitos dos homossexuais acaba revelando que é gay, um político que faz campanha em prol dos "valores da família" revela ter tido vários casos, ou um político pró-vida convence sua amante a fazer um aborto. Quando se trata de um político, a formação reativa não só pode ser uma forma extrema de hipocrisia, como ter consequências brutais.

Eles repetem mentiras ultrajantes

Os *gaslighters* têm o hábito de mentir. Quando essas mentiras partem de um político, elas têm o efeito de corroer o sentido coletivo de realidade. Eles vão repetir suas mentiras até que as pessoas comecem a acreditar nelas. O fato de não haver uma fonte confiável para apoiá-las não faz diferença. Além disso, quanto maior a mentira, mais não se notará todas as outras mentiras menores que estão sendo difundidas sem que ninguém perceba. Eles fazem isso para desestabilizar, enfraquecer nosso entendimento sobre o que é real e consolidar seu poder.

"Com exceção da Líbia, não existe, em todo o planeta, nenhum outro estado com uma democracia."

– Muammar Gaddafi

Eles querem "colar" na consciência das pessoas

Ditadores *gaslighters* não suportam ser ignorados. Eles anseiam por atenção. Querem estar na mente das pessoas o tempo todo. Seja a atenção boa ou ruim, eles precisam dela assim como precisam de ar para respirar. A atenção dos eleitores ou seguidores dá legitimidade aos *gaslighters*.

A mídia social está pronta para dar a esses políticos o que eles precisam: eles farão uma declaração ultrajante, só para chamar a atenção, e ela será então repetida indefinidamente na internet.

"Eu sou objeto de críticas no mundo todo. Mas acho que, se as pessoas estão falando de mim, é porque estou no caminho certo".

– Kim Jong-il

Líderes *gaslighters* irão encomendar obras de arte em que eles mesmos serão o tema principal, mesmo quando os cidadãos estão morrendo de fome. Lembre-se de que os *gaslighters* não se importam se a atenção é positiva ou negativa. Para eles, atenção de qualquer tipo é atenção. Kim Jong-il encomendou um número assustador de imagens de si mesmo, que foram espalhadas pela Coreia do Norte. Josef Stalin tinha estátuas de si mesmo por toda a Rússia.

Eles são obcecados por símbolos

Os *gaslighters* são obcecados por símbolos que reforçam seu poder. Eles tendem a usar símbolos populares, particularmente aqueles usados por religiões, modificando-os e depois adotando-os como símbolos de ódio. Adolf Hitler adotou o símbolo religioso antigo de uma suástica – usado no Hinduísmo, no Budismo e no Jainismo –, inverteu os braços e transformou-o no símbolo onipresente do Terceiro Reich. Os nazistas também costumavam utilizar um caractere do alfabeto rúnico pré-romano, a runa othala; esse símbolo agora é usado por grupos de supremacia branca. E, embora uma cruz celta, uma cruz combinada com um círculo, que remonta à antiga Europa, ainda seja usada legitimamente em religiões cristãs, grupos de supremacia branca agora utilizam uma adaptação dela como outro dos seus símbolos. O poder de escolher símbolos comuns e depois lhes conferir uma variação está no fato de que a mudança é a princípio sutil e o símbolo não é visto como algo "estranho" pelo público em geral – no entanto, age como um "código" para identificar outros seguidores. Como essa forma corrompida de símbolo é estreitamente associada a um líder ou grupo, ela é usada para invocar o medo e mostrar o poder da força.

Eles distraem o público

Os *gaslighters* sabem conduzir os cidadãos assim como um bom violinista sabe tocar seu instrumento. Se uma lei impopular é criada, eles vão dizer algo escandaloso ou mudar a discussão de modo a distrair o público. Vão colocar as pessoas umas contra as outras, de modo a deixá-las tão ocupadas, discutindo, que nem vão notar ou conseguir lidar com o que eles estarão fazendo nesse meio-tempo.

Eles veem as pessoas como objetos descartáveis

Ditadores *gaslighters* veem seus cidadãos como meios para chegar a um fim. Se alguém tem que morrer, que assim seja.

Os *gaslighters* vão a extremos e matam quem quer que esteja em seu caminho. Eles geralmente têm outra pessoa para efetuar a matança, como se aquilo "não fosse trabalho deles", pois estão acima de tal tarefa. Mas eles não têm nenhum problema em dar ordens para matar. Não gostam de seus oponentes? Eles mandam matá-los! Durante o "Grande Terror" de Josef Stalin, 1,2 milhão de "antissoviéticos" foram mortos (Ellman, 2002).

> "Em qualquer país, existem pessoas que precisam morrer. Elas são os sacrifícios que a nação tem de fazer para garantir a lei e a ordem."
>
> – Idi Amin

Se não gostarem do que um jornalista escreveu sobre eles, mandam matar! Se alguém fala algo contra eles, também mandam matar! Considere por exemplo, Alexander Litvinenko, um ex-agente soviético que criticou abertamente o Kremlin, inclusive num livro que escreveu. Ele se tornou cidadão britânico e trabalhou em nome da inteligência britânica. Litvinenko foi envenenado com uma substância radioativa chamada Polônio-210, possivelmente por meio de uma xícara de chá oferecida por outro ex-agente soviético. Na época, Litvinenko estava investigando o assassinato da jornalista Anna Politkovskaya, que criticava abertamente a Guerra da Rússia na Chechênia. Um inquérito público feito pelo governo britânico

> "As pessoas que tentam se suicidar, não queiram salvá-las! [...] A China é uma nação tão populosa... Se houver algumas pessoas a menos, isso não vai fazer nenhuma diferença."
>
> – Mao Tsé-Tung

descobriu que o envenenamento de Litvinenko foi "provavelmente" autorizado pelo presidente da Rússia, Vladimir Putin (BBC, 2016).

As pessoas são menos propensas a falar quando sabem que sua vida está em risco.

Eles colocam os membros da família em posições de poder

A obsessão dos *gaslighters* por lealdade é uma das razões pelas quais eles colocam membros da família em posições de poder. Sabem que os parentes serão fiéis a eles – fiéis até demais. Além disso, os segredos dos políticos provavelmente estarão mais bem guardados se tiverem familiares em cargos de confiança, pois é do interesse deles que qualquer atividade ilegal ou desagradável do parente político fique longe dos olhos do público. Para o povo, o nepotismo político é quase sempre uma receita para o desastre. Se uma família no poder só está governando em prol dos próprios interesses, o país pode ir à bancarrota. O irmão de Fidel Castro, por exemplo, Raúl Castro, ministro da Defesa de Cuba durante quase cinquenta anos, foi nomeado presidente de Cuba após a morte de Fidel Castro, em 2008 (Radtke, 2017), e governou o país até sua morte, em 2018.

Outros membros da família podem até roubar os cofres do governo e ninguém vai enfrentar o líder, porque ele se cercou de homens que o apoiam em tudo e só fazem o que ele diz. Especialmente quando o próprio líder encoraja o roubo.

O *gaslighter* quer se cercar de pessoas que tenham medo de questioná-lo ou de reivindicar os próprios direitos. A família dele é, portanto, sua melhor aposta, pois seus comportamentos manipuladores causam um grande medo nas pessoas mais próximas a ele. Quanto mais o temem, mais ele pode manipular os cidadãos que representa. Ninguém vai questioná-lo.

Mas saiba que, se um líder *gaslighter* for pego fazendo algo ilegal ou se ele temer que seus parentes sejam desleais, não terá nenhum receio de responsabilizar os membros da família. Kim Jong-un, por exemplo, mandou prender e depois executar o próprio tio, Jang Song-thaek, um líder do governo veterano, e, em seguida, a família de Jang e o seu próprio meio-irmão. Um comunicado divulgou que Jang havia "traído a profunda confiança e o caloroso amor paternal demonstrado pelo partido e pelo líder" (Ryall, 2017; Fisher, 2013).

O que você pode fazer?

O que você pode fazer contra políticos que falam mentiras e podem ser comprados com propinas e favores? Primeiro, sempre exerça seu direito de voto. É um dos mais poderosos meios que os cidadãos têm para que sua voz seja ouvida.

Procure saber quem está financiando seus políticos. Há vários sites na internet que mantêm informações atualizadas sobre essas doações.

Os *gaslighters* querem que você fique em silêncio, que não faça cena. Mas não caia nesse truque. Denuncie o comportamento deles. Quando vir um político exibindo táticas de *gaslighting*, como disfarçar suas falcatruas com um comportamento escandaloso, mentiras flagrantes, abuso de poder, coloque a boca no trombone. A mídia social é uma ótima ferramenta para divulgar sua opinião.

Junte-se a organizações com crenças semelhantes às suas. A união faz a força. As organizações profissionais muitas vezes têm comitês que providenciam um dia em que você pode visitar legisladores estaduais e federais para discutir com eles (ou seus assessores) sobre as suas preocupações.

Deixe que seus representantes eleitos saibam qual a sua opinião sobre as contas públicas e outros problemas. Há maneiras simples de entrar em contato com eles, inclusive por telefone ou e-mail, ou por meio da página da Câmara dos deputados ou do Senado.

Lembre-se de que você está pagando o salário dos representantes do seu estado e país. Você é o empregador deles. Se não gosta do serviço que estão prestando, não volte a votar neles.

Deixe-me repetir: é essencial que você exerça o seu direito de voto. Muitas pessoas nem têm essa oportunidade. Seu voto é muito importante.

Por que os líderes *gaslighters* acabam se dando mal

Como mencionamos no Capítulo 1, muitos *gaslighters* acabam sendo vítimas de seus próprios comportamentos manipuladores. Há sempre uma grande chance de que aconteça isso com os líderes *gaslighters*, porque as mesmas táticas que controlam outras pessoas muitas vezes acabam agindo contra os próprios *gaslighters*.

Depois de analisar a história de todas as democratizações, desde 1800, estudando 218 acontecimentos em que a democracia foi estabelecida após um regime autoritário (ditadura), o dr. Daniel Treisman (2017), cientista político da Universidade da Califórnia, constatou que dois terços desses casos ocorreram devido a erros cometidos por líderes autoritários. Eis quatro desses erros que tais líderes cometem e que provocam a sua queda:

- Solicitar eleições e iniciar conflitos militares, só para perdê-las depois.
- Ignorar a desaprovação popular e ser tirado do poder.
- Iniciar reformas limitadas que depois saem do controle.
- Escolher para uma posição de liderança uma pessoa secretamente pró-democracia.

Os *gaslighters* são propensos a cometer esses erros em razão de sua autoconfiança excessiva e ilusão de controle. Eles só levam em conta a própria opinião e não consideram a opinião pública nem a dos próprios conselheiros. Os *gaslighters* sempre pensam que sabem mais do que todo mundo.

É inevitável que um dia todo ditador acabe fracassando devido ao seu ego frágil. Tragicamente, na maioria das vezes muitas pessoas são feridas e mortas antes que isso aconteça.

Mídia *gaslighting*

A mídia é, evidentemente, uma das maneiras pelas quais os políticos controlam o modo como os acontecimentos vão a público. E, quando o controle da mídia – jornais, estações de rádio, televisão – está concentrado nas mãos de poucos, ela se torna o veículo perfeito para os *gaslighters*. E não vamos nem mencionar a censura contra opiniões impopulares. É por isso que é tão importante não permitir que os meios de comunicação se tornem monopólios. Se apenas um ou dois grupos tiverem controle sobre a mídia, existe um grande perigo de que ela se torne estatal. Alguns ditadores assumiram o controle de veículos de mídia pela força, enquanto outros fundaram suas próprias empresas de comunicação. Há também a influência do governo na mídia – embora ele não possa ser o proprietário oficial de uma entidade de mídia, exerce uma grande influência sobre ela. Na Rússia, promulgaram-se leis para que o governo pudesse censurar com mais facilidade os jornalistas e bloquear o acesso a websites. Além disso, jornalistas foram ameaçados e atacados (Slavtcheva-Petkova, 2017).

Quando o governo começa a dizer à mídia o que escrever ou mostrar ao público, os jornalistas passam a se autocensurar para garantir a própria sobrevivência ou o próprio governo bloqueia o acesso à internet, e isso significa que a população está em apuros. O presidente da Venezuela Nicolás Maduro obriga a mídia a transmitir seus discursos (Hayes, 2017). Muitos ditadores e governantes autoritários fazem o mesmo. E pobre do veículo de comunicação que tentar desafiar um déspota... A empresa pode ser fechada e o proprietário, preso.

Tornou-se agora mais permeável a ideia de ser imparcial, deixando de fora o ponto de vista pessoal (a não ser que se trate de um artigo de opinião), que existia quando recebi meu diploma de bacharel em Telecomunicações, no início dos anos 1990. E com o advento das mídias sociais e mais agências de notícias competindo entre si, a linha entre notícias e entretenimento se tornou mais tênue. Quando uma estrela de *reality show* tornou-se presidente dos Estados Unidos, as coisas realmente ficaram surreais.

Quando o presidente dos Estados Unidos manda que os jornalistas saiam da sala quando ele se reúne com um líder mundial, recusa-se a responder a perguntas de determinados meios de comunicação, endossa uma agência de notícias e chama todo o resto de "*fake news*", ao mesmo tempo que faz mais de duas mil declarações falsas ou enganosas, tudo isso no primeiro ano de mandato, você sabe que o problema é grave (Kessler, 2018; *Washington Post,* 2018).

Sempre verifique os créditos

É imprescindível não só que protejamos nossos veículos de comunicação para que não sejam massacrados ou censurados, como também que usemos nosso bom senso e nos fiemos apenas em canais de notícias confiáveis. Uma agência de notícias de boa reputação mantém os princípios da ética jornalística. As notícias desses canais dependem de fontes que tenham credibilidade e, se um jornalista oferece uma opinião pessoal, isso é informado com clareza. Eu me formei em Telecomunicações. Acredite quando digo que jornalistas verdadeiros e profissionais de outros meios de comunicação sabem da responsabilidade que têm, devido ao seu grande poder de influenciar a opinião pública.

As boas agências de notícias também informam quando cometem um erro. Por exemplo, recentemente, a National Public Radio (NPR) revelou que seu vice-presidente sênior de notícias, Michael Oreskes, renunciou depois de alegações de assédio sexual. A NPR relatou que havia dúvidas com relação à época em que a gerência tomou conhecimento do comportamento impróprio de Oreskes e das acusações de assédio enquanto ele trabalhava no *New York Times*, e sobre se a NPR agiu com o zelo necessário (Kennedy, 2017). Nesse caso, a própria organização de notícias divulgou suas própria falhas. Em comparação, uma pesquisa no site da Fox News não menciona nada sobre a suposta história de assédio sexual de Roger Ailes ou o processo contra ele, movido por Gretchen Carlson, uma antiga apresentadora de telejornal da Fox News.

É assim que o *gaslighting* age na mídia: esconde as histórias de que não gosta e procura fazer com que desapareçam ou sejam esquecidas por completo.

Faça postagens com responsabilidade

Antes de postar ou retuitar uma notícia nas redes sociais, verifique se ela é verídica. Aqui estão algumas dicas:

- Verifique a origem da notícia, incluindo a URL.
- Verifique a notícia com agências de notícias confiáveis. Se ela for real, as agências terão alguma informação a respeito.
- Consulte a seção "Sobre Nós" dos sites, que descreve a empresa. A linguagem usada é factual ou sensacionalista? Se não

houver uma seção "Sobre Nós", questione a legitimidade do site ou da empresa.

- As palavras "sempre" e "nunca" tendem a não aparecer em notícias legítimas.
- Se a notícia citar uma fonte, procure essa fonte. A pessoa ou a organização citada é uma autoridade legítima, com treinamento nesse campo?
- Se uma fonte citar um estudo, procure-o na internet. O Google Acadêmico é uma boa ferramenta para verificar estudos científicos publicados.
- Se uma notícia não tem autor, encare com suspeita.
- A notícia é um fato ou pura especulação?
- Uma notícia que tenha uma pergunta como título geralmente é respondida com um "não".

O *GASLIGHTING* NA MÍDIA SOCIAL

A mídia social se tornou uma parte onipresente da vida de todos nós. É muito empolgante poder entrar em contato com as pessoas em segundos, embora isso também seja uma "toca do coelho", onde todos podemos facilmente cair e nos perder.

Mais uma vez repito: a chave é ser um consumidor responsável. O que você lê na mídia social pode não apenas ser uma notícia falsa, como ter propósitos sinistros e manipulatórios. Pense nas revelações extraordinárias sobre a interferência russa na eleição presidencial dos Estados Unidos em 2016 e em outros esforços para influenciar a eleição presidencial norte-americana. Como você já deve ter lido, as empresas de mídia social não verificam seus anunciantes, e existem milhares de contas falsas nas mídias sociais. Essas contas falsas têm o objetivo de manipular a opinião pública, influenciando resultados eleitorais e desestabilizando a sociedade. Como Abraham Lincoln disse: "Uma casa dividida contra si mesma não subsistirá". Em 2016, o governo russo sabia disso e usou as mídias sociais para criar polarização entre os cidadãos dos Estados Unidos.

Publicidade na mídia social

Estima-se que 126 milhões de usuários do Facebook nos Estados Unidos viram postagens, notícias e outros conteúdos, inclusive publicidade, criados pelos agentes do governo russo ao longo das eleições presidenciais de 2016 (Byers, 2017). O Facebook relatou inicialmente que o conteúdo só tinha atingido 10 milhões de usuários norte-americanos. Forneceu ao Congresso informações sobre três mil anúncios ligados à Rússia. Portanto, não só os responsáveis pelas postagens estavam praticando atividade *gaslighting*, como também os veículos de mídia social desempenharam seu papel. Mesmo que fossem cúmplices involuntários, acredito que também deveriam ser responsabilizados.

Descobriu-se que páginas do Facebook e contas do Twitter com os nomes Defend the 2nd, Secured Borders, LGBT United e Blacktivist eram falsas e tinham ligação com a Rússia. Uma página do Facebook com base na Rússia postou fotos engraçadinhas de cachorros, mas com a possível intenção de vazar conteúdo político ao longo do tempo (Isaac e Shane, 2017).

Um exemplo dessa manipulação aconteceu quando uma conta do Facebook russa, com 250 mil seguidores, promoveu um protesto contra os muçulmanos numa mesquita de Houston, em maio de 2016, enquanto outra conta russa com 320 mil seguidores estimulou os muçulmanos a participar de um contraprotesto na mesma hora e local (Cloud, 2017).

Bots na mídia social

Entre 1º de setembro e 5 de novembro de 2016, houve 1,4 milhão de tuítes relacionados a eleições, enviados por *bots* russos (Wakabayashi e Shayne, 2017). Os *bots* são robôs virtuais totalmente automatizados e controlados por código.

Embora alguns *bots* sejam relativamente inofensivos, os *bots* russos foram projetados especificamente para criar discussões entre os usuários, com a intenção de levar à degradação da sociedade norte-americana.

O Twitter estima que 2.700 contas tinham ligação com a Agência de Pesquisa na Internet, patrocinada pela Rússia (Romm e Wagner, 2017). Repórteres e editores de mais de 20 mil agências de notícias em todo o mundo retuitaram ou responderam a esses falsos tuítes patrocinados pela Rússia de 1º de janeiro de 2016 a 30 de setembro de 2017 (Popken, 2017).

O Google encontrou anúncios no valor de 4.700 dólares com ligações questionáveis com a Rússia. Dezoito canais do YouTube eram afiliados à campanha do governo russo de desinformação (Romm e Wagner, 2017).

O Facebook reconheceu que "a maioria" das suas contas pessoais tinham dados particulares retirados de "agentes maliciosos" (Madrigal April, 2018).

Como você sabe quando um robô virtual se comunicou com você?

- O identificador é seguido por uma lista de números, como, por exemplo, @joe345654434.
- Uma busca reversa de imagens mostra que a foto do perfil foi retirada de outra conta.
- Não há postagens na conta.
- A conta envia tuítes a qualquer hora do dia ou da noite.

- A conta apenas retuíta conteúdo com determinadas palavras-chave.
- A conta consiste apenas em respostas a um conteúdo com determinadas palavras-chave.
- A conta tem basicamente conteúdo "isca de clique".
- A foto ou o banner do perfil é excessivamente patriótico.
- A conta não aumenta os tuítes antes de uma eleição como as contas legítimas fazem (os *bots* começam a tuitar informações erradas muito antes).
- Suas postagens estão cheias de declarações inflamadas ou retóricas.

Se você vir contas que parecem ser *bots*, denuncie-as ao proprietário da mídia. (Eles vão investigar, principalmente se muitas pessoas denunciarem as mesmas contas.) Também tenha em mente que muitas pessoas no poder têm seguidores falsos nas mídias sociais – às vezes, chegando a centenas de milhares ou mais, por isso não leve o número de seguidores à risca.

Como se proteger da manipulação da mídia social

As empresas de mídia social afirmam que têm um poder limitado sobre quem possui acesso a seus sites e que é quase impossível rastrear e bloquear todas as contas ofensivas. Essas empresas querem que os usuários sejam os responsáveis por verificar a precisão e legitimidade de cada uma dessas contas. É bastante complicado e custa muito para que façam isso elas mesmas. Ou pelo menos é o que dizem.

Denuncie contas e publicidade que pareça ter a intenção de influenciar a opinião pública. Se você está pensando em se juntar a um grupo no Facebook, faça uma pesquisa e veja quem organizou o grupo e se há pessoas de verdade por trás dele.

Como o consumo de informações se dá em grande parte pela internet, corremos um risco maior do que nunca de sermos vítimas do *gaslighting*. Vivemos numa época em que somos bombardeados por informações – e não temos o hábito de verificar se a fonte dessas informações é confiável e imparcial. É importante que você faça uma dupla checagem antes de retuitar ou compartilhar qualquer artigo. Sua melhor proteção contra *bots* é se manter alerta e com uma atitude cética, confiar apenas em fontes de notícias que mantenham padrões de excelência e fazer a sua parte.

Procure não participar de pesquisas *on-line* ou assinar petições, se não souber se a organização por trás delas tem um propósito legítimo que você apoia; muitas vezes elas só existem para colher tanta informação pessoal quanto possível dos participantes (e como sabemos pelo escândalo do Facebook, isso pode ter consequências de longo alcance).

Um *gaslighter* de um tipo diferente

Existe um ambiente social que parece ter sido projetado por *gaslighters* e para *gaslighters*: os cultos e outros grupos extremistas, como o ISIS, supremacistas brancos e negacionistas do Holocausto. Os líderes de todos esses grupos são *gaslighters*, e os cultos (às vezes chamados pela imprensa de "novos movimentos religiosos") e os grupos extremistas apresentam todas as características do comportamento *gaslighting*. Cultos e grupos extremistas quase sempre têm líderes carismáticos, controladores e experientes em mídia, que manipulam seus seguidores numa obsessão cega. Cultos e grupos extremistas também tendem a ir contra as normas da sociedade. Eles atacam pessoas que estão em dificuldade, desesperadas ou particularmente vulneráveis, com necessidade de direção e estrutura e, em seguida, as levam pelo caminho perigoso de desistir das próprias convicções (e das poucas posses que talvez tenham), em favor do líder ou da organização.

Passemos ao próximo capítulo, para examinar esses cultos e grupos extremistas, e o que você pode fazer esses grupos, evitá-los, lutar contra eles ou fugir deles.

7

Cuidado com o Homem por Trás da Cortina

Falsos messias, grupos extremistas, comunidades fechadas, cultos e o *gaslighting*

Embora você possa pensar que os cultos são raros e que este capítulo não serve para você, incentivo todos os leitores a lê-lo. Qualquer pessoa ou organização pode exibir um comportamento cultual e pode querer tirar vantagem de você e submetê-lo ao *gaslighting*. Mesmo que, na sua opinião, os cultos sejam coisas que só se veem em filmes e noticiários de TV, você pode encontrar informações a seguir que se assemelhem à sua vida e às suas experiências. Além disso, ouve-se cada vez mais sobre a ascensão de grupos extremistas, cujos valores são baseados em religiões ou sistemas de crença particulares (como o nacionalismo branco).

Examine atentamente comunidades fechadas, grupos extremistas e cultos e você verá que todos têm os traços habituais do *gaslighting*: charme sedutor e a promessa de tomar conta de você, o aumento paulatino do controle da sua mente até a destruição do seu poder de escolha pessoal, isolamento dos seus entes queridos, "macacos voadores" e punição caso tente se libertar, entre outras coisas. Cultos e grupos extremistas existem em todos os países e em todo grupo cultural. Ninguém está imune.

Os cultos já destruíram famílias, causaram danos psicológicos permanentes e exterminaram membros e pessoas de fora do culto. Eles destroem a psique dos seguidores e a substituem pelas crenças prescritas da liderança. Os cultos têm efeitos duradouros sobre as emoções das pessoas e até mesmo sobre a sua saúde física – mesmo anos depois de elas deixarem o culto.

É por isso que dedico um capítulo deste livro à tentativa de mostrar como identificar um culto ou grupo extremista, resistir à sua atração e fugir, caso você tenha se deparado com um (ou queira ajudar um ente querido a se libertar). Assim como nos casos de violência doméstica, discutidos no Capítulo 5, vítimas de cultos ou grupos extremistas podem ficar presas a um ciclo de violência e dependência do qual é muito difícil se libertar.

Alguns cultos e grupos extremistas não têm relação com um sistema de crença ou uma religião; eles querem apenas ter controle sobre as pessoas e tirar o dinheiro e a dignidade delas. Isso não se parece muito com outras formas de *gaslighting*? Num culto ou grupo extremista, exige-se que um líder ou conjunto de líderes seja seguido, caso contrário as consequências podem variar desde multas pecuniárias até castigos físicos ou mesmo a morte. Outros grupos extremistas, como os nacionalistas brancos, concentram-se numa ideologia particular – e usam as marcas registradas do *gaslighting* (mentir, distorcer etc., e muitas das técnicas discutidas no capítulo anterior) para recrutar seus membros.

TIPOS DE CULTOS E GRUPOS EXTREMISTAS

Existem diferentes tipos de cultos e grupos extremistas, incluindo os políticos, os religiosos e os destrutivos. Os cultos políticos são voltados para a ação e as ideologias políticas; por exemplo, crenças de "extrema-esquerda" ou "extrema-direita". Algumas organizações políticas sectárias cairiam nessa categoria. Os cultos religiosos, como o nome indica, são organizações que afirmam ter um propósito espiritual ou religioso. Algumas igrejas separatistas se qualificariam como cultos, por exemplo, os grupos Heaven's Gate, uma "seita ÓVNI" cujos membros cometeram suicídio em massa, ou o Ramo Davidiano, iniciada dentro da Igreja Adventista do Sétimo Dia. Cultos destrutivos são bem menos conhecidos. Eles adquiriram esse rótulo porque seu objetivo é ferir deliberadamente ou matar seguidores de outras seitas. Gangues criminosas e grupos terroristas seriam exemplos de tais cultos. (Aqui estou usando o rótulo "terrorista" para qualquer grupo que use a força ou a violência para intimidar as pessoas em interesse próprio.)

Este capítulo enfocará principalmente cultos religiosos e destrutivos particularmente perigosos devido à grande quantidade de danos físicos e psicológicos que provocam nos seguidores, nas suas famílias e na sociedade.

Cultos *versus* sistemas de crença saudáveis

As pessoas muitas vezes me perguntam como saber a diferença entre um culto e um sistema de crença saudável, mas pouco convencional e não normativo. Vamos esclarecer isso a seguir.

Cultos, grupos extremistas e comunidades fechadas podem incluir os comportamentos insalubres descritos a seguir:

"Eu frequento uma igreja normal agora, portanto posso ir e vir quando quiser. Foi realmente uma loucura descobrir que eu poderia simplesmente ficar uma semana sem aparecer no culto e isso não seria problema nenhum para eles."

– Sadie, 40

- Os seguidores ficam "presos" ao grupo em questão.

- Não têm mais livre-arbítrio.
- Não podem fazer perguntas ou questionar a autoridade dos líderes.
- São informados de que o grupo é superior a outros grupos e pessoas.
- São informados de que o grupo pode criar seus filhos melhor do que eles próprios.
- O grupo sabota e mina as relações familiares, particularmente entre pais e filhos.
- Os filhos dos seguidores são tirados dos pais para serem criados pelos membros do grupo, e eles são informados de que isso é do interesse dos filhos.
- Os filhos dos seguidores têm de frequentar uma escola específica.
- Os seguidores mais velhos são casados com membros do grupo.
- Os parceiros dos seguidores são escolhidos para eles, entre os outros seguidores do grupo.
- O dinheiro geralmente vai para os líderes, para comprar itens luxuosos, enquanto os seguidores vivem em relativa pobreza.
- Não há uma contabilidade clara dos fundos e doações.
- Os seguidores são pressionados a doar ao grupo grandes somas de dinheiro ou uma contribuição mensal.
- Eles são informados de que precisam deixar seu dinheiro para o grupo quando morrerem.
- São informados de que precisam abrir mão de todas as suas posses, e podem ser incentivados a doar tudo para o grupo.
- O grupo dirige empresas com outros nomes e esconde sua verdadeira afiliação.
- Ele pode ser dissidente de uma religião legítima, em razão de suas crenças extremas.
- A ciência é vista como algo errado.

- Ele tem uma série de regras rígidas ou "leis".
- Existe um código de vestimenta estrito ou uniforme obrigatório.
- Formas específicas de comer, dormir e interagir são consideradas a favor ou contra as normas do grupo.
- É utilizado um jargão específico que não existe fora do grupo e de seus seguidores.
- Comportamentos isolacionistas são usados para manter os seguidores no culto e as informações não são divulgadas para "pessoas de fora".
- São usados nomes degradantes para designar as pessoas que não são membros do grupo.
- As punições podem ser psicológicas ou físicas.
- Os líderes podem abusar sexualmente de menores e outros seguidores.
- Espera-se que os seguidores cometam crimes em nome do grupo.
- O tratamento de saúde mental é evitado.
- Se um seguidor deixar as dependências do grupo por qualquer motivo, é seguido ou acompanhado.
- Uma boa oportunidade para o seguidor (um novo emprego, por exemplo) é vista como uma ameaça.
- A família do seguidor é informada de que não deve procurá-lo (interromper toda a comunicação) se ele sair do grupo.
- O seguidor é perseguido e assediado se deixar o grupo.

Como você pode ver, muitos desses comportamentos são o que os *gaslighters* fazem. Há coerção e manipulação, para ganho pessoal; violência emocional, física e sexual; e incentivo da dependência, entre outras coisas. Você pode encontrar semelhanças entre esses comportamentos e aqueles de *gaslighters* que maltratam a parceira, como você leu no Capítulo 5.

Compare a lista anterior com comunidades, organizações ou sistemas de crenças saudáveis nos quais:

- Os seguidores não estão apenas autorizados a fazer perguntas, como são incentivados a fazê-las.
- Eles são livres para sair do grupo quando quiserem.
- Os filhos dos seguidores ficam com eles.
- O vínculo pai/mãe e filho é respeitado e incentivado.
- Existe um órgão administrativo que fornece "verificações e balanços".
- Existem princípios religiosos razoáveis.
- Os seguidores não são solicitados a violar leis.
- Relacionamentos familiares saudáveis são incentivados.
- Os seguidores recebem diretrizes, mas não punições.
- O tratamento de saúde mental para a depressão e a ansiedade é incentivado.
- Existe uma contabilidade clara dos fundos.
- Embora possa haver uma escola patrocinada, os seguidores não são forçados a matricular os filhos nela, nem são punidos se não fizerem isso.

Tenha em mente que qualquer sistema de crença pode se tornar um culto se os seus dogmas se tornarem inflexíveis ao longo do tempo, se houver punições para "desobediência", se ele incentivar uma visão de mundo "nós contra eles" e houver consequências se a liderança for questionada.

CARACTERÍSTICAS DOS CULTOS

Eles usam a Primeira Emenda como defesa

Nos Estados Unidos, as coisas não são muito diferentes. Se "indivíduos de fora" tentarem criticar um grupo específico, eles muitas vezes são chamados de "não americanos" por tentar reduzir a "liberdade" das pessoas ou ser acusado de ser "contra a Primeira Emenda", por tentar suprimir "a prática livre da religião". Nos Estados Unidos, a Primeira Emenda concede às pessoas o direito à livre prática de uma religião, à liberdade de expressão e a se reunir pacificamente. Grupos fechados perigosos se escondem atrás da Primeira Emenda, porque, como sociedade, os americanos tendem a não querer desafiar os direitos constitucionais das pessoas. A Primeira Emenda não se aplica a grupos que abusam psicologicamente das pessoas e as prendem contra a vontade, mas isso não impede cultos ou grupos extremistas de tentar.*

Eles oferecem exclusividade

Grupos fechados também estimulam os seguidores, dizendo que existe um conhecimento esotérico que só o culto possui. Eles negociam a aquisição desse conhecimento. Os líderes do grupo vão acrescentar a essa aura mítica do culto a promessa de que, à medida que galgar os níveis do culto, o seguidor se tornará mais iluminado. Deve-se notar que não é fácil galgar esses níveis. É preciso uma quantidade irreal de tempo e energia – e, em muitos casos, uma grande quantidade de dinheiro – para se alcançar o estágio de "iluminado".

"Nos ensinavam que éramos os únicos que sabiam o caminho para a verdadeira felicidade. Mas ninguém realmente sabia como chegar lá. Me diziam que eu não dava 'dízimo' suficiente para chegar a esse lugar."

– Marisol, 52

A ambição de galgar esses níveis faz com que os seguidores pensem apenas em seus próprios interesses e não no bem maior da comunidade. Num culto, o líder pode dizer a eles que

* No Brasil, a Constituição Federal consagra como direito fundamental a liberdade de religião, prescrevendo que o Brasil é um país laico, ou seja, nosso Estado não pode adotar, incentivar ou promover qualquer deus ou religião, embora propicie a seus cidadãos uma perfeita compreensão religiosa, tanto para quem acredita em deus(es) como para quem não acredita neles, proscrevendo a intolerância e o fanatismo. (N.T.)

somente um certo número de pessoas chega a um determinado estágio de iluminação – afirmando, por exemplo, que a vida após a morte é só para os "verdadeiros crentes". Quanto mais tempo o seguidor dedicar à busca por esse estado de iluminação, melhores são as suas chances de superar outras pessoas. Interessante como isso funciona. Quanto mais tempo, energia, devoção e dinheiro devotar ao grupo, mais "especial" o seguidor se torna aos olhos da divindade. Isso não parece um bom negócio?

Se um líder realmente tiver a resposta para o sentido da vida e souber como se tornar iluminado, pressupõe-se que ele gostaria de compartilhar essas informações com todos. Organizações saudáveis operam a partir de uma ideia de abundância; elas querem que as pessoas sejam felizes, seja qual for o caminho que escolherem. Em grupos fechados, uma mentalidade de escassez é usada como uma maneira de punir e controlar.

Nas religiões legítimas, não só existe uma noção de abundância, como critérios para garantir que uma pessoa não se torne todo-poderosa. É evidente que as linhas divisórias nem sempre são tão claras. A melhor saída nesse caso, como em todas as situações em que você acha que pode estar lidando com *gaslighters*, é seguir os seus instintos – se algo não parece certo, provavelmente não é.

Eles reforçam o "nós contra eles"

"Eles diziam que todos fora da minha igreja eram do mal e nós éramos os únicos bons. Tudo era uma guerra entre nós e o mundo exterior. Se questionássemos nosso pregador, éramos punidos."

– Zamora, 28

Como temos visto em todos os capítulos, os *gaslighters* isolam suas vítimas das outras pessoas. Eles as convencem de que são as únicas que importam, e ninguém "lá fora" lhes quer tão bem. Nos grupos fechados, os seguidores começam a perder o contato com o mundo exterior e muito rapidamente passam a se apoiar emocional e financeiramente apenas nas pessoas de dentro do grupo. Esses grupos intensificam esse isolamento retratando as pessoas de fora como "pecadoras", "ímpias" ou perigosas. Isso promove o medo e garante que os seguidores fiquem dentro das paredes literais ou metafóricas do grupo.

Eles usam jargão e "palavras especiais"

Os cultos muitas vezes reforçam a exclusividade usando palavras e linguagem criadas por eles, ou palavras com definições diferentes do que geralmente significam. Essa é outra maneira de reforçarem uma mentalidade de "nós contra eles". Um sinal de que se está diante de um culto é quando você pergunta a um membro do culto o que uma palavra significa e descobre que essa pessoa não poder lhe dizer ou se recusa a explicar. Esse jargão interno é parte de uma estratégia para fazer os seguidores sentirem que são muito mais "iluminados" e inteligentes do que o resto das pessoas.

Eles esperam que se jure lealdade em público

Os *gaslighters* usam a virtude da lealdade social a favor deles. Cultos, por exemplo, normalmente têm seguidores que professam sua lealdade na frente do maior número possível de membros. Quando você anuncia para cem pessoas que vai ser fiel ao grupo e ao seu líder, está fazendo um contrato social com todos naquele lugar. Os *gaslighters* sabem que as pessoas não gostam de ser consideradas desleais, e usarão essas demonstrações públicas sempre que possível para fortalecer a lealdade.

"Quando saí, tive que aprender a falar como uma pessoa normal. Eu não percebia que muitas das palavras que eu usava faziam parte apenas da minha igreja."

– Loretta, 43

Eles não respondem a perguntas diretamente

Evitar perguntas é outra característica dos *gaslighters*. Pergunte a qualquer um que já tentou indagar ao líder de um culto o que se passa dentro do grupo e você descobrirá que essas indagações nunca são respondidas. Eles dizem às pessoas que elas simplesmente não "entenderiam", querendo dizer que não são tão espertas ou esclarecidas quanto os seguidores do culto, ou que apenas os seguidores podem ter tais informações ou ter suas perguntas respondidas. Atreva-se a questionar as crenças do grupo (se você for um membro) e será punido por questionar. Faça uma pergunta ao líder sobre a legitimidade do culto e você pode muito bem ouvir que está violando os direitos humanos e constitucionais.

> "Eu tentei fugir e, como punição, fui obrigada a ficar diante de todos os anciãos, recitar as regras e repetir qual seria a minha punição se eu tentasse fugir novamente. Tinha que ficar repetindo que o único caminho para uma vida piedosa era através da igreja."
>
> – Ramona, 48

Eles forçam você a se casar com alguém de dentro do culto e a ter filhos

Os líderes encorajam (ou forçam) os seguidores a se casarem com outras pessoas de dentro do grupo. Isso garante os laços de ambos os membros com o culto e diminui a chance de que eles o deixem. Além disso, que melhor maneira de reforçar os ideais do grupo do que ter um parceiro que nunca para de nos lembrar deles? Controlando ainda mais sua vida pessoal, a maioria dos cultos pressiona você a ter filhos para aumentar o número de seu contingente. Se você de fato tem filhos, o grupo pode tirar as crianças de você,

> "Meu pastor disse à minha atual esposa que nos casaríamos. Eu nem mesmo a conhecia muito bem. As pessoas na minha igreja não tinham permissão para namorar. Eu nunca questionei, porque me ensinaram que meu ministro estava sempre certo."
>
> – Jason, 40

para que sejam doutrinadas. Uma criança nascida dentro de um culto muito provavelmente nunca o deixará.

Eles praticam lavagem cerebral e promovem a Síndrome de Estocolmo

Os cultos desmantelam cuidadosamente sua estrutura de crenças por meio da prática do *gaslighting* e da coerção, substituindo suas crenças pelas deles. Eles não precisam que você pense livremente por si mesmo. Às vezes isso é chamado de "programação", e seus seguidores podem levar anos para se "desprogramar", deixando de lado o pensamento e a estrutura de crenças do culto. O fenômeno em que os reféns desenvolvem um sentimento de simpatia ou apego pelos seus captores é chamado Síndrome de Estocolmo. Pessoas com Síndrome de Estocolmo muitas vezes não querem deixar seus captores, mesmo que tenham uma chance.

> "Demorei muito para conseguir fazer coisas que são normais para todas as pessoas, mas contrariam as regras da igreja, e não me sentir mal por causa disso."
>
> – Jeannette, 45

Os membros dos cultos são muito parecidos com reféns e podem sofrer dessa síndrome também, devido à maneira como são psicologicamente manipulados para que desenvolvam uma ligação forte com o culto – por meio do medo e da punição. Isso é muito parecido com o relacionamento violento sobre o qual você leu no Capítulo 5.

Eles não permitem que você deixe o culto

Tal como acontece com todas as relações com *gaslighters*, os cultos nem sempre parecem cultos a princípio. Mas no momento em que você percebe que precisa sair, geralmente já é tarde demais. Os cultos lançam mão de medidas extremas para evitar a evasão dos seus seguidores. Alguns deles já chegaram até a ameaçar seus membros, dizendo que deportariam seus familiares, caso tentassem se afastar.

Outros confiscaram seus passaportes para que não pudessem deixar o culto. E existem também aqueles que impediram fisicamente seus seguidores de se afastar.

Líderes de cultos não vivem conforme suas próprias regras

As regras são rigorosas e as punições severas, mas não espere que os líderes sofram as mesmas restrições que impõem. Embora os seguidores possam ser informados de que precisam viver uma vida de austeridade, por exemplo, numerosos líderes de culto são conhecidos por dispor do dinheiro de seus seguidores, vivendo uma vida de luxo. Eles podem dizer aos seguidores, por exemplo, que o sexo não é permitido fora do casamento, enquanto eles próprios fazem sexo com várias seguidoras.

Eles substituem os valores dos seus seguidores pelos valores deles

Quando pertencem a um culto, as pessoas muitas vezes sofrem de uma "dissonância cognitiva". Elas percebem que seus próprios valores e crenças estão em conflito com aquilo que lhes estão ensinando. Os cultos têm métodos para subjugar as pessoas e substituir seus valores e crenças pelos do próprio culto.

Quando somos confrontados com crenças diferentes das nossas, nós temos várias opções:

1. Ignorar as novas informações conflitantes.
2. Comprometermo-nos ainda mais com nossas crenças.
3. Evitar a exposição a informações contraditórias.
4. Projetar nossos sentimentos de opressão sobre os outros.
5. Absorver as informações contraditórias e mudar nossas crenças.

6. Aceitar as informações contraditórias como elas são e aceitar duas crenças diferentes.

Claro, os cultos tentarão fazer com que você escolha o número 5. Eles tentarão fazer uma lavagem cerebral em você, muitas vezes por meio de intimidação, dizendo que a sua família e seus amigos não são boas influências ou são "pecadores", e o culto (e somente o culto) pode lhe oferecer uma maneira de alcançar um estado mais elevado como ser humano. Você não será mais capaz de pensar por si mesmo. O individualismo é eliminado. O culto torna-se onipresente na vida do seguidor e está sempre certo, sem deixar espaço para dúvidas ou questionamentos.

Eles se aproveitam do nosso desejo de pertencer a um grupo

Pessoas com dificuldades pessoais e histórias de vida difíceis tendem a ser as mais vulneráveis à promessa de que se sentirão completas, curadas e acolhidas se pertencerem ao culto; e seus líderes podem perceber essa vulnerabilidade a quilômetros. Líderes de cultos visam pessoas que se sentem "desgarradas" e, na verdade, muitas vezes as isolam para que elas tenham cada vez menos possibilidade, ou mesmo vontade, de se reintroduzir na sociedade. Se você está perdido e precisa de uma bússola metafórica para seguir em frente, os cultos podem lhe propiciar isso. A um preço muito alto.

Em muitos casos, os cultos se apresentam como "salvadores" para atrair seguidores em potencial, que depois são "preparados" para ter um relacionamento com um membro do culto, idealmente o líder. Depois que um novo recruta cria um laço com um membro do culto, especialmente o líder, é bem mais provável que ele não se afaste mais. E seja doutrinado.

Eles arrancam dinheiro dos seguidores

As seitas também pegam seu dinheiro e não o usam como prometeram. Se você tentar pedir uma prova de onde o dinheiro foi gasto, será acusado de ser blasfemo ou ameaçado de excomunhão. Dar o seu dinheiro é muitas vezes um requisito para a adesão. Na verdade, alguns cultos dirão que você não pode avançar para o próximo estágio de desenvolvimento ou iluminação se não tiver pago uma certa quantia em dinheiro como prova da sua lealdade.

Eles se envolvem em trabalho forçado e tráfico de seres humanos

Muitos cultos também se envolvem em tráfico humano. O tráfico de seres humanos tem sido chamado de "trabalho escravo contemporâneo", e há uma estimativa de que ele flagele 20,9 milhões de pessoas no mundo todo, sendo 90% em trabalho forçado e 22% em exploração sexual forçada. E 5,5 milhões dessas pessoas são crianças (Organização Internacional do Trabalho, 2012). O tráfico de mão de obra consiste em escravidão por dívida, trabalho forçado e trabalho infantil.

"Eles pegaram meu passaporte. Não havia como eu sair. Fui forçada a trabalhar e era espancada todos os dias."

– Ruby, 23

Na escravidão por dívida, a vítima é forçada a saldar uma dívida. Por exemplo, membros do culto recebem folhetos e livros para distribuir na rua, num esforço para recrutar outros membros. Se descobrirem que não eles distribuíram todos os seus materiais ao longo do dia, os membros são obrigados a fazer um trabalho extra para pagar suas "dívidas".

Trabalho forçado é quando a vítima é forçada a trabalhar sob a ameaça de violência ou outra punição.

Os cultos também são notórios por recrutar trabalho infantil, no qual as crianças são forçadas a trabalhar, muitas vezes sem o mínimo de segurança e em todas as horas do dia e da noite.

Pode-se até dizer que os cultos são os verdadeiros traficantes de seres humanos, pois seus líderes não deixam os seguidores saírem de vista, punem aqueles que não "obedecem" e dizem que eles estão em dívida com o culto (Boyle, 2015). As pessoas são forçadas a permanecer no culto por medo e por castigo.

> "Me diziam que eu tinha cometido pecados contra Deus e era obrigado a trabalhar num campo de trabalho forçado para me 'redimir'."
>
> – Niamh, 38

Eles usarão muitos meios para destruir a oposição

As seitas são notoriamente litigiosas, pois vão atrás das pessoas que as criticam, às vezes abrindo um processo judicial contra elas, com o objetivo de levá-las à bancarrota. Muitas vezes, os cultos conseguem tirar todo o dinheiro daqueles que eles veem como oposição. Eles também atacam os adversários por meio de campanhas de difamação destinadas a incitar o medo e o sofrimento e a diminuir as chances de a pessoa ou entidade falar algo contra esses cultos novamente. Essas campanhas são também um sinal de alerta para qualquer outra pessoa que tente desafiar o culto ou criticar suas práticas.

Outra marca registrada da maioria dos cultos é sua habilidade de perseguir aqueles que tentam sair. O culto se empenhará para ir no encalço dessas pessoas, se não fisicamente, então por meio de ataques à sua credibilidade. Isso é o que os *gaslighters* fazem.

O QUE FAZER SE UM ENTE QUERIDO PERTENCER A UM CULTO OU GRUPO EXTREMISTA?

Se você tem um membro da família num culto ou grupo extremista, tenha em mente que os seguidores costumam ter muita dificuldade para se libertar. Eles passam por uma lavagem cerebral que os levam a acreditar que o líder do culto ou do grupo é o único que os ama e se preocupa com seu bem-estar, e podem resistir a todos os esforços para que sejam ajudados. Mas isso não significa que você não deva continuar tentando. Você pode pedir à polícia que investigue a seita ou o grupo. Também pode entrar em contato com um advogado se sentir que seu familiar não é mais capaz de administrar seu próprio dinheiro ou cumprir com suas outras responsabilidades.

Alguns profissionais de saúde mental irão alertá-lo de que deve ir devagar se quiser entrar em contato com um membro da família que está num culto. Não desafie as crenças do culto e não espere longas saídas ou encontros. Procure fazer com que essas reuniões sejam breves e gerenciáveis. Quando começar a reconstruir o relacionamento com essa pessoa, as visitas e o contato podem aumentar, ainda que lentamente. Lembre-se de que devagar se vai ao longe. Tenha cuidado para não fazer declarações sobre quanto o culto é errado ou como está prejudicando sua família. Isso pode fazer com que seu ente querido se retraia imediatamente ou fique na defensiva. A reaproximação da sua família será um processo lento. Um terapeuta pode ajudá-lo, orientando-o com relação à melhor forma de abordar seu familiar e talvez restabelecer o relacionamento entre vocês. Paciência é fundamental. Você pode saber mais sobre aconselhamento terapêutico no Capítulo 12.

É importante procurar se informar sobre o *gaslighting*, cultos e grupos extremistas. Saiba como essas organizações operam e de que modo elas atraem seus seguidores. Aprenda também detalhes sobre o culto ou grupo em que seu ente querido ingressou. Quanto mais você souber, mais provavelmente será capaz de instruí-lo (e contrariar a lavagem cerebral do culto) durante um encontro que tiver com ele.

O que faz uma pessoa querer deixar um culto ou grupo extremista? De acordo com um estudo de 2017 liderado pela dra. Kira Harris, existem seis gatilhos principais: conflitos sociais dentro do culto, uma mudança na dinâmica do culto, emoções conflitantes sobre os papéis no culto, a liderança do culto não seguir regras ou as expectativas do culto, a pressão da polícia e a influência da família. A família do seguidor, portanto, desempenha um papel importante na decisão dele de deixar o culto. Além disso, apresentar ao seu parente informações como artigos, reportagens ou vídeos mostrando que o comportamento do líder do culto não é condizente com as regras da organização também pode ajudar a iniciar esse processo de afastamento.

Se um membro da sua família está pensando em deixar um culto ou grupo extremista, é importante que ele saiba que, ao sair, terá um lugar seguro onde ficar, o apoio da família e dos amigos e oportunidades para ganhar uma renda. Quanto mais seguro o seu ente querido se sentir, maior é a probabilidade de que acabe deixando o culto.

No entanto, digamos que você tenha tido paciência e tentado todas essas coisas. Não é difícil acabar dedicando todo o seu tempo à tentativa de tirar o membro da sua família do culto. Estabeleça limites para saber até onde ir e quando dizer "basta". Você pode amar alguém, mas também precisa se desapegar e reconhecer que essa pessoa fez escolhas na vida que afetaram a sua saúde emocional, física e até financeira – e uma hora é preciso fazer com que isso pare de afetar você. Você não pode "obrigar" ninguém a deixar um culto ou grupo extremista.

Para mais informações sobre organizações e profissionais de saúde mental que ajudam ex-seguidores de cultos e suas famílias, faça uma busca na internet. As melhores organizações ou profissionais de saúde mental são aqueles que citados em trabalhos acadêmicos, como artigos de periódicos, e o presidente da organização e seus conselheiros provavelmente são profissionais de saúde mental diplomados e licenciados.

O QUE FAZER SE VOCÊ PERTENCE A UM CULTO

Se você está num culto ou grupo extremista e encontrou uma maneira de obter acesso a este livro, isso já é incrível! Você deve ter passado por muitas dificuldades para conseguir isso. Saiba que há esperança para você e uma vida cheia de sentido e felicidade fora do culto. Entenda que, por lei, um culto não pode manter você preso a ele contra sua vontade. O que eles fazem é o que se conhece por "cárcere privado".

A primeira coisa a fazer é criar uma estratégia de fuga, mas não diga a ninguém do culto sobre isso. Eles já podem estar percebendo que você está se afastando, então esteja ciente de que haverá tentativas de controlá-lo ainda mais ou isolá-lo dos outros seguidores.

Tente fazer contato com o mundo exterior. Esteja ciente de que, se você estiver nas dependências do culto tentando entrar em contato com pessoas de fora, suas chamadas telefônicas talvez estejam sendo monitoradas. Se você conseguir sair do culto, verifique se não está sendo seguido. E se puder, relate qualquer comportamento suspeito à polícia.

Depois de sair, peço que busque algum tipo de aconselhamento terapêutico. Se você pertenceu ao culto por um longo período, vai precisar de um tempo para se ajustar à vida aqui fora, bem como para superar uma provável história de maus-tratos e negligência, privação de educação e dificuldade para se ligar emocionalmente a outras pessoas (Matthews e Salazar, 2014). Mas você vai conseguir. Vá devagar. Você pode saber mais sobre aconselhamento terapêutico no Capítulo 12.

Vamos pôr um ponto final na discussão sobre cultos e grupos extremistas e passar a tratar de membros da família que praticam *gaslighting*. Seus parentes podem fazer você questionar sua sanidade e causar um grande estrago na sua vida, do ponto de vista psicológico. Além disso, é difícil se afastar deles também.

8

Parente É Serpente

Gaslighters na sua família

Como você já deve ter percebido em outros capítulos, os *gaslighters* têm muitos comportamentos semelhantes. No entanto, há algo sobre os manipuladores da nossa família que os tornam ainda mais exasperantes. Como você verá, eles têm algumas características particulares e truques na manga. Além disso, nossas histórias e laços emocionais com essas pessoas fazem com que muitas vezes não possamos simplesmente nos afastar delas, especialmente quando somos jovens. E mais tarde, elas estão sempre presentes em datas festivas e reuniões de família, como também podem morar perto de você. Parentes *gaslighters* podem ser como uma ferida inflamada. E em geral, sabem exatamente o que fazer para levá-lo a agir conforme a vontade deles

> "Meu padrasto pratica *gaslighting* com a minha mãe o tempo todo. Ele fala coisas para ela e depois nega, dizendo: 'Não, eu nunca disse isso'. Eu digo à minha mãe que ouvi exatamente o que ela ouviu, mas ela fica me dizendo que eu simplesmente não gosto dele e que estou tentando separá-los. Eu não aguento mais!"
>
> – Liam, 20

– sempre tirando vantagem do caos resultante. (Você talvez já tenha percebido tudo isso com os *gaslighters* da sua família.)

Neste capítulo, você vai aprender como identificar os *gaslighters* da sua família e o que fazer para se proteger deles.

Não adianta querer confrontá-los

> "Minha tia sempre fala que todo mundo na família é louco ou só faz besteira. Será que já passou pela cabeça da minha tia que talvez seja ela a louca? Com certeza, não. E não vou ser eu quem vai dizer isso a ela. Aquela senhora é assustadora!"
>
> – François, 28

Os *gaslighters* nunca assumem seu mau comportamento. Se você confrontar o *gaslighter* da sua família, ele pode dizer algo como "Você é sensível demais" ou "Não posso nem brincar com você". E não se surpreenda se eles contarem a outros membros da família, na sua frente, o que acabou de acontecer. Eles querem envergonhar você, tanto quanto possível, só para se vingar. Mas você precisa se defender. E é necessário muita coragem para repreender o comportamento de um *gaslighter*. Encontre apoio em outra pessoa, se puder, mas não desista.

Eles estragam todos os encontros de família

> "Meu pai aproveitou um jantar de Ação de Graças para dizer a todos os nossos parentes que eu era um 'pé no saco' e que chorava à toa. Eu pude ver os olhares de pena que todos me lançaram. Nem me dei ao trabalho de dizer nada. Para quê? Eu só tinha 9 anos..."
>
> – James, 25

Os *gaslighters* costumam aproveitar os encontros de família como uma oportunidade especial para promover o caos. Eles odeiam quando as pessoas estão felizes. Felizes, as pessoas não precisam deles, e isso os deixa furiosos. Os *gaslighters* vão usar todos os seus truques para arruinar os momentos felizes da família. Vão causar conflitos e trazer discórdia quando a família estiver reunida. Vão colocar as pessoas umas contra as outras. Vão contar um episódio muito embaraçoso ou uma história imprópria sobre você na frente de toda a sua família (ou diante do novo parceiro que você trouxe para conhecer seus familiares), mesmo depois de você pedir que parem.

Os *gaslighters* também vivem comprando presentes inadequados e vagabundos. Eles vão gastar dinheiro com eles mesmos, e até mesmo ostentar o que compraram para si, mas vão lhe dar um presente tão esquisito que você não vai nem poder repassar para outra pessoa. Na maioria das vezes, o presente também não tem nada a ver com você nem tem nenhuma utilidade. Os *gaslighters* têm dificuldade para enxergar as outras pessoas. E parte do *modus operandi* do *gaslighter* nesse caso é lhe transmitir a mensagem de que você está sendo punido por ser uma pessoa independente e feliz.

Eles forçam você a fazer coisas para eles

Os *gaslighters* da família querem fazer você sentir que tem vontade própria quando na verdade não lhe dão a chance de fazer o que quer. É o clássico cenário em que você fica entre a cruz e a espada: se não atender a um pedido do *gaslighter*, você é atormentado. Se obedecer, vai sempre ouvir que fez tudo errado. Na verdade, você tem escolha, pois os *gaslighters* não podem obrigar você a fazer nada. Mas, se viveu com *gaslighters* a maior parte da sua vida, você pode muito bem sentir que essa escolha lhe foi tirada.

"Eu passei a infância e a adolescência praticamente fechado no meu quarto, porque, se minha mãe me pedisse para fazer alguma coisa, sempre dizia que eu fazia tudo errado ou muito devagar. Eu nem esperava um agradecimento, apenas que ela não me criticasse pelo menos uma vez. Se eu não estivesse de pé e em movimento em dez minutos, depois que ela me pedia alguma coisa... as consequências eram drásticas."

– Gerard, 44

Eles provavelmente são viciados

Se você pensar sobre o que leu até agora, vai chegar à conclusão de que o *gaslighter* é uma espécie de viciado. Seu vício é pela emoção que sente ao conquistar o poder de controlar e desestabilizar. Se você tem viciados na família, saiba que eles estão mais propensos a ser *gaslighters* do que as outras pessoas. Os viciados têm apenas uma preocupação: conseguir a próxima dose. É assim que o vício funciona. A necessidade da substância anula o pensamento de ordem superior. Então, o que isso significa para você?

> "Eu não saberia dizer quando o meu pai não está bêbado. Eu nunca o vi sóbrio."
>
> – Heath, 25

O *gaslighter*/viciado vai manipular você ao máximo para sentir culpa e dar a ele o seu dinheiro ou até mesmo as suas posses. Não caia nessa. Pode apostar que você nunca mais verá seu dinheiro ou suas posses. Se alguém na sua família é um *gaslighter*/viciado, não deixe que essa pessoa entre na sua casa quando estiverem a sós. Troque as fechaduras das portas. Mantenha seus objetos de valor no banco, em seu nome apenas. Não deixe nenhum medicamento no armário no banheiro. Mantenha-os num lugar seguro, com fechadura, à prova de fogo e que esteja parafusado à parede. Viciados podem ir à sua casa apenas para limpar o armário de remédios. Pense na possibilidade de instalar câmeras de segurança em sua casa.

> "Eu piso em ovos quando estou perto do meu pai, principalmente depois das 5 da tarde. Sei que é quando a *happy hour* começa. Tento ficar invisível."
>
> – Saul, 34

Eles usam "macacos voadores"

Nem todo mundo na família vai ver o *gaslighter* da mesma maneira que você. Não espere que outros membros da família ou amigos a entendam. No Capítulo 2, falamos sobre os "macacos voadores". Essas são as pessoas que o *gaslighter* vai usar para controlar você. Os amigos e parentes são as pessoas perfeitas para desempenhar esse papel. O *gaslighter* informa a elas o que devem dizer a você para você fazer o que ele quer. Os "macacos voadores" também costumam agir como informantes, relatando para o *gaslighter* tudo o que você diz sobre ele e outros fatos e detalhes da sua vida. Se disser a um "macaco voador" que um *gaslighter* agrediu você, por exemplo, ele vai contar isso ao *gaslighter*, que provavelmente contará ao "macaco voador" uma história dizendo que quem é louco, na verdade, é você.

Em geral, não é uma boa ideia contar a outros membros da família ou amigos por que você está se distanciando de um *gaslighter*. Os laços familiares costumam ser muito fortes e é provável que você acabe sendo alvo de críticas ou ridicularização, por limitar ou cortar o contato com o *gaslighter*. Mas eis o que você precisa lembrar: *você não precisa se defender ou se justificar.* Quem decide se vai se afastar ou não é você. Você tem o direito de limitar ou cortar o contato com qualquer pessoa que quiser e por qualquer motivo.

Gaslighters sempre têm quem ponha panos quentes

Geralmente, há uma pessoa na família que tenta facilitar as coisas para o *gaslighter*. Ela fica aborrecida quando os outros confrontam o *gaslighter* ou o deixam chateado, e passa a evitar conflitos como uma estratégia de sobrevivência. Se você é essa pessoa, pergunte-se por quê. Você está com medo do *gaslighter*? Não sabe muito bem o que é um comportamento normal e o que não é? Se você tem vivido com um *gaslighter* há algum tempo, pode até não saber mais o que é um comportamento normal.

O impulso de apaziguar um *gaslighter* pode criar um conflito interior. Você pode sentir raiva de si mesma por não se permitir expressar o que realmente sente, para não provocar a ira do *gaslighter*.

> "Eu li um artigo sobre sociopatas e me dei conta de que minha irmã é uma sociopata com S maiúsculo! Quando chamo a atenção dela por ter feito alguma besteira, minha mãe imediatamente corre e me diz que eu preciso ser mais compreensiva com a minha irmã porque ela teve uma vida muito difícil. Vida difícil? Está brincando? Ela nunca trabalhou um dia na vida e meus pais pagam tudo para ela!"
>
> – Naima, 22

Gaslighters não ficam felizes por você

Os *gaslighters* tentam subestimar as suas conquistas, com receio de que elas possam ajudá-la a se tornar independente dele. Se você é a primeira pessoa da família a ir para a faculdade, por exemplo, o *gaslighter* pode dizer que você está desperdiçando o seu tempo ou que você se acha melhor do que todo mundo, ao passo que parentes saudáveis simplesmente a encorajariam a continuar seus estudos.

> "Minha mãe ficava nos perguntando quando íamos lhe dar netos. Por fim, depois de anos tentando, eu engravidei. Quando contamos a ela, a primeira coisa que ela disse foi: 'Não espere que eu fique de babá'."
>
> – Lonnie, 30

Ele também pode enviar mensagens contraditórias, como a mãe de Lonnie e Jacob fez em nossos exemplos (ver depoimentos ao lado). Ele fará um pedido a você e, quando você atendê-lo, o *gaslighter* vai dispensá-la, dizendo que nunca pediu isso, ou vai agir como se você estivesse desperdiçando o tempo dele. É muito confuso quando lhe pedem algo repetidamente, você se esforça para atender ao pedido e em seguida descobre que, mesmo assim, não satisfez às expectativas da pessoa. Mas aqui está a verdade nua e crua: você nunca será capaz de deixar um *gaslighter* feliz ou satisfazer as necessidades dele. É impossível. Isso faz parte da patologia que ele tem. Eles nunca ficarão felizes por você e nada que você faça será suficiente.

> "Minha mãe me disse que eu tinha que fazer faculdade de Direito. Disse que desejar menos do que isso era querer 'me acomodar'. Ela nunca foi para a faculdade. Me formei com as melhores notas da classe. Mas ela me disse na formatura, 'Não sei por que você está tão animado; nem sabe se vai conseguir um emprego!'."
>
> – Jacob, 33

Esses métodos de *gaslighting* ocorrem mais em famílias ou outros tipos de relacionamento próximo, nos quais as pessoas têm um envolvimento emocional com você. Seu gerente ou colega de trabalho não vão atormentá-la desse jeito. Os políticos ou o presidente do seu país não têm uma presença constante em sua vida nem afetam você emocionalmente, embora possam deixá-la perplexa e com muita raiva.

Quando coisas ruins acontecem, os *gaslighters* não se compadecem

Alguém poderia pensar que, quando algo ruim acontece com um *gaslighter* ou com alguém da família dele, seria possível perceber um vislumbre de humanidade ou bondade nele. Não. O *gaslighter* vai ficar impassível e continuar a viver sua vida normalmente. Coisas ruins não tornam o *gaslighter* mais humano, nem o transformam por dentro. Isso pode ser muito confuso para os membros da família, que pensam: "Ei, talvez esse sofrimento finalmente vá fazê-lo reavaliar a vida ou o modo como ele trata as pessoas". Esse dia de autoexame e redenção nunca chegará para os *gaslighters*. O que, para você, significa abandonar a expectativa de que as coisas possam mudar.

> "Minha mãe estava reclamando de algo, como de costume. Eu não aguentei e disse a ela que tinha passado por um aborto e não estava com ânimo para discussões. Ela ficou com raiva de mim por não ter contado antes e começou a reclamar novamente."
>
> – Holly, 28

PAIS *GASLIGHTERS*

Nossos pais também podem ser nossos *gaslighters*. Pais saudáveis apoiam os filhos e lhes dão carinho. Eles os orientam para que se tornem adultos felizes e produtivos. Uma das maiores alegrias dos pais saudáveis é ver que o filho conseguiu se tornar um adulto saudável. No entanto, pais *gaslighters* manipulam, minam a confiança dos filhos e competem com eles, ao mesmo tempo que tentam impedi-los de ser pessoas independentes. Nesta seção, você vai aprender como os pais *gaslighters* afetam sua capacidade de ser um adulto feliz e saudável.

> "Quando eu tinha uns 15 anos, uma amiga comentou que meus pais brigavam muito. Eu perguntei: 'Seus pais não fazem isso?'. Ela disse que não, que eles discutiam às vezes, mas não gritavam um com o outro nem se xingavam. Foi a primeira vez que percebi que nem todos os pais agiam assim."
>
> – Lluvy, 35

"Cresci achando que havia algo errado comigo, porque eu me lembrava de coisas que a minha mãe jurava que nunca tinham acontecido. Eu achava que talvez estivesse ficando louco."

– Rafael, 65

Se um dos seus pais era um *gaslighter*, você pode descobrir que simplesmente não é tão feliz ou realizada quanto as outras pessoas. Você também pode chegar à conclusão de que tende a manter relacionamentos com *gaslighters* mais frequentemente do que as outras pessoas. Nós aprendemos a interagir com o mundo observando nossos pais. Se seus pais vivem manipulando você e interferindo na sua vida, é muito provável que você ache que esse é um comportamento normal.

Eles não gostam quando os filhos se tornam independentes

Tornar-se independente dos pais é uma parte normal e saudável do desenvolvimento humano. Isso significa que você está aprendendo a viver no mundo por conta própria. Nós passamos por esse processo de individuação pela primeira vez quando somos crianças, na idade de aprender a andar. Os dois anos de idade são caracterizados pela quantidade de "nãos" que dizemos. A pré-adolescência e a adolescência também são períodos de individuação. Os pais *gaslighters* consideram essas épocas frustrantes, mas sabem, lá no fundo, que se tornar você mesmo é uma coisa boa.

"Eu me lembro nitidamente da primeira vez em que eu realmente disse não à minha mãe, quando era adolescente. Por que me lembro tão bem? Porque ela ficou um mês sem falar comigo."

– Paulina, 45

Para os *gaslighters*, a individuação significa que o controle que eles têm sobre você está diminuindo, e eles odeiam isso. Você talvez tenha notado que seu pai ou sua mãe eram pessoas muito legais até você entrar na adolescência, quando de repente começaram a fazer comentários desagradáveis a seu respeito, ignorá-la ou praticar o *stonewalling*. O que aconteceu? O *gaslighter* percebe que você não é mais seu "eu em miniatura" e em vez de aguentar firme e ver a puberdade como um estágio normal de desenvolvimento, ele a vê como o começo do abandono. E o *gaslighter* não consegue suportar isso.

> "Meu pai é um mestre em nos ignorar. Eu não sei como ele consegue nos tratar como se nem estivéssemos lá. É tão frio..."
>
> – Charlotte, 28

Eles são notórios agressores

A violência assume diferentes formas: física, emocional, sexual e negligência. E se você é filho de um *gaslighter*, pode se identificar com mais de uma dessas formas de violência. A convivência com um *gaslighter* faz com que esses comportamentos possam parecer uma parte normal da vida. Se você sofreu agressões, é importante que converse com um profissional de saúde mental. Lembre-se, *o abuso não foi culpa sua*. A responsabilidade total é do *gaslighter* que praticou a agressão.

Eles colocam você numa situação de duplo vínculo

O termo "duplo vínculo" é usado na Psicologia e refere-se, neste caso, a situações em que você recebe mensagens conflitantes do seu pai ou da sua mãe. Por exemplo, sua mãe a incentiva a perder peso, em seguida assa uma enorme fornada de biscoitos amanteigados. Ou ela diz que você precisa se arrumar para ir à escola, mas depois lhe entrega seu dispositivo de jogo portátil.

> "Quando eu era adolescente, minha mãe dizia que eu estava começando a ficar 'muito fofinha'. Então ela fazia *brownies* ou um bolo e deixava sobre o balcão da cozinha."
>
> – Jalisa, 34

Os relacionamentos de duplo vínculo causam sofrimento emocional e levam as pessoas a fracassar. Para o *gaslighter*, ver a sua tensão reforça a sensação de que eles podem controlar você.

Eles competem com você

Pais *gaslighters*, especialmente do mesmo sexo, competem com você, muitas vezes de formas realmente inconvenientes. Você compra uma roupa nova, com o dinheiro que ganhou no seu primeiro emprego, e a sua mãe compra uma roupa parecida. Esse comportamento de imitação continua até a idade adulta. Não é simplesmente fazer algo semelhante para que possam compartilhar sua experiência. O *gaslighter* não quer que você tenha coisas melhores do que ele. Se você comprou um carro novo, seu pai *gaslighter* também vai querer ter um. Ele não suporta ser "superado" por ninguém.

"Eu comecei a namorar um advogado e, um mês depois, minha mãe começou a namorar um advogado também. Eu compro um tipo específico de carro e minha mãe compra o mesmo carro em seguida. Dizem que a imitação é a forma mais sincera de elogio, mas, neste caso, é apenas assustador."

– Sascha, 30

Pais saudáveis ficam felizes com as realizações dos filhos, pois isso é, em parte, um reflexo da boa educação que deram a eles e de quanto se dedicaram. Os *gaslighters* têm dificuldade para aceitar que o sucesso não é necessariamente genético, mas algo que os filhos conquistam por si.

Eles tentam viver através de você

Os pais *gaslighting* não só tentam competir com você, como também tentam *viver* a sua vida. Você pode ter sido pressionada, pela sua mãe, a ter um encontro romântico antes de estar preparada. Pode ter desejado ser membro do clube de xadrez, embora seu pai preferisse que você fosse esportista, já que ele mesmo não conseguiu se destacar nos esportes quando estava no colégio. Embora seja normal que os pais desejem para os filhos o que eles mesmos não tiveram, viver através dos filhos, para os pais *gaslighters*, é uma necessidade patológica.

O *gaslighter* também é o pai que grita com o filho na quadra ou xinga o árbitro durante os jogos de futebol e em outros esportes. Mas ele não faz isso porque apoia o filho. Faz isso porque o *gaslighter* precisa que seu filho ganhe a todo custo. Se o filho entrar nessa, pode se tornar um adulto que vive tentando agradar ao pai, mesmo que isso exija que viole leis.

O filho de um *gaslighter* nunca vai estar à altura das expectativas dele. Simplesmente porque isso é impossível. Por natureza.

Eles não têm limites com seu parceiro ou amigos

Isso geralmente deixa meus clientes muito irritados. Quando você leva para casa um(a) namorado(a), sua mãe ou seu pai flerta com ele(a) e/ou conta histórias embaraçosas sobre você? Esse é o comportamento clássico de um *gaslighter*. Ou talvez sua mãe *gaslighter* se vista de um jeito provocante quando você convida amigos para ir à sua casa. Seus pais tentaram se aproximar dos seus amigos e fazer parte da "turma"? Os *gaslighters* não aguentam não receber tanta atenção quanto os filhos. Eles vivem competindo pelo afeto dos outros. Nada os agrada mais do que serem adulados pelo seu parceiro ou seus amigos. Isso faz parte da necessidade narcisista e insaciável de atenção que eles têm.

> "Minha mãe sempre fazia algum comentário desagradável para meus namorados, bem na minha frente. Eu ficava mortificada. Comecei a dar desculpas para não levá-los mais em casa."
>
> – Shelley, 43

Filhos preferidos e bodes expiatórios

Em muitas famílias nas quais um ou ambos os pais são *gaslighters*, um filho é o preferido, enquanto o outro é o "bode expiatório". O primeiro nunca é punido por nada, enquanto o bode expiatório é punido até pela menor infração. Esses padrões podem durar até a idade adulta, causando conflitos entre os irmãos ou até mesmo uma competição patológica. Esteja ciente de que o papel de cada pessoa pode se alterar sem aviso: numa semana você é o "bom filho", e, inexplicavelmente, na semana seguinte, você é o "filho problemático". Às vezes, para o *gaslighter,* não importa se você é um ou outro. Isso porque, como você leu no Capítulo 1, os *gaslighters* têm o hábito de idealizar e depois desvalorizar as pessoas. Eles não têm uma compreensão básica da natureza dos seres humanos: que a personalidade de todas as pessoas tem vários aspectos. Os *gaslighters* veem o filho como alguém irrepreensível ou imprestável – nunca alguém com defeitos e qualidades –, de acordo com o que eles querem da criança no momento.

"Meu irmão sempre ganhava brinquedos novos no Natal. Eu sempre ganhava brinquedos usados. Meus pais pagaram os estudos do meu irmão até ele se formar, mas me diziam que eu tinha de me virar sozinho."

– Maurice, 70

Para interromper esse círculo vicioso é preciso identificá-lo e perceber que não existe nenhuma lógica no comportamento dos pais *gaslighters*. Você e seu irmão (ou irmã) foram inconscientemente jogados num turbilhão de violência emocional. Se o seu irmão não é um *gaslighter* (falaremos sobre irmãos *gaslighters* mais adiante), pode ser hora de conversarem abertamente sobre o comportamento patológico do seu pai ou da sua mãe com relação a vocês. Depois dessa conversa, é bem provável que seu irmão se sinta tão leve quanto você. Para iniciá-la, é só dizer que você acha muito difícil conviver com seu pai ou sua mãe.

Eles muitas vezes ameaçam os filhos

Um dos truques que os *gaslighters* usam quando sentem que você está se distanciando deles é ameaçar nunca mais falar com você, jogar fora seus pertences ou deserdá-lo. Essas são provavelmente falsas promessas. Vá em frente e veja o que eles fazem. Deixe que ameacem não falar mais com você. Pode ser um dos momentos mais tranquilos da sua vida. Um dia os *gaslighters* voltarão a falar com você – geralmente quando precisarem de algo. Pode ser difícil aceitar o fato de que, para ele, você é como um objeto que ele usa para satisfazer as próprias necessidades. Mas, ao mesmo tempo, pode ser um alívio finalmente saber claramente com quem você está lidando.

"De quinze em quinze dias minha mãe ameaçava me deserdar. Uma vez ela até me fez devolver a chave da casa, dizendo que nunca mais queria me ver novamente. Isso durou até que ela percebesse que eu era a única pessoa que se dispunha a ajudá-la. Ela tinha se afastado de todo mundo."

– Donna, 68

Com relação a deserdar você, talvez o *gaslighter* nem tenha uma herança considerável para lhe deixar. Os *gaslighters* em geral não sabem administrar o próprio dinheiro. Eles gastam tanto tentando parecer bem que não economizam para o futuro. Se um pai *gaslighting* morre, mesmo que vocês se dessem bem, muitas vezes você descobre que não herdou coisa nenhuma.

"Meu pai sempre ameaçava me deserdar porque eu era não um 'bom filho'. Então passei toda a minha vida tentando agradá-lo. No final, descobri que, mesmo assim, ele não me deixou nada."

– Dante, 45 anos

Você por acaso pegou "pulgas"?

Você pode ter notado, enquanto lê este livro, que está repetindo comportamentos dos seus pais que você jurou que nunca teria. Mas perceba que é normal que os filhos dos *gaslighters* herdem alguns dos comportamentos que eles presenciaram ou aos quais foram submetidos na infância. Afinal, quem são os nossos maiores exemplos? É isso mesmo, os nossos pais.

Baseando-me na expressão: "Quem dorme com cães, acaba com pulgas", dei o apelido de "pulgas" aos comportamentos *gaslighting* que você aprendeu com seus pais. Por favor, não se martirize por isso. Só porque você desenvolveu algumas técnicas de enfrentamento e de manipulação para conseguir sobreviver no seu ambiente, isso não significa que você é um *gaslighter*. Mas é verdade que esses comportamentos não são mais apropriados, pois você não precisa mais deles agora que é adulta. Quando criança, você é dependente e vulnerável, mas, na idade adulta, é capaz de definir seus próprios limites.

Eis uma dica. Se você acha que é um *gaslighter*, é bem provável que você não seja. São as pessoas que não acham que são *gaslighters* que realmente têm um problema. De acordo com a dra. Brooke Donatone, em seu artigo "The Coraline Effect" [Efeito Coraline] (2016), filhos de pessoas com distúrbios da personalidade podem ser diagnosticados equivocadamente como portadores desses mesmos distúrbios. Isso se deve ao fato de que eles podem exibir comportamentos de transtorno de personalidade por não terem aprendido habilidades de enfrentamento adequadas. Como você leu anteriormente neste livro, os comportamentos *gaslighting* são muito comuns em pessoas com transtornos de personalidade do Grupo B – narcisista, histriônica, antissocial e limítrofe. Se você foi diagnosticado com um transtorno de personalidade e seus pais tinham o mesmo distúrbio ou algo semelhante, por favor, pense em procurar uma segunda opinião. Se você acha que é um *gaslighter*, consulte o Capítulo 11 sobre como os *gaslighters* podem conseguir ajuda.

Sinais de que você "pegou pulgas" de um *gaslighter*:

- Você mente sobre coisas que na verdade não precisava mentir.
- A vida parece estranha ou desconfortável quando não há nenhum drama acontecendo.
- Você faz drama em seu relacionamento para que ele pareça normal.
- Em vez de declarar suas necessidades aos outros, você espera que eles leiam seus pensamentos.
- Você acha mais fácil manipular as pessoas para fazer o que você quer em vez de pedir diretamente a elas.

- Você sente atração por pessoas emocionalmente distantes.
- Você se pega utilizando algumas das mesmas "técnicas" que seu pai *gaslighter* usava: castigar o filho por não conhecer as necessidades dele ou não atendê-las, comunicando-se principalmente por meio de gritos, ignorando-os ou mostrando preferência por um dos filhos.

É importante que você busque aconselhamento terapêutico se for filho de um *gaslighter*. Você pode descobrir que os filhos *gaslighters* têm comportamentos semelhantes aos filhos adultos de alcoólatras, e os recursos dos Alcoólicos Anônimos podem ser úteis para você. Esse é especialmente o caso se você tiver um pai *gaslighter* com um vício, como muitas vezes acontece. Para mais informações sobre aconselhamento terapêutico, consulte o Capítulo 12.

Seus pais *gaslighters* e os seus filhos

Se seus pais são *gaslighters*, você precisa tomar precauções com os seus próprios filhos. Nunca os deixe sozinhos com avós *gaslighters*. Não é seguro. Eu já ouvi falar de avós *gaslighters* que dão chocolate para netos diabéticos. Testemunhei *gaslighters* dizendo aos netos que os pais deles eram dois desalmados por não deixá-los comer doces. Eles pegam seu filho na escola, por exemplo, mesmo quando você pede para que não façam isso. Compram presentes para o seu filho quando você diz que ele se comportou mal e não deve ganhar presentes. Quando você confronta seus pais *gaslighters* sobre essas coisas, eles dizem algo como "Você não deixa seu filho se divertir como as outras crianças". Muitas vezes, e de forma bastante intencional, falam isso quando ele está por perto e pode ouvir.

> "Eu chego em casa do trabalho e meus filhos estão assistindo um filme de terror enquanto meu sogro está responsável por cuidar deles. Ele sabe que meu filho mais novo fica apavorado. É quase como se ele tivesse prazer em fazer algo justamente quando lhe pedem para não fazer."
>
> – Nia, 38

Quando ficam sozinhos com seus filhos, os avós *gaslighters* podem:

- Violar suas regras.
- Não seguir as restrições alimentares do seu filho, como no caso de alergias.
- Não dar a medicação ao seu filho.
- Dizer ao seu filho que você não é um bom pai ou uma boa mãe.

"Minha sogra sabe que minha filha é alérgica a morango. Um dia ela me ligou do pronto-socorro, dizendo que tinha dado sorvete de morango a ela. A minha sogra não tem demência – simplesmente adora atenção. Agora nunca deixamos as crianças sem supervisão quando ela está presente."

– Jackie, 35

Os *gaslighters* adoram atenção e drama, e nada chega perto da atenção e do drama que eles conseguem quando vão ao pronto-socorro com seu filho. Os *gaslighters* podem fingir esquecimento ou confusão quando confrontados, mas essa é só uma desculpa para a intenção sinistra do seu comportamento. Não se enganem, os *gaslighters podem machucar seu filho intencionalmente*. Para ter atenção e poder.

Cuidando do seu pai ou mãe *gaslighter*

Você pode ter de cuidar de um pai ou mãe doente ou nas moribundo. Como você já pode ter adivinhado, a doença ou mesmo a morte não faz um pai *gaslighter* ser uma pessoa melhor. Na verdade, ele fica pior. É realmente incrível ver uma pessoa à beira da morte ainda conseguindo fazer um comentário sarcástico...

"Minha mãe está muito doente, mas ela insiste em tomar a medicação 'do jeito dela' e não segue as instruções do médico. Então, quando tento ajudá-la, ela grita comigo e me diz que sou uma inútil."

– Pam, 45

Pais *gaslighting* podem se recusar a tomar um remédio conforme a prescrição ou simplesmente não tomá-lo. Eles também podem não seguir as orientações do médico. Podem dizer que sabem cuidar de si mesmos e ainda melhor do que o médico. E os *gaslighters* realmente acreditam nisso. Pode ser enlouquecedor tentar cuidar de pessoas que parecem ter tão pouca consideração pela própria saúde.

Você é que escolhe se quer cuidar do seu pai ou da sua mãe. Você não é obrigada a ser a cuidadora. Está *optando* por ser. Você pode estar pensando: "Mas mais ninguém quer cuidar dela, só eu. Ela se afastou de todos!". Ainda assim é uma escolha sua ser a cuidadora. Quando você percebe que isso é uma escolha e não uma obrigação, essa tarefa fica um pouco mais tolerável.

> "Minha mãe sofre de algumas doenças crônicas, mas ela faz coisas para prejudicar a própria saúde. Depois espera que eu corra até a casa dela, e fica furiosa quando eu não posso fazer isso imediatamente."
>
> – Seth, 40

Não importa quanto seu pai ou sua mãe esteja doente. Mesmo assim, não é aceitável que ele ou ela maltrate você, verbal ou emocionalmente. Não importa que você seja a última pessoa na face da Terra que possa cuidar dele ou dela; esse tipo de tratamento nunca é aceitável. Se você sente que está sendo maltratada, é hora de encontrar outra pessoa para pelo menos delegar a ela alguns cuidados. Se você acha que não pode pagar, procure alternativas para fazer uma pausa na tarefa de cuidador.

Quando seu pai ou sua mãe *gaslighter* morre

Muitas pessoas se sentem aliviadas quando um pai ou uma mãe *gaslighter* morre. E isso pode confundir você ou provocar sentimentos de culpa. Mas, na verdade, a culpa é perfeitamente normal. Também é normal experimentar algo chamado "luto complicado". Esse é o sofrimento que é agravado por sentimentos de raiva e questões não resolvidas com um pai. Eu recomendo que você procure aconselhamento terapêutico para falar sobre esses sentimentos. Se alguém lhe disser que você não está passando pelo luto "do jeito certo", saiba que não há maneira certa de sofrer. O luto pode ser universal, mas o modo como nos sentimos é algo pessoal. Se o seu pai *gaslighter* conseguiu esconder muito bem o seu comportamento manipulativo, as pessoas talvez digam que não entendem como você pode "aceitar" tão bem a morte dele. Tenha em mente que elas não moravam com seu pai, então não conhecem a história a fundo.

Como você reage aos comentários sobre a pessoa "maravilhosa" que seu pai ou sua mãe era ou a insinuações de que você não parece estar sentindo a morte dele ou dela? A melhor reação é não demonstrar reação nenhuma. Não diga nada. Ajudaria alguma coisa contar a eles sobre quanto seu pai ou sua mãe era horrível? Não, eles vão dizer que isso não é verdade. Você não precisa de outra pessoa negando a sua realidade.

"Eu senti um peso muito grande saindo dos meus ombros quando meu pai morreu. Depois me senti incrivelmente culpada por isso. Continuei me sentindo assim até que uma amiga me disse: 'Você está livre agora e merece essa liberdade'. Isso fez com que eu me sentisse menos culpada."

– Elisa, 48

No *Reno Gazette-Journal* (2013), me deparei com este obituário para uma mãe falecida:

Ela deixou 6 dos seus 8 filhos, que passou a vida torturando de todas as formas possíveis. Enquanto negligenciava e maltratava os filhos pequenos, recusava-se a permitir que alguém se importasse com eles ou lhes demonstrasse compaixão. Quando se tornaram adultos, ela os perseguiu e torturou qualquer um que se atrevesse a amá-los. Todos que ela conheceu, adulto ou criança, foram torturados pela sua crueldade e exposição à violência, atividade criminosa, vulgaridade e ódio pelo espírito humano gentil ou bondoso.

Em nome de seus filhos, que ela tão cruelmente expôs à sua vida violenta e odiosa, celebramos sua passagem desta terra e esperamos que ela reviva no pós-morte cada gesto de violência, crueldade e vergonha a que subjugou seus filhos. Seus filhos que sobreviveram agora passarão o resto da vida em paz por saber que seu pesadelo finalmente chegou ao fim.

A maioria de nós encontrou paz ajudando aqueles que foram expostos à violência infantil e espero que esta mensagem de sua passagem final possa reavivar nossa mensagem de que maltratar crianças é imperdoável, vergonhoso e não deve ser tolerado numa "sociedade humanitária". Nosso maior desejo agora é estimular um movimento nacional que exija uma luta intencional e declarada contra a violência infantil nos Estados Unidos da América.

"Só quando minha mãe morreu, eu me senti realmente em paz. O primeiro Natal sem ela foi maravilhoso."

– Anna, 45

IRMÃOS *GASLIGHTERS*

O que pode ser tão difícil quanto ter um genitor *gaslighter*? Ter irmãos *gaslighters*. Como você aprendeu neste capítulo, você e seus irmãos podem herdar dos seus pais características do comportamento *gaslighting* (o que eu chamo de "pegar pulgas"). No entanto, às vezes os irmãos são eles próprios *gaslighters*. Eles não têm apenas alguns comportamentos *gaslighting* – eles são a própria personificação do *gaslighting*!

Primeiro, vamos falar sobre os efeitos do *gaslighting* nos irmãos, depois falaremos sobre irmãos que são *gaslighters*.

Competição feroz

Como já mencionei anteriormente, você e seus irmãos podem ter passado a vida sendo eleitos "filhos preferidos" ou "bodes expiatórios" pelo seu pai ou mãe *gaslighter*. Você pode ter travado uma disputa de anos com um irmão para mostrar quem era "melhor". Vocês podem estar constantemente tentando superar um ao outro. Você compra um presente especial para a sua mãe no aniversário dela e na semana seguinte o seu irmão compra algo mais caro. Os *gaslighters* não são capazes de apreciar um presente, mas isso é outra história. Você e seu irmão ainda estão disputando a aprovação e atenção do seu pai ou mãe *gaslighter*. Seu pai ou mãe fez com que as coisas fossem assim desde que vocês eram pequenos, colocando você e seus irmãos uns contra os outros. Existem poucas coisas que os *gaslighters* mais amam no mundo do que pessoas disputando entre si para impressioná-los.

Esteja ciente de que essa competição é falsa – todos têm pontos fortes e fracos. Por competirem o tempo todo, você e o seu irmão provavelmente não se conhecem como pessoas. Você nunca vai conquistar totalmente a aprovação dos seus pais – então, por que não conhecer seu irmão num nível diferente? Como você leu no início do capítulo, você e seu irmão podem ter herdado comportamentos *gaslighting* como um mecanismo de sobrevivência enquanto moravam na casa dos seus pais, mas não são verdadeiros *gaslighters*. Quando realmente conhecer seu irmão, você pode descobrir que vocês dois apenas viviam uma situação infeliz na infância, em que nenhum dos dois, na verdade, saía vitorioso, e podem até gostar um do outro. Nunca é tarde demais para recomeçar um relacionamento.

"Minha irmã mais velha começou a me enganar desde muito cedo. Ela me pedia para fazer coisas ruins e dizia que me pagaria depois que eu as fizesse. Ela nunca me pagava e eu sempre ficava em maus lençóis por fazer o que ela me pedia. Ela mentia para meus pais e dizia que não tinha culpa de nada, enquanto eu era castigada."

– Brianna, 24

O guardião do seu irmão

Quando era criança, você pode ter tentado (muitas vezes em vão) proteger um irmão ou irmã da ira de um pai *gaslighter*. Muitos filhos de *gaslighters*, na idade adulta, sentem-se terrivelmente culpados por não terem conseguido fazer mais para ajudar os irmãos. No entanto, pais *gaslighters* podem ser tão poderosos em sua manipulação que muitas vezes não há realmente nada que uma criança possa fazer para que seu irmão não seja alvo de maus-tratos. Tenha em mente que, na infância, não era responsabilidade sua proteger seus irmãos. Isso era responsabilidade dos seus pais, e eles falharam.

Se seu irmão ou irmã é um *gaslighter*, pode ser enlouquecedor quando você se lembra dos momentos em que você praticamente o protegeu para impedir que se transformasse em alguém igual ao seu pai *gaslighter*. Você pode sentir que seu irmão demonstra uma total falta de gratidão pelos esforços que você fez para "resgatá-lo", quando eram crianças. Você se desdobrava para protegê-lo e ele parecia fazer um esforço maior ainda para tornar sua vida mais difícil. Infelizmente, é nesse momento que você percebe que não consegue controlar algumas coisas na vida – e isso inclui o modo como seus irmãos são quando se tornam adultos. Você talvez nunca receba o reconhecimento que espera dele, e tudo bem. Você sabe que fez o que podia.

Tenha em mente que, se você cresceu temendo um pai *gaslighter* e sabendo que você nunca poderia compartilhar seus verdadeiros sentimentos com esse pai, na idade adulta você ainda pode ter esse medo. Às vezes, quando não podemos expressar nossos sentimentos para a pessoa com que estamos chateados, descarregamos nossa frustração na pessoa mais próxima: nosso irmão. Pode ser esse exatamente o caso com você e seu irmão – ele é um *gaslighter* ou só está descontando em você a raiva que sente do pai? Seria bom se você e seu irmão pudessem participar de uma terapia juntos para resolver os seus traumas de infância e tentar curar o relacionamento entre vocês.

Falsos heróis

Irmãos *gaslighters* muitas vezes assumem o papel de "heróis" e supostamente devotam sua vida a um pai doente ou acidentado. Tenha em mente que esse "resgate" é, em grande parte, encenação – seu irmão só quer transmitir a imagem de bom filho. Ele não se incomoda em levar todo o crédito, mesmo que seja você quem esteja realmente cuidando do seu genitor.

Se o seu irmão *gaslighter* realmente se "esmerou" para se tornar um cuidador, observe-o com os olhos bem abertos. Os *gaslighters* são conhecido por tirar proveito de pais idosos ou doentes. Eles tentam fazer o pai se voltar contra os outros irmãos, na esperança de ganhar mais dinheiro ou bens quando ele morrer. Seu irmão também pode estar recebendo dinheiro do seu pai idoso ou doente. Se você suspeitar que isso está acontecendo, ou que se seu pai de repente está prestando mais atenção no seu irmão do que em você e elogiando-o demais, recomendo que você contrate um advogado e/ou contador para dar uma olhada nas finanças do seu pai e observe os cuidados que ele está recebendo, para evitar que o *gaslighter* tire vantagem dele.

"Quando minha mãe ficou doente, pensei que ela iria pelo menos agir de um jeito um pouco mais humano. Não. Ela ficou ainda pior."

– Caterina, 31

Se o seu pai ou mãe tem demência, é ainda mais importante tomar cuidado para que seu irmão não faça com que ele ou ela se volte contra você e os outros irmãos. Se o seu genitor se sente confuso e desorientado, essa é a condição ideal e um convite irresistível para o seu irmão *gaslighter* entrar em ação e atacar.

Os irmãos e a morte dos pais

Se um dos seus pais morrer, fique atento para que o seu irmão *gaslighter* não tente assumir o controle da situação. Ele vai se opor ao que está escrito no testamento e roubar objetos que têm valor sentimental para você. E não se surpreenda se descobrir que seu pai ou mãe mudou o testamento pouco tempo antes de morrer, de modo a favorecer esse irmão. Suas opções são confrontar o *gaslighter* ou levá-lo ao tribunal. Você sabe por experiência própria que confrontar o seu irmão *gaslighter* não o levará a lugar nenhum. Um advogado pode ajudá-lo. Consulte a internet para se informar sobre os recursos jurídicos gratuitos em sua comunidade. Essa situação é particularmente complicada se o seu irmão *gaslighter*, o "filho preferido", foi nomeado executor testamentário dos seus pais.

FILHOS *GASLIGHTERS*

Às vezes, os filhos começam a manifestar um comportamento *gaslighting*, mesmo quando não têm um pai *gaslighter*. Ser pai ou mãe de um *gaslighter* é um martírio, pois dói passar a vida vendo alguém do seu próprio sangue causando sofrimento nas pessoas (incluindo você mesma). Se esse é seu caso, você pode já ter passado noites sem dormir pensando: "O que eu fiz de errado?". Parte do desgosto de ter um filho *gaslighter* é ter de desistir do sonho de vê-lo se transformando na pessoa de bem que você gostaria que ele fosse. Também é muito normal que você fique com raiva do seu filho.

Deixe-me sugerir algumas coisas que você pode fazer para se preservar.

Perdoe-se

Em primeiro lugar, saiba que, para fazer algum progresso, você precisa ter consciência de que ter um filho *gaslighter* não é culpa sua. *Às vezes as pessoas já nascem com uma índole ruim*. Perdoe-se por qualquer culpa que possa sentir por seu filho ser assim. Se você se interessou por este livro, aposto que já fez tudo que estava ao seu alcance para garantir que o seu filho fosse feliz e saudável.

Se você contribuiu para que seu filho fosse um *gaslighter* ao se comportar como um *gaslighter*, lembre-se de que, na idade adulta, somos os únicos responsáveis por nossas próprias atitudes. Se o seu filho adulto está culpando você, isso é sinal de que está tentando se eximir de toda responsabilidade, e isso não é aceitável. Apesar de tudo o que você acha que fez para qualquer um dos seus filhos, *na idade adulta eles ainda são 100 por cento responsáveis pelo próprio comportamento*. Se você acha que é, pelo menos em parte, responsável pelo problema do seu filho, pense na possibilidade de consultar um psiquiatra ou terapeuta. O fardo da culpa é pesado e pode influenciar seu julgamento e até mesmo afetar sua saúde física. Um terapeuta pode ajudá-lo a compreender seus sentimentos – e muitas vezes é muito bom ter alguém que possa realmente ouvir você. Conte ao terapeuta sobre a extensão do comportamento do seu filho. Dê exemplos das atitudes dele que você presenciou. Também seja sincero sobre o seu sentimento de que é responsável por esse comportamento. Um terapeuta pode ajudá-lo a identificar até que ponto a responsabilidade é sua ou não.

Você pode tentar pedir desculpas ao seu filho por qualquer sentimento de que agiu mal com ele, mas tenha em mente que seu filho *gaslighter* provavelmente não vai reagir da maneira que você gostaria. Conversar com um terapeuta sobre essa sua tentativa de reconciliação é uma ótima maneira de estabelecer expectativas realistas e até mesmo ensaiar o que você dirá ao seu filho. Antes da tentativa de reconciliação, pode ser muito útil encenar com o terapeuta o modo como seu filho pode reagir. Se você está considerando a hipótese de fazer terapia com seu filho, pergunte ao profissional se essa opção é recomendável no seu caso. É importante que você tenha o seu próprio terapeuta. Uma alternativa é pedir a ele que seu filho participe de uma das sessões. Para mais informações sobre aconselhamento terapêutico, consulte o Capítulo 12.

Se você está sustentando seu filho, seja dando dinheiro a ele ou deixando-o morar na sua casa, *pare*. Você não tem obrigação de sustentar o seu filho adulto, a menos que ele seja incapacitado e não possa se sustentar sozinho. Analise se ele de fato não pode se sustentar. O mais provável é que poderia se realmente quisesse, mas você não lhe dá incentivo para isso.

Se você colocar o seu filho para fora de casa ou parar de dar dinheiro a ele, esteja pronto para todos os tipos de insulto. Seu filho pode lhe dizer que ele só está nessa situação por sua causa; que você está sendo cruel e irracional; que você é louca; ou que ele nunca mais falará com você. Lembre-se de que você o está expulsando de casa para impedir que a manipulação continue e para ter uma reserva de dinheiro para o futuro.

Deixe seu testamento tão específico quanto possível

Se você tem um filho *gaslighter*, e especialmente se você tem outros filhos, nomeie uma pessoa neutra, por exemplo, um advogado, como seu executor testamentário. Se tem objetos de valor, faça uma lista distribuindo-os entre os seus filhos ou outros membros da família. *Não deixe a divisão dos bens a cargo dos seus filhos*. Eu vi de perto uma situação em que uma *gaslighter* roubou todas as joias da mãe falecida poucos dias antes, muito embora estivesse no testamento que elas deveriam ser divididas igualmente entre as irmãs.

Consulte um advogado para falar sobre seus bens e seu testamento. Não deixe que seus filhos participem dessa reunião. Conte para o seu advogado os problemas que tem tido com o seu filho. Não há problema em dizer isso a ele – na verdade, isso o ajudará a fazer um testamento favorável aos seus interesses (e aos interesses dos seus filhos). Ele também saberá com antecedência o que fazer se o seu filho procurá-lo de modo inesperado, para fornecer algumas "informações importantes".

Antes de fazer seu testamento ou preencher procurações, contrate um advogado. Você provavelmente não quer que o *gaslighter* seja a pessoa que decidirá se desligará os aparelhos, por exemplo, caso você fique em coma no hospital.

Não deixe que seu filho o intimide e o obrigue a nomeá-lo seu executor. Ele não está fazendo isso para o seu bem – está fazendo isso para se aproveitar de você, pôr a mão no seu dinheiro e nos seus bens, e impedir que os irmãos herdem alguma coisa. O *gaslighter* é astuto e usará todo tipo de artimanha e manipulação para que você o nomeie seu executor. Ele pode:

- Alegar que seus outros filhos não são dignos de confiança.
- Dizer que os seus bens e seu dinheiro serão doados ao governo.
- Dizer que seus filhos vão romper relações com você se você se recusar a dar todo seu dinheiro a eles.
- Dizer que você "deve isso a ele", por não ter sido um bom pai ou uma boa mãe.
- Dizer que você não verá mais os seus netos.

Responda que um advogado, como executor tornará a vida muito mais fácil para todos, depois que você morrer. Continue repetindo isso. Não vacile.

Se o seu filho ainda for menor de idade

Se o seu filho ainda for menor de idade, é imperativo que ele faça terapia. Ele pode dar a opinião dele, mas é você quem tem a palavra final. Se ele precisa de terapia, procure um bom profissional. Não discuta. Importa se ele não quer ir? Não. Ele terá que ir de qualquer maneira. Você também precisa ir ao terapeuta. O fato de você talvez não ter imposto certos limites a seu filho pode ter agravado o comportamento *gaslighting* dele.

Além de terapia, as crianças que já exibem um comportamento *gaslighting* precisam de estrutura e limites. Todas as crianças querem diretrizes sobre como se comportar. Já se descobriu que o método liberal de deixar as crianças fazerem o que quiserem não funciona. Portanto, primeiro leve seu filho a um profissional de saúde mental; em seguida, consulte você mesmo um terapeuta. Depois, esteja disposto a estabelecer uma estrutura e limites na vida do seu filho, e deixe isso bem claro. Talvez isso exija uma força que você não sabia que tinha, mas tem. Você consegue. E, a longo prazo, vai beneficiar todos os envolvidos.

O QUE FAZER EM RELAÇÃO A PARENTES *GASLIGHTERS*

Você pode ter sentimentos conflitantes a respeito de seus familiares *gaslighters*. Você quer ficar longe deles, tanto quanto possível, mas se sente culpada por não querer ficar por perto. Esses são sentimentos muito comuns.

Decida se você realmente quer participar das reuniões familiares

A solução ideal é ficar o mais longe possível dos *gaslighters*, pois eles raramente mudam, e você não precisa se sujeitar às manipulações desses indivíduos. Você tem direito de viver em paz. Sua saúde e seu bem-estar vêm em primeiro lugar.

Se viajar sozinha nas férias ou feriados ajuda você a se sentir melhor, faça isso. *Você tem todo o direito de fazer o que for necessário para se manter saudável*. E não ganha nada se sujeitando a tormentos emocionais.

"Eu aprendi a não revelar nenhuma informação pessoal ou sentimento a minha mãe. Eu sabia que ela os usaria contra mim numa discussão ou quando mais lhe conviesse."

– Ara, 45

Se você precisa se afastar...

Se você tiver vontade de participar de uma reunião de família, mas souber que um *gaslighter* estará presente, procure visualizar a experiência a partir da perspectiva de um investigador. Visualize as interações da sua família como alguém que coleta dados. Quais padrões você percebe?

Se o *gaslighter* fizer ou falar alguma coisa para chatear você, finja que não entendeu. Dizer "Não entendi" quando ele se referir a alguma questão que a aborrece o deixará frustrado e é bem provável que ele se canse de você e desvie a atenção para a próxima vítima. Sim, há uma chance de que o *gaslighter* aumente a munição e intensifique seu comportamento (para pior) – esteja preparada para isso também.

Se você sentir que está começando a reagir com raiva, saia para dar um passeio ao ar livre ou simplesmente levante-se da mesa e encontre um lugar onde possa fazer uma pausa. Lembre-se, o *gaslighter* não pode "fazer" com que você se sinta de uma determinada maneira – você é quem está no controle das suas emoções. Se precisar se desculpar e sair, faça isso. O *gaslighter* tentará fazer com que se sinta culpada e não vá embora. Ele pode até ameaçar cortar relações com você se tentar se afastar. Mas você deve fazer o que for melhor para si mesma – e se afastar de uma situação patológica é, sem dúvida, o melhor.

"Minha mãe me ameaçou, dizendo que, se eu fosse embora da ceia de Natal, ela nunca mais falaria comigo de novo. Eu percebi que não seria mau negócio..."

– Jerusha, 19

Escolha a sua própria família

Uma das lições difíceis que muitos dos meus clientes aprenderam é que parentesco não é o mesmo que família. Uma das vantagens de ser adulto é que você tem poder de escolha. Você pode formar sua própria família com amigos próximos, tornando-a sua "família do coração". Não existe uma única definição de família – família é você quem faz. Se você está passando suas datas festivas longe dos *gaslighters* que fazem parte da sua família de sangue, crie novas tradições.

Lembre-se, seus familiares *gaslighters* não precisam fazer parte da sua vida. Muitas vezes a sua melhor saída, por mais difícil que isso possa parecer a curto prazo, é fugir e ficar longe deles. Você não tem obrigação de se submeter a um comportamento tóxico com um *gaslighter* e, quanto mais cedo impuser limites e seguir em frente com a sua vida, melhor será. Se você não puder fugir, procure impor limites. Faça terapia. Consulte um advogado e/ou contador para ter orientações sobre como se proteger e proteger sua família se um de seus pais ficar doente. Forme a sua própria família do coração. A vida não precisa ser uma série de encontros confusos e excruciantes com gente maluca. É hora de ver as coisas com mais clareza e seguir adiante.

> "Eu tento lembrar que só porque tenho um parentesco biológico com essas pessoas, isso não significa que elas são a minha família. Eu decido quem é a minha família."
>
> – Leo, 28

Às vezes, escolhemos fazer dos nossos amigos a nossa família. Contudo, os amigos também podem ser *gaslighters* – e podem arrastar você ladeira abaixo com eles. No próximo capítulo, você aprenderá a identificar um amigo *gaslighter* e o que fazer para se afastar de uma amizade doentia.

9

Amigos da Onça

O *gaslighting* nas amizades

Talvez seja óbvio a esta altura que aqueles que consideramos nossos amigos também podem ser *gaslighters*. A palavra *frenemy*, do inglês, me vem à mente agora. Essa palavra, composta das palavras *friend* [amigo] e *enemy* [inimigo] e que designa amizades cheias de atrito, tornou-se tão comum que em 2010 foi adicionada ao *Oxford English Dictionary*, com a seguinte definição: "pessoa com quem se tem amizade apesar da existência de uma antipatia ou rivalidade". Essa não parece ser uma excelente descrição da sua amizade com um *gaslighter*? Ele faz coisas que realmente a incomodam, mas você continua cultivando sua amizade com ele. Você não ganha nada com essa amizade – provavelmente porque se acostumou com *gaslighters* no início de sua vida e esse comportamento lhe parece normal. Você pode pensar: *o que eu faria sem esse "amigo"*? Bem, para começar, você teria uma vida mais feliz!

Neste capítulo, você aprenderá a lidar com amigos e vizinhos *gaslighters* – pessoas com quem, por escolha ou por acaso, você pode ter mais contato, no dia a dia, do que tem com a sua família. Vamos olhar para a dinâmica particular dessas relações e como se proteger da destruição que elas podem causar na sua vida.

Como todos os *gaslighters*, os amigos *gaslighters* se alimentam da infelicidade humana. Eles são vampiros emocionais – você se sente exausta depois de passar um tempo com eles. Querem saber tudo sobre as coisas terríveis que aconteceram a você e nos mínimos detalhes. Mas prestam muito pouca atenção quando você quer lhes contar algo bom. Os *gaslighters* não têm interesse no que vai bem na vida das outras pessoas. Eles veem os sucessos delas como provas de que, de alguma forma, estão sendo passados para trás. É como se estivessem competindo com você. Isso acontece porque os *gaslighters* veem o mundo como se ele tivesse recursos limitados. Acreditam, equivocadamente, que, se você está tendo sucesso, isso significa que há menos sucesso disponível para eles. Eles não conseguem entender que a felicidade com o sucesso das outras pessoas também pode levar à sua própria felicidade e sucesso. Isso é trágico para eles, mas não significa que você tenha que aturar esse comportamento.

Cuidado com a fofoca

Os *gaslighters* são terríveis fofoqueiros. Eles adoram saber de notícias infelizes da vida das outras pessoas e contá-las para todo mundo. Esse é o combustível da vida deles. É o que dá aos *gaslighters* uma sensação de poder e controle sobre os outros. Informações pessoais são moeda corrente para eles – ao compartilhá-las, recebem a atenção que tanto almejam. A diferença entre ser um fofoqueiro comum e um *gaslighter* é que este último usa a informação sobre os outros como uma maneira de ganhar poder e jogar as pessoas umas contra as outras, enquanto o fofoqueiro é geralmente só intrometido. Ele está apenas passando informações para os outros (embora de forma inadequada), enquanto o *gaslighter* usa essas informações como uma arma.

> "Sofri um aborto espontâneo e minha amiga *gaslighter* quis saber de todos os detalhes – quanto eu sofri, quanta dor eu senti. Ela aparecia na minha casa a toda hora sem aviso. Então, quando tive meu bebê, ela sumiu. Não telefonou nem para me dar os parabéns."
>
> – Sondra, 30

Se você suspeita que um amigo é um *gaslighter*, observe como ele fala sobre as outras pessoas para você. Faz fofoca a respeito delas e parece ficar feliz com os infortúnios pelos quais passaram? Esse é um indício muito preciso de que se trata de um *gaslighter*, e posso garantir que ele está falando de você para as outras pessoas também. Se você acha que está sofrendo *gaslighting* e não gosta da ideia de ser o assunto do fofoqueiro, certifique-se de limitar a quantidade de informação que você transmite a esse amigo. Não lhes dê nenhuma munição. Além disso, se ele começa a fofocar sobre outra pessoa, não dê ouvidos a ele. Seu silêncio é uma forma de cumplicidade. Você está dizendo que fofocar sobre os outros é uma atitude aceitável.

Fazer fofocas faz parte da natureza humana. Ao fofocar, nos sentimos importantes e com a sensação de que pertencemos a um grupo. Mas pare e pense em como seria se o alvo fosse você. E se descobrisse que algo pessoal que você confidenciou a uma amiga de confiança foi espalhado por aí? Você provavelmente se sentiria traída e magoada. A fofoca não parece mais tão inofensiva, não é?

> "Uma vizinha me contava os problemas que outra vizinha tinha com o marido. Por causa disso tive certeza de que nunca deveria contar nada a ela sobre mim."
>
> – Amanda, 25

Uma boa regra a seguir, especialmente com os *gaslighters*, é não falar de uma pessoa se ela não estiver presente. Há também maneiras de deter os *gaslighters* quando eles estão fazendo fofocas:

- Diga: "Não sei se ela gostaria que eu soubesse disso".
- Mude de assunto.
- Afaste-se.

Uma palavra de cautela aqui: não pense que você pode mudar o hábito dos *gaslighters* de falar da vida alheia. Eles nunca vão parar de fofocar – vão apenas passar a falar de outra pessoa.

Não fisgue a isca: distanciando as pessoas e mentindo

Você vai se lembrar de que, no Capítulo 1, mencionei que os *gaslighters* são muito bons em distanciar as pessoas. Eles as colocam umas contra as outras de propósito. Adoram ver uma briga e ficam animados quando conseguem provocar uma discussão. Uma das maneiras práticas mais comuns que os *gaslighters* usam para distanciar as pessoas é dizer que um amigo disse algo indelicado ou pouco lisonjeiro sobre elas. O *gaslighter* tentará atrair as pessoas dizendo: "Eu ouvi dizerem algo sobre você hoje", esperando que você pergunte o que foi, ou ele dirá diretamente a você, "Susie disse que não aprova o modo como você cria seus filhos". Os *gaslighters* gostam particularmente de dizer que alguém está criticando suas habilidades como mãe. Eles sabem que as pessoas ficam realmente irritadas com isso.

> "Minha amiga me contava o que outras amigas diziam a meu respeito. Eram comentários maldosos e, evidentemente, me deixavam chateada. Eu não tenho certeza se elas diziam mesmo aquelas coisas. Acho que a minha suposta 'amiga' estava mentindo."
>
> – Lynn, 37

Você pode ficar com vontade de investigar o que Susie realmente disse sobre você. Mas, primeiro, tenha em mente que, a menos que você tenha ouvido algo diretamente de Susie, o mais provável é que o *gaslighter* tenha inventado tudo. Ele está apostando que você vai dizer a Susie: "Como você se atreve a dizer que não sou uma boa mãe?" E Susie provavelmente reagirá, dizendo: "Mas eu nunca disse isso!"

Se o *gaslighter* disser que alguém disse algo sobre você, automaticamente pressuponha que seja mentira. Os *gaslighters* não têm nenhum problema em mentir, especialmente quando isso lhes dá mais poder sobre os outros. Isso acontece porque, se *eles* não têm nada sobre o que fofocar, vão inventar alguma coisa. Uma das facetas mais perigosas da propensão dos *gaslighters* para fofocar é que eles não se importam de espalhar mentiras. Os *gaslighters* sabem que as pessoas têm curiosidade para saber o que os outros estão fazendo, então eles espalham fofocas para desviar a atenção do seu próprio mau comportamento. Essa é uma técnica que vão usar especialmente quando você estiver prestes a repreendê-los pelo seu comportamento.

Quando os *gaslighters* sugerem que alguém disse algo negativo sobre você, eles estão "atraindo sua atenção". Estão apostando que você vai fisgar a isca como um peixe faminto. Se você morder a isca, isso dará a ele uma tremenda sensação de poder. Então, como você se recusa a morder a isca? Não mostrando nenhuma surpresa ou simplesmente ouvindo calada. Quando o seu *gaslighter* conta algo como: "Eu ouvi Sally dizendo algo sobre você", apenas concorde com a cabeça, sem demonstrar surpresa, pois isso provavelmente deterá o *gaslighter*. Se ele tentar jogar a isca novamente, use a técnica do "disco quebrado", ou seja, só concorde com a cabeça ou diga "ok" até que ele pare. E, na verdade, que importância tem se alguém disse algo sobre você? As pessoas são livres para dizer o que quiserem. Como se costuma dizer, *o que as outras pessoas pensam de você não é da sua conta*.

"Eu tinha uma amiga *gaslighter* que vivia me dizendo o que os nossos amigos em comum estavam falando de mim. Por fim, passei a dizer a ela apenas: "Legal...", cada vez que ela começava. À certa altura, ela parou de fazer isso. Acho que se cansou da minha falta de reação."

– Harvey, 42

Outra razão pela qual o *gaslighter* gosta de distanciar as pessoas, além de jogá-las umas contra as outras, é isolar você dos outros. Ele quer que você o veja como seu único amigo. Dessa maneira, acha que você dedicará toda a sua atenção a ele. Os amigos *gaslighters* chegam até a usar essa artimanha para tentar isolá-lo do seu parceiro ou familiares. Eles vão dizer que seu marido disse algo desagradável sobre você. Esses manipuladores sabem que a maioria das pessoas ficaria com raiva e acabaria explodindo. Eles adorariam ser a causa de uma briga entre você e seu parceiro. Não lhes dê esse poder. E se um amigo lhe disser que seu marido disse algo ríspido sobre você, é sempre melhor checar se ele realmente disse isso – ou esquecer o comentário –, em vez de ceder à tentação de pensar o pior.

O objetivo real do *gaslighter* ao fazer amizade com o seu parceiro

Sua amiga ou vizinha *gaslighter* vai fazer tudo para formar um vínculo especial com o seu parceiro. Seja muito cautelosa. Não conte a ela que vai sair da cidade a trabalho, pois ela vai encontrar uma maneira de ficar sozinha com seu parceiro. Vai enviar uma mensagem de texto para ele dizendo que precisa de ajuda em casa e possivelmente vai aparecer na sua casa sem avisar. Vai fingir que é uma amiga prestativa para o seu parceiro e enfatizar que é uma ótima ouvinte. Os *gaslighters* sabem exatamente o que as pessoas em relacionamentos longos querem ouvir. Isso não tem nada a ver com a qualidade do seu relacionamento. Qualquer pessoa quer ser ouvida ou se mostrar prestativa. Mesmo se você tiver um relacionamento sólido, saiba que o *gaslighter* tem uma habilidade incomum para saber o que

> "Meu marido me mostrou uma mensagem de texto da minha amiga *gaslighter* em que ela dizia que precisava de ajuda com a máquina de lavar louça. A mensagem vinha acompanhada de um emoji piscando. Meu marido respondeu com uma lista de nomes de algumas pessoas que consertavam eletrodomésticos. Ela nunca mais escreveu para ele novamente."
>
> – Hannah, 28

seu parceiro talvez precise para se sentir melhor consigo mesmo. Ele detecta e aprimora isso. Para ele tudo faz parte de um jogo, pois nunca é verdadeiramente empático ou solidário. Ele só quer encontrar uma maneira de se aproximar do seu parceiro.

A sua amiga ou vizinha *gaslighter* vai se concentrar na tarefa de roubar o seu parceiro especialmente se você revelar que está tendo problemas no relacionamento. Qualquer informação que você lhe contar, ela vai usar para atrair o seu parceiro. Se você contar que está com algum problema de saúde, ela pode dizer a ele: "Deve ser realmente difícil ter uma esposa doente". Ela pode também comentar sutilmente (ou não tão sutilmente) sobre quanto ela própria é saudável, dizendo: "Fico tão feliz por ter saúde para poder trabalhar todos os dias!". O objetivo dela ao fazer esses comentários é deixar seu parceiro ciente de que há alguém "melhor" por perto e que pode não ser um "fardo" como você é. Os *gaslighters* não precisam dizer isso diretamente – basta insinuarem.

Como mencionamos no Capítulo 1, os *gaslighters* vão lentamente intensificar seu comportamento, pois sabem que é mais fácil manipular as pessoas dessa maneira. Se uma amiga *gaslighter* batesse na sua porta e dissesse ao seu parceiro: "Oi, quero dormir com você", isso não seria tão eficaz quanto aumentar as insinuações gradativamente. Em vez disso, ela cultivaria uma intimidade emocional com ele ao longo do tempo. Ela estaria praticando a "empatia cognitiva" que mencionamos no Capítulo 1, na qual o *gaslighter* age de acordo com o que *acha* que a outra pessoa está sentindo, não com o que ela de fato está sentindo, pois ele não tem a capacidade de demonstrar verdadeira empatia.

Essa amiga vai "dar um trato" no seu parceiro. Aos poucos, vai aumentar o número de visitas quando você não estiver em casa – e é muito estranho que a máquina de lavar roupas dela quebre apenas quando você está fora da cidade! A princípio, ela pode não flertar ou fazer comentários provocantes, apenas sorrir ou fazer um elogio. Ao longo do tempo, vai começar a fazer insinuações, depois provocar uma proximidade maior com o seu parceiro, até partir para o contato físico completo.

Claro, pode haver momentos em que parece que a sua amiga *gaslighter* e seu parceiro estão apenas sendo amigos. No entanto, o *gaslighter* quase sempre tem segundas intenções. Nunca confie nele, deixando-o sozinho com seu parceiro. Não há uma boa razão para o *gaslighter* precisar passar mais tempo com seu parceiro quando você não está presente.

Você pode querer avisar seu parceiro sobre o *gaslighter*. "Não confio na Betty. Se ela vier em casa enquanto eu estiver fora, por favor, não a deixe entrar" ou "Eu acho que Betty está tentando dar em cima de você; por favor, não vá à casa dela se ela pedir para você consertar alguma coisa. Nós precisamos impor certos limites com ela". Seu parceiro pode dizer: "Não seja boba, Betty é apenas uma boa pessoa. Ela é mãe solteira e precisa de ajuda". Sua resposta? "Ela demonstrou comportamentos que me preocupam. Vou dar a ela uma lista de pessoas que fazem consertos em domicílio." Tenha em mente, mais uma vez, que as pessoas adoram atenção. O *gaslighter* pode agir de um modo tão doce e inocente que é compreensível que o seu parceiro não o veja como uma pessoa destrutiva.

Como você pode ter certeza de que não está tendo apenas um ataque de ciúme? Se a pessoa for realmente um *gaslighter*, ela tem um padrão de comportamento enganoso. Talvez você a veja manipular outras pessoas. Talvez ela tenha tentado colocar você contra outro amigo. É razoável supor que ela possa passar dos limites. Talvez você tenha ouvido falar que ela já tentou roubar o parceiro de outras pessoas. Se você tem uma sensação de que há algo errado, quando vê o modo como sua amiga se comporta na presença do seu parceiro, confie nos seus instintos. Eles estão quase sempre certos.

Um dos objetivos da amiga *gaslighter* é separar você do seu parceiro – assim você tem mais tempo para se dedicar a ela. Mas seu objetivo principal, no entanto, é "roubar" o seu parceiro, levando-o para longe de você. O *gaslighter* considera a tentativa de roubar o seu parceiro como um jogo que ele precisa vencer. Ele não se importa com você, com seu parceiro ou com o seu relacionamento. Ele certamente não se importa com os seus sentimentos. Como já vimos, os *gaslighters* são trapaceiros contumazes. Você acha que eles realmente se importam de destruir um relacionamento ou uma família? Não. Na verdade, esse tipo de "vitória" é o alimento do qual eles vivem.

Se o seu parceiro acabar tendo um caso com o *gaslighter*, mas depois quiser resolver as coisas com você, considere seriamente a possibilidade de terminar o relacionamento. Depois que seu parceiro romper com o *gaslighter*, as coisas podem ficar feias para o seu lado e muito rapidamente. O *gaslighter* vai fazer o possível para destruir a sua família se sentir que foi "injustiçado". Ele não se importa com o fato de que *você* foi enganada primeiro – isso nem passa pela cabeça dele. Se o seu parceiro fugiu com sua amiga *gaslighter*, o tiro vai sair pela culatra. Quando um *gaslighter* rouba o parceiro de alguém, é como se ele tivesse ganhado um novo "brinquedo". Por um tempo ele o acha divertido, mas não demora até que ele enjoe dele e o descarte numa pilha de "brinquedos velhos". Enquanto isso, você se livra de uma enrascada. Na verdade, deve até agradecer a Deus por ter visto o verdadeiro caráter do seu parceiro.

Aconteça o que acontecer, lembre-se de que nada foi culpa sua. A responsabilidade é totalmente do *gaslighter* e do seu parceiro. Os *gaslighters* sabem fingir empatia como ninguém, e sua amiga *gaslighter* provavelmente sabia o que dizer para atrair o seu parceiro. Provavelmente não havia nada que você pudesse ter feito para evitar essa reviravolta. Procure apenas aprender com isso e evite passar pela mesma situação no futuro.

Quando o amigo do seu filho tem um pai *gaslighter*

Uma dinâmica *gaslighting* particularmente complicada é quando o amigo do seu filho tem um pai ou uma mãe *gaslighter*. Digamos que essa pessoa, que já demonstrou não ter limites, divida com você a tarefa de levar e trazer seus filhos da escola. Se você confrontá-la, reclamando da sua falta de limites, em vez de responder a você diretamente ela pode "se esquecer" de pegar seu filho na escola. Ou pode envolver você numa situação delicada com outros pais. Pode colocá-los ou colocar até mesmo a administração escolar contra você. Seu nome pode "acidentalmente" ser retirado de uma lista de pais voluntários ou de outra lista importante, e mais tarde você pode descobrir que o *gaslighter* disse ao professor do seu filho que você tinha pedido que seu nome fosse retirado da lista. O método é de agressão passiva. O objetivo é castigar você e causar o caos.

Se você romper a amizade com o *gaslighter*, terá de enfrentar a inconveniência de levar e trazer seu filho da escola sozinha. Mas mais problemático ainda é precisar ver essa pessoa nas festas escolares e nas reuniões de pais e mestres. Ao cortar o contato com o *gaslighter*, você pode se ver numa situação inconveniente e desconfortável. Contudo, se não cortar esse contato, seu filho ainda vai ter interações com o *gaslighter* – e isso pode acarretar grandes problemas no futuro. Você pode dizer ao professor que o *gaslighter* deve ter contato limitado com seu filho, e que ele não está autorizado a falar por você. O *gaslighter* certamente não tem a sua autorização para pegar o seu filho na escola, por qualquer motivo, não importa o que ele disser aos funcionários da escola.

"Minha filha convidou a amiguinha para brincar em casa. Eu sabia que a mãe dela era manipuladora e já tinha me distanciado dessa mulher. Mas não achei que seria justo punir minha filha e a amiga bancando a maluca também. Aquela noite recebi um telefonema da mãe dela, gritando e xingando. Ela me acusou de não cuidar bem das meninas e reclamou que a filha estava toda arranhada. Eu juro, quando a criança saiu da minha casa, ela não tinha um arranhão!"

– Rosa, 34

Você também terá que lidar com as possíveis dificuldades que advêm do fato de ter o filho de um *gaslighter* em sua vida. Por exemplo, transportar o filho de um *gaslighter* em seu carro ou tê-lo em sua casa também lhe dá responsabilidade sobre ele. Você será culpada por algo que o *gaslighter* disser que aconteceu com o filho dele, tenha isso realmente acontecido ou não. Os *gaslighters* adoram culpar os outros e se vingar. Embora você possa se sentir mal pelo filho do *gaslighter* e, uma pessoa pelo fato de ser decente, queira apoiar a criança de alguma forma, essa não é uma boa ideia.

"A amiga da minha filha me disse que ela às vezes tinha vontade de morrer. Eu imediatamente liguei para a mãe dela, que é uma mulher muito manipuladora. Ela me disse que a filha estava apenas sendo dramática! Eu disse a ela que o problema era realmente sério e que eu ligaria para o 911. Ela começou a gritar comigo e eu não consigo nem repetir os palavrões que usou para me xingar."

– Emily, 43

Não é incomum que os *gaslighters* acusem outros adultos de prejudicar o filho deles. Se você for acusado, ficará numa encrenca, pois pode não ter testemunhas que não sejam o próprio filho do *gaslighter*. E essa doce criança, de quem você sentiu pena e que convidou para ir à sua casa, vai mentir sobre você como se a vida dela dependesse disso (afinal, ela aprendeu a viver sob as rédeas de um *gaslighter*). O que você vai fazer? Tirar fotos do filho do *gaslighter* quando ele sair de casa e mostrar que ele não tinha arranhões nem hematomas? Isso é impossível e um jogo perigoso. Só há duas alternativas: ou você para de levar o filho do *gaslighter* à sua casa ou no seu carro, ou será acusado pelo *gaslighter* de negligenciar ou maltratar o filho dele. A escolha é clara.

Primeiro, diga ao *gaslighter* que, por causa dessas falsas acusações, é melhor para todos que o filho dele não vá mais à sua casa. Quando você enfatiza que essa ideia é melhor para todos, o *gaslighter* normalmente se mostra menos resistente ou faz menos drama. Como você explica ao seu filho que o amigo dele não pode mais ir à sua casa? Uma opção é evitar falar sobre isso até que surja algum problema. Suponhamos que seu filho mais novo diga que quer que o amiguinho vá à sua casa depois da escola, no dia seguinte. Você poderia dizer: "Desculpe, mas não vai dar. Vamos pensar em outra coisa para você fazer". É muito fácil distrair as crianças mais jovens e elas estão sempre prontas para qualquer novidade. Se o seu filho já tem mais idade, você poderia dizer: "Eu não acho que seja uma boa ideia seu amigo ir em casa".

Se o seu filho pressioná-lo, você pode responder dizendo: "Aconteceram algumas coisas que não me agradaram e eu prefiro que ele não vá a nossa casa". Você não precisa contar ao seu filho os detalhes – e nem ele precisa conhecer todas essas informações. Tenha em mente que tudo o que você disser ao seu filho pode chegar aos ouvidos do filho do *gaslighter*, e depois aos ouvidos do próprio *gaslighter*. Quanto mais importância você der ao assunto, mais importância seu filho também dará.

POR QUE OS AMIGOS *GASLIGHTER* SE COMPORTAM DESSA MANEIRA?

Os *gaslighters* veem os amigos como mercadorias ou coisas. Eles não veem necessidade de ter um relacionamento recíproco ou nem mesmo de "ter um relacionamento" com as pessoas. Eles veem os amigos como degraus a galgar e uma maneira de conseguir o que querem.

Falta de apego

Se tiver um amigo *gaslighter,* você notará que a amizade nunca é totalmente retribuída. Não existe o dar e receber. Para ele só existe o receber, o tempo todo. Embora você possa se sentir próximo dessa pessoa e adiar os seus compromissos só para apoiá-la no caso de morte de alguém da família dela, por exemplo, ela nem ligaria para você se houvesse uma morte na sua família. Você também ficaria feliz se pudesse ajudar sua amiga a se mudar para a sua nova residência, mas, se você mesma precisar de ajuda para se mudar, ela não se colocará à disposição. Numa amizade com um *gaslighter*, só você se doa, e sua amiga só se beneficia da sua disposição para ser uma boa amiga. Isso inclui dispor do seu tempo e da sua energia até que esteja exausta.

> "Estou sempre procurando ajudar a minha vizinha, no que for necessário. Mas e quando eu preciso de alguma coisa? Silêncio total."
>
> – Yasmin, 35

Amigos *gaslighter* culpam você por não fazer o suficiente por eles ou por não apoiá-los em momentos de necessidade – mesmo quando você faz o possível para ajudá-los. Você fica esgotada só por ter essa pessoa em sua vida. Você deve entender que nunca conseguirá satisfazer as necessidades narcisistas de um *gaslighter*. Ele é um poço sem fundo.

Por que eles agem dessa maneira? O *gaslighter* evita ao máximo se dedicar a relacionamentos saudáveis, pois prefere aqueles que ele pode controlar. Ele pode agir como se fosse seu melhor amigo hoje, mas vai desaparecer se encontrar alguém que lhe parecer "melhor", "mais divertido" ou tiver um *status* social mais elevado. Para o *gaslighter*, tudo é uma questão de aparência. Por causa da sua distorção cognitiva do tipo "tudo ou nada", eles não conseguem ter mais de um amigo por vez. Ou o amigo A é 100% maravilhoso e o amigo B é 100% horrível, ou vice-versa. Não há meio-termo. O *gaslighter* vai deixá-lo sem nenhum amparo e sem nenhuma explicação. Enquanto procura respostas na internet ou pergunta a outros amigos o que fez para que essa pessoa o ignorasse completamente, o *gaslighter* passa para sua próxima vítima e faz dela seu novo "melhor amigo". *Ele não se importa.* Não liga para os seus sentimentos e não liga para os sentimentos do

> "Quando a mãe da minha amiga morreu, eu lhe levei refeições e me ofereci para cuidar dos filhos dela, mas, quando meu pai morreu, ela sumiu. Nunca nem sequer me mandou uma mensagem, muito menos telefonou."
>
> – Sammy, 50

seu novo amigo. Ele não tem essa capacidade. Ele não tem capacidade de agir como um ser humano empático e decente.

A melhor coisa a fazer é parar de esperar que o *gaslighter* seja algo que ele não é. Ele nunca será capaz de sentir empatia por você ou manter em segredo uma confidência. Nem será solidário quando você precisar dele, nem entenderá se você não puder ajudá-lo num dado momento.

Eles não querem realmente um "amigo"

"Uma amiga minha sempre foi carinhosa e prestativa – até o dia em que eu disse a ela que, naquela ocasião, não queria acompanhá-la nas compras. Foi como se ela virasse um monstro. Me mandou mensagens me xingando."

– Daria, 25

Você notará que o *gaslighter* não quer um amigo, ele quer um animal de estimação. Está à procura de "amigos" que dependam dele e que atendam a todos os seus caprichos. O *gaslighter* não sabe travar amizades reais. Você sabe o que é uma amizade saudável quando tem uma, mas vamos dar uma olhada mais de perto. Uma amizade saudável é baseada em:

- Respeito mútuo.
- Admiração mútua.
- Ser seu eu autêntico.
- Compartilhar interesses mútuos.
- Ter valores semelhantes.

Vocês compartilham um sentimento do que é importante na vida – amor, compromisso, carinho, respeito, diversidade e muito mais.

Se você examinar com cuidado a sua amizade com um *gaslighter*, verá que ele não compartilha dos seus valores fundamentais, como amor, respeito e carinho. Isso acontece porque o *gaslighter* não sente essas coisas pelas outras pessoas. Lembre-se, você não pode mudar os valores das outras pessoas nem o modo como eles tratam você. Se você tiver uma "amizade" com um *gaslighter*, sua única escolha real é colocar um ponto final nesse relacionamento.

Falta de autenticidade

Ao longo deste livro, vimos que autenticidade não é uma qualidade do *gaslighter*. Ele faz uma encenação, agindo da maneira que *acha* que deveria agir para conseguir o que quer. Quando você refletir sobre suas melhores amizades, tenho certeza de que perceberá que pode ser você mesma com esses amigos – porque eles não a julgam. Eles aceitam você como é e se preocupam com você. Como vimos, esse não é o caso do *gaslighter*. No início, ele vai ser amigável – e encantador, e até mesmo generoso – mas depois se transformará rapidamente. A pessoa que você pensava que ele era não é real.

> "Eu vi algo meio assustador – uma amiga minha que estava sendo cordial com os convidados em sua festa de aniversário mudou de comportamento e foi como se uma máscara caísse. Sua expressão facial mudou completamente para algo que eu nunca tinha visto antes – fúria. Foi mais do que apenas 'Estou tendo um dia ruim, mas isso vai passar'."
>
> – Rose, 60

O *gaslighter* não tem muito controle sobre quem ele é como pessoa. Falta-lhe o que os psicólogos chamam de "personalidade integrada", ou seja, uma boa noção de quem ele é. A pessoa que tem personalidade integrada conhece seus desejos e necessidades, e sabe o que é saudável e insalubre. Por causa dessa falta de personalidade integrada, o *gaslighter* não tem capacidade de ser ele mesmo com os outros – ele não tem certeza de como é o seu "eu". Quando você tenta ser amigo de um *gaslighter*, as coisas não parecem ser muito reais; ele parece forçado ou falso. Sem essa autenticidade básica, uma amizade saudável e próxima simplesmente não é possível.

“Mas eu não quero perder um amigo”

Um dos truques que o *gaslighter* usa é manipular você para ser dependente dele. Você pode sentir que seu mundo vai desmoronar se não tiver mais essa pessoa em particular em quem se apoiar. Mas faça uma retrospectiva da amizade entre vocês. O *gaslighter* realmente era solícito quando você precisava dele? Ou dava desculpas para explicar por que não podia ajudá-la ou ouvir você falar sobre uma preocupação?

Você pode estar preocupada com a possibilidade de perder a amizade, caso imponha limites ao *gaslighter*, e isso provavelmente vai acontecer. A verdade é que você nunca teve realmente amizade com ele. O que você viu foi uma tentativa cuidadamente orquestrada de fazer você pensar que tinham uma amizade. Mas o que eu quero que você compreenda é o seguinte: agora que sabe o que observar e como avaliar a saúde das suas amizades, você está mais preparada do que nunca para fazer boas amizades. Dos bilhões de pessoas deste mundo, deve haver muitas que gostariam de conhecer você.

VIZINHOS *GASLIGHTERS*

No início deste capítulo, mencionei que cortar relações com um amigo *gaslighter* pode ser mais fácil do que cortar laços com um parente *gaslighter*. Podemos escolher nossos amigos, por mais delicado e difícil que seja terminar um relacionamento de qualquer espécie. Mas há pessoas em nossa vida, além dos membros da nossa família, de quem não é tão fácil se afastar. Estou me referindo aos vizinhos. Às vezes, temos o fardo infeliz de viver ao lado de um *gaslighter*. Como você leu anteriormente, os *gaslighters* são realmente bons em esconder seus verdadeiros eus disfuncionais. Pode demorar um pouco para você perceber o que está acontecendo, mas, de alguma forma, a vizinha que era tão solícita, quando você se mudou, à certa altura pode se tornar um pesadelo.

Se isso lhe parece familiar, se você acha que tem um vizinho *gaslighter*, aqui estão algumas dicas importantes: não dê informações pessoais a ele. Além disso, não aceite visitas indesejadas. Solicite que ele ligue antes de aparecer. Seja amigável, mas firme. Além disso, só porque alguém está batendo na sua porta, isso não significa que você tenha que abri-la.

Vizinhos *gaslighter* têm todo tipo de artimanha para atormentar você. Eles podem:

- Invadir sua propriedade.
- Violar flagrantemente as regras de um condomínio.
- Ser verbalmente agressivos com você.
- Entrar no seu espaço pessoal.
- Espalhar boatos sobre você.
- Pedir favores e ficar furiosos se você contrariá-los.
- Não entender por que você se distanciou deles.
- Surtar caso o seu cão urine no quintal dele.
- Tentar atrair seus animais de estimação para o quintal dele.
- Tentar envenenar seus animais de estimação.
- Tentar fofocar com você sobre outros vizinhos.
- Perguntar-lhe repetidamente sobre episódios infelizes da sua vida.
- Contar-lhe sobre um vizinho que supostamente disse coisas desagradáveis sobre você.
- Chamar a polícia se achar que você está fazendo muito barulho ou coisa assim.

Tenha em mente que a maioria dos vizinhos não é *gaslighter*. Contudo, se você tem um, arme-se com informações ou ele pode transformar o seu pacífico lar numa filial do inferno.

"Meu vizinho colocou uma placa de alumínio do lado de fora de uma janela, de frente para nossa casa, porque eu disse a ele que os fachos de luz dos seus holofotes estavam incidindo direto no nosso quarto. Agora eu tenho que aguentar a luz dos holofotes à noite e a luz do sol ofuscante pela manhã."

– James, 45

"Meu vizinho gritou comigo porque meu cachorro estava fazendo xixi na faixa de grama entre a calçada e a rua. Mas aquela trecho da calçada nem era propriedade dele!"

– Jacqueline, 55

Conheça as leis da sua cidade para manutenção da ordem. Faça o possível para não violar essas leis. O mais provável é que seu vizinho *gaslighter* esteja vigiando você como um falcão e esperando ansiosamente pelo momento em que você fizer algo que viole as leis municipais, não importa quão pequena a infração seja.

O *gaslighter* é mais propenso a acusar outras pessoas caso ele próprio costume violar as regras. Isso porque os *gaslighters* sempre acusam as pessoas de fazer o que eles mesmos estão fazendo, pois acham que não precisam seguir as mesmas regras que todo mundo. Eles são bem conhecidos por violar as leis municipais. Adoram ajustar as contas com as pessoas, mesmo que seja apenas em sua própria mente.

Certifique-se de ser uma "boa cidadã", seguindo estas regras:

- Seja meticulosa ao limpar as necessidades do seu cão.
- Nunca deixe seu cão sem coleira.
- Esteja a par da Lei do Silêncio da sua cidade e siga-a.
- Não use equipamentos que façam muito barulho antes das oito da manhã e depois das dez da noite ou nos finais de semana.

Para se proteger, aconselho que faça o seguinte:

- Meça e registre o nível de ruído das suas festas com aplicativos de celular. O barulho excessivo é muitas vezes uma das primeiras coisas com que os *gaslighters* vão implicar.

- Não ultrapasse os limites da propriedade do seu vizinho sem a permissão dele.
- Registre todas as ocorrências por escrito ou por meio de fotos. Como você aprendeu no Capítulo 4, que tratou de *gaslighters* no local de trabalho, é importante manter tudo documentado para o caso de você precisar consultar um advogado. Registre o horário, a data e comentários diretos de suas interações.
- Se o seu vizinho *gaslighter* estiver invadindo a sua propriedade, procure instalar câmeras de segurança para que possa monitorar tudo pelo seu laptop ou tablet. Esses equipamentos estão se tornando cada vez mais acessíveis.
- Consulte um advogado.

Fique o mais longe possível do seu vizinho. Isso pode ser difícil se ele morar na casa ao lado, mas, se morar no final da sua rua, evite passar na frente da casa dele a pé ou de carro. Sim, pode ser um inconveniente para você, mas é melhor ter um inconveniente do que provocar problemas com o *gaslighter*, pois ele não hesitaria em dizer à polícia que você fez algo ilegal enquanto andava ou passava de carro na frente da casa dele. Tudo o que é preciso é que outro vizinho confirme que você estava naquela região naquele horário, ou que um vizinho minta, depois de ser intimidado ou chantageado pelo *gaslighter*. Essa testemunha nem precisa ter visto você fazer nada – apenas o fato de ele confirmar que você estava na região vai tornar a sua vida muito mais difícil.

Diga aos seus filhos para evitar se aproximar da casa do seu vizinho. Se o seu filho perguntar por que, apenas diga que é uma nova regra que você tem agora. Se você disser ao seu filho "Porque o nosso vizinho não é uma boa pessoa", isso com certeza vai parar nos ouvidos do *gaslighter*. Não há necessidade de complicar ainda mais as coisas.

Se você tem animais de estimação no quintal, também é muito importante que ele não entre no quintal do vizinho, seja por uma brecha na cerca ou escapando pela porta da frente. Se o seu animal de estimação entrar no quintal do vizinho *gaslighter*, ele pode chamar o centro de zoonoses, ou pior, atirar no animal ou envenená-lo. Acredite, já ouvi histórias de partir o coração. Não passeie com o seu cachorro na frente da casa do vizinho. Isso parece um exagero, mas lembre-se de que, se o seu vizinho é um *gaslighter*, ele é uma pessoa muito instável e irritadiça.

Limite o contato com o seu vizinho o máximo possível. Se você o vir num evento no bairro, aja como se ele não estivesse ali ou desculpe-se e diga que precisa ir embora. Tente evitar contato visual – o *gaslighter* vê o contato visual direto como uma provocação. Muitas pessoas pensam que não fazendo contato visual nem falando com o *gaslighter*, você de alguma forma está "permitindo" que ele continue se comportando mal. O que você está fazendo é abstendo-se de provocar no *gaslighter* um comportamento mais instável. Lembre-se, o *gaslighter* não age como as pessoas comuns. Ignorá-lo ou se afastar da situação realmente é a melhor política.

> "Nosso cachorro saiu correndo pela porta da frente. Nós o levamos de volta para dentro. Mas meu vizinho chamou o centro de zoonoses, dizendo que éramos donos irresponsáveis. Ele procura qualquer desculpa para se indispor conosco."
>
> – Maude, 30

Talvez você chegue ao ponto de nem querer mais frequentar as festas do bairro se souber que o *gaslighter* estará lá. De qualquer maneira, com o tempo os seus vizinhos vão ver o tipo de pessoa que o *gaslighter* é e ele receberá cada vez menos convites para confraternizações. O *gaslighter* só consegue manter sua fachada por um tempo.

Os tribunais estão cheios de casos de vizinhos que se comportam muito mal e recebem ordens de restrição, em que um juiz ordena que o acusado fique a uma certa distância da vítima por um tempo definido. Está é, muitas vezes, a solução mais apropriada, embora imperfeita.

Há casos de vizinhos que atormentam uma família a tal ponto que ela tem de procurar a polícia e pedir uma ordem de restrição. Num caso bem divulgado na mídia, uma mulher foi impedida de entrar em seu bairro devido ao modo como se comportava com os vizinhos.

Nesses casos, os *gaslighters*/réus veem a si mesmos como vítimas. Eles arquitetam seus planos de vingança, alegando que tinham motivos legítimos para perseguir os vizinhos. Sentem que têm motivos justos para fazer "o que for preciso" para a outra pessoa "pagar pelo que fez", mesmo que isso lhe renda uma ordem de restrição, uma temporada na prisão ou uma vida de tormentos.

Às vezes a Justiça é a nossa melhor ou única proteção contra um *gaslighter*, mas raramente ela é um caminho fácil. A ordem de restrição deve ser aprovada por um juiz e afirma que uma pessoa não pode iniciar contato com você, devendo ficar a uma certa distância em todos os momentos. Você pode conseguir uma ordem de restrição se a pessoa representar uma ameaça iminente ou imediata para você ou sua família.

PROPRIETÁRIOS DE IMÓVEIS *GASLIGHTERS*

Há mais uma categoria de *gaslighters* que precisamos descrever antes de passarmos para o próximo capítulo: o senhorio, ou proprietário do imóvel em que você mora. Você conhece o tipo. Ele nunca consertou seu encanamento, mas sempre diz que consertou. Ele afirma ter tido conversas com você que nunca realmente aconteceram. Ele a procura quando você não precisa falar com ele e apenas para ver "como vão as coisas".

Se você já passou pela infeliz experiência de ser perseguido ou atormentado pelo proprietário do seu imóvel alugado, saiba que existem soluções ou medidas legais para contê-lo. Primeiro, conheça as leis de inquilinato do seu país. Em muitos casos, seu locador precisa ter um motivo muito válido para aparecer sem aviso prévio, do contrário ele está infringindo a lei. Se esse é o caso, diga ao seu senhorio que ele precisa notificá-lo 24 horas antes de aparecer na sua casa. Melhor ainda, acrescente essa cláusula no seu contrato de locação. Se ele aparecer novamente sem aviso prévio, entre em contato com a imobiliária pela qual alugou o imóvel. Mantenha documentadas todas as interações com o seu senhorio. Você também pode descobrir, ao sair do imóvel, que o seu senhorio *gaslighter* tentará responsabilizá-la por problemas no imóvel que não são responsabilidade sua. Lembre-se de que os *gaslighters* são muitas vezes pessoas desonestas. Eles terão seus argumentos, mas a verdadeira razão, além da desonestidade pura e simples, é se vingar de você. Antes de devolver o imóvel, certifique-se de que a casa ou o apartamento está completamente limpo. Tire fotos de tudo, até do gabinete sob a pia da cozinha e do banheiro. Se o seu senhorio mantiver suas acusações sem fundamentos, você pode denunciá-lo ao tribunal de pequenas causas. Mas você precisará de provas. Além disso, por favor, procure a orientação de um advogado, se você estiver pensando em processá-lo.

O QUE FAZER NO CASO DE AMIGOS E VIZINHOS *GASLIGHTERS*

Se o *gaslighter* é um amigo ou vizinho, existem maneiras de você se proteger. Essas opções incluem cortar o contato com ele, distanciando-se, evitando emprestar ou dar qualquer coisa ao *gaslighter*, e procurando a polícia ou um advogado.

Fique longe dele ou rompa o contato

Se o *gaslighter* for um amigo, sua melhor saída, por mais difícil que seja, é cortar relações com ele. Essa é geralmente a única maneira de se livrar da influência tóxica de um *gaslighter*. Se você participa de um grupo do qual ele também faz parte, na escola dos seus filhos, por exemplo, faça o possível para não interagir com ele. Se você não fizer isso, essa pessoa continuará a causar estragos em sua vida – isso eu garanto. Existe uma pequena chance de o *gaslighter* desviar a atenção para outra pessoa e largar você como se fosse uma batata quente, mas, até que isso aconteça, ele provavelmente vai fazer da sua vida um suplício.

Se você tem um vizinho *gaslighter* que está continuamente atormentando você, talvez você chegue à conclusão de que vale a pena mudar de endereço. Sim, essa é uma possibilidade. Embora essa seja uma grande decisão, que mudará totalmente a sua vida e pode custar muito tempo e dinheiro, vai valer a pena, pois preservará a sua paz de espírito. Essa atitude pode dar a impressão de que você "desistiu" ou de que o *gaslighter* "saiu vitorioso", mas, acredite, você é quem sairá ganhando, pois colocará o seu bem-estar e o da sua família em primeiro lugar.

Nunca dê ou peça nada emprestado para um *gaslighter*

Nunca empreste nada a um *gaslighter*. Se você emprestar alguma coisa, faça sabendo que ele nunca mais vai devolvê-la. E nunca, em nenhuma circunstância, você deve emprestar dinheiro ao *gaslighter*, assim como não deve pedir nada emprestado a ele. O *gaslighter* vai convenientemente se "esquecer" de que você pegou algo dele e depois vai acusá-la de roubá-lo.

"Só 'empresto' coisas a certas pessoas se estiver disposto a abrir mão delas para sempre."

– Declan, 35

Se o *gaslighter* lhe der algo de "presente", diga "Não, obrigado" ou, se você realmente precisa aceitar, esteja ciente de que ele pode voltar para cobrar esse presente depois. Os *gaslighters* são famosos por "presentear" e depois alegar que você roubou esse objeto deles. Como eu já disse, isso tudo é resultado da necessidade que ele tem de ficar "quite" com as pessoas que ele acha que o prejudicou. Isso também pode decorrer do fato de ele ser viciado em drogas. Lembre-se de que os *gaslighters* podem ter mais problemas com dependência do que a maioria das pessoas e podem lhe dar coisas enquanto estão sob o efeito de drogas e não se lembrar disso depois.

"Às vezes, um presente de um 'amigo' é um convite para arranjar encrenca. Os presentes nunca são 'de graça'. Eles vêm acompanhados de muita dor de cabeça."

– Evie, 39

Nunca deixe *gaslighters* cuidando dos seus filhos ou animais de estimação

Nunca é uma boa ideia pedir a um *gaslighter* para cuidar dos seus filhos ou animais de estimação. Eles podem jogar seus filhos contra você. Podem se "esquecer" de que o seu filho tem alergia a certos alimentos ou das regras que você estabeleceu em sua casa. Seus animais de estimação podem ser negligenciados ou maltratados. Ele poderá alimentá-los com coisas que você proibiu. O *gaslighter* não se importa. Se você der a ele a incumbência de cuidar dos seus filhos ou animais de estimação, ele vai encarar isso como uma carta branca para fazer o que quiser, colocando-se numa posição de poder sobre os seres mais importantes da sua vida. Por favor, não se deixe levar pela ideia de que você não tem mais ninguém para cuidar do seu filho ou animal de estimação. Tem de haver uma opção melhor do que deixá-los com alguém que pode causar sérios danos a eles.

Deixe-os entediados ou no "vácuo"

A melhor maneira de terminar uma amizade com um *gaslighter* é fazê-lo se cansar de você e se afastar primeiro. Como vimos várias vezes, o *gaslighter* gosta de fazer com que as pessoas se sintam incomodadas. Se você responder às observações ácidas dele com comentários do tipo: "Isso pode ser verdade", "Ok" e "Pode ser", ele logo ficará entediado. Se você agir de um jeito evasivo ou não demonstrar muita reação, não deixando que ele a tire do sério, ele logo se afastará. O que você não pode fazer, mesmo que pareça mais sincero ou decente, é dizer: "Não podemos mais nos ver", pois isso só causará raiva nele. De uma coisa você pode ter certeza: os *gaslighters* têm um medo profundo do abandono e de perder o controle sobre as outras pessoas. Lembre-se, não importa quanto você lamente pelos problemas dele, você não poderá consertá-los. A única opção saudável é fugir.

Declare o óbvio e certifique-se de ser amparada pela lei

Se você estabeleceu limites e o *gaslighter* ainda não deixou você ou sua família em paz, deixe bem claro que ele não é bem-vindo em sua casa. E se você definiu limites e o *gaslighter*, ainda assim, aparece sem aviso na sua casa, ele está invadindo a sua propriedade. Procure a delegacia da sua cidade se acha que o *gaslighter* está invadindo a sua propriedade, perseguindo-a ou ameaçando você ou sua família. Entre em contato com um advogado se o comportamento do *gaslighter* piorar até chegar a esse ponto. Você pode precisar de uma ordem de restrição. Como observei anteriormente, a ordem de restrição deve ser expedida por um juiz ou delegado, e estabelece que uma pessoa não pode iniciar contato com você e deve se manter a uma certa distância a toda hora. Você pode pedir uma ordem de restrição se a pessoa em questão representar uma ameaça iminente ou imediata para você ou sua família. É indispensável que você tenha provas de que o *gaslighter* de fato assediou você ou a ameaçou.

Se o *gaslighter* postar na internet informações ameaçadoras ou falsas sobre você ou seus negócios, inclusive nas mídias sociais, fotografe a tela do celular e relate o(s) incidente(s) ao site em questão. Entre em contato com um advogado para saber como proceder em caso de difamação.

Amigos *gaslighters* não são seus amigos de verdade. Eles não querem o seu bem nem conseguem manter relacionamentos saudáveis. E tal como acontece com amigos *gaslighters*, os vizinhos e senhorios *gaslighters* podem passar dos limites. Cabe a você estabelecer esses limites, afastando-se, dizendo ao *gaslighter* que o comportamento dele não é aceitável, consultando um advogado ou procurando a delegacia do seu bairro, ou até mesmo mudando de endereço. A opção que você escolher dependerá do seu relacionamento com o *gaslighter* e com a sua possibilidade de realmente se afastar dele.

Ficar longe de um amigo *gaslighter* e se curar pode ser de fato um desafio. Para mais informações sobre aconselhamento terapêutico e outras maneiras de se curar após se relacionar com um *gaslighter*, consulte o Capítulo 12. No próximo capítulo, você aprenderá o melhor jeito de proceder num divórcio e também como lidar com seu ex-marido *gaslighter*, se vocês tiverem filhos juntos.

10

Seu Ex-Marido, seus Filhos, a Ex do seu Novo Parceiro, a Nova Parceira do seu Ex-Marido

O *gaslighting* no divórcio e na guarda dos filhos

Talvez este livro tenha lhe dado coragem para deixar um marido *gaslighter* ou talvez esse processo já estivesse em andamento quando você começou a lê-lo. De qualquer forma, deixar um *gaslighter* é algo que coloca você numa situação bem delicada. Com tudo que você já aprendeu até agora sobre o modo como os *gaslighters* agem, não é difícil deduzir que o divórcio e a decisão sobre a guarda dos filhos podem vir a ser processos difíceis e angustiantes. O *gaslighter* sempre encontrará uma maneira de atormentá-la ainda mais quando você já estiver deprimida ou se sentindo por baixo, tornando a dor do divórcio ainda pior. Se vocês têm filhos juntos, ver que eles são afetados pelo comportamento do *gaslighter* pode provocar ou intensificar sentimentos de raiva e ódio pelo seu ex-marido. Mas, com certeza, você tem capacidade para vencer tudo isso. Você pode – e deve – romper com o *gaslighter* e seguir em frente com a sua vida. E eu vou mostrar como. Se você já colocou um ponto final no relacionamento, este capítulo pode lhe dar boas dicas sobre como lidar com o pai *gaslighter* dos seus filhos (ou o que fazer se o seu ex se casar com uma *gaslighter* ou se o seu novo parceiro tiver uma ex *gaslighter*).

COMO SE DIVORCIAR DE UM *GASLIGHTER*

Estou ciente de que as informações deste capítulo podem fazê-la se sentir impotente. Você quer se proteger e a seu filho também, e com os *gaslighters* isso às vezes parece impossível. Mas, se você estiver se divorciando de um *gaslighter* ou se tem filhos com ele, há providências que você pode e deve tomar para tornar o processo menos doloroso. Esteja pronta para enfrentar algum nível de conflito, mas saiba que você está fazendo a coisa certa ao se afastar do *gaslighter*. E depois que estiver separada ou divorciada, isso provavemente lhe dará mais oportunidade para se desapegar dele e ver as coisas com mais clareza e perspectiva.

Todos os divórcios envolvendo um *gaslighter* se enquadram na categoria *divórcio de alto conflito*. Saber o que constitui um divórcio de alto conflito lhe ajudará a compreender o que esperar do divórcio de um *gaslighter* e a se sentir mais no controle da situação. Divórcios de alto conflito são aqueles em que um ou ambos os parceiros:

- Começam uma briga quase todas as vezes em que se encontram.
- Têm um transtorno de personalidade do Grupo B (antissocial, *borderline*, histriônico ou narcisista).
- Têm histórico de violência doméstica.
- Já foram alvo de denúncia aos conselhos tutelares devido a maus-tratos ou negligência a crianças.
- Têm histórico de crimes violentos.
- Recusam-se a cumprir ordens judiciais.

- Sabotam a comunicação entre as partes.
- Sabotam a comunicação entre o outro progenitor e os filhos.
- Causam conflito durante a decisão sobre a guarda dos filhos.
- Têm uma ordem de restrição contra eles.

Contrate um advogado

O divórcio nunca é um processo fácil, mesmo quando ambas as partes se tratam de modo civilizado. Se você está se divorciando de um *gaslighter*, saiba que pode passar por situações difíceis e imprevisíveis. Você precisará de um advogado especializado em direito de família e que tenha experiência com divórcios de alto conflito e conduza o processo da forma mais justa e equilibrada possível. Se você não tem condições financeiras para isto, saiba que existem serviços gratuitos que oferecem assistência jurídica especializada para pessoas de baixa renda ou advogados de direito de família que estão dispostos a trabalhar "pro Bono" (sem cobrar) ou por um valor especial em casos de violência doméstica.

Os advogados de direito da família se especializam em casos de casamento, acordo pré-nupcial, união estável, separação consensual, separação litigiosa e divórcio, guarda judicial, adoção, sucessões e investigação de paternidade. Você pode encontrar o advogado certo para o seu caso, obtendo referências com amigos ou conhecidos ou fazendo uma pesquisa na internet.

Durante a consulta com o advogado, pergunte quais são os honorários dele e se já tem experiência com divórcios de alto conflito. Informe que seu ex é extremamente manipulador. Durante essa primeira conversa, é importante que você se sinta confortável com o seu advogado ao compartilhar essa informação. Observe se ele tem experiência em lidar com um ex-marido manipulador. Outro detalhe importante: o advogado ou a secretária dele retornaram sua ligação num prazo razoável? Se isso não aconteceu, procure outro advogado. Você precisa de alguém que reconheça a gravidade do seu caso, e para isso talvez precise consultar vários advogados antes de decidir qual o melhor para você. Certifique-se de escolher um advogado com quem você se sinta à vontade para fazer perguntas, pois o seu bem-estar e o de seus filhos estão em jogo.

Depois de ter contratado um advogado, traga toda a documentação que você tem sobre os problemas que enfrentou com o seu ex. Ela pode ser na forma de anotações no celular ou no notebook, um caderno ou qualquer outra forma organizada de escrita (e-mails ou mensagens para o seu ex etc.). Você também pode incluir vídeos ou gravações de telefonemas, mas verifique as leis do seu país com relação à gravação de conversas.*

Mediação

Em alguns países, o casal que está passando por um divórcio pode recorrer ao procedimento de mediação judicial antes de ir diretamente ao tribunal.** (A mediação só não é indicada se o seu advogado achar que ela não resultará em nenhum benefício para você nem para os seus filhos, e recomende que o juiz tome as decisões sobre o seu caso.)

O mediador de conflitos é uma terceira pessoa imparcial, treinada para ajudar você e o seu cônjuge a chegarem a um acordo em relação aos bens conjugais (como os móveis, a casa etc.); aos horários

---

* No Brasil, gravar conversas não é crime se a conversa gravada pelo indivíduo for um diálogo do qual ele próprio participa e se a intenção da gravação for se defender. Mas não é uma garantia que a gravação pessoal seja aceita num processo, pois sua ligitimidade é discutível. (N.T.)

** Em nosso país, há um projeto de lei que tramita na Câmara dos Deputados e pretende inserir no Código Civil a recomendação para que juízes incentivem a mediação familiar em casos de divórcio. Atualmente isso é feito de forma não obrigatória. (N.T.)

das visitas e passeios com os filhos; ao modo como o casal compartilhará o poder de tomar decisões relacionadas a questões médicas e escolares dos filhos (o mais comum é que ambos os genitores tenham poder de decisão com relação a essas questões); o valor da pensão alimentícia; e quem pagará as atividades extracurriculares ou a creche. Se você não contratou um advogado para representá-la durante o divórcio, apenas vocês dois se encontrarão com o mediador. Se você é representada por um advogado, ele irá encontrá-la no escritório do mediador ou vocês poderão ir para lá juntos. Em alguns casos, o mediador pode ir até o casal.

"Meu ex-marido era violento, então eu disse à mediadora que me sentia insegura na presença dele. Ela fez a mediação de maneira que eu não precisasse ver meu ex e podia deixar o escritório dela bem antes de ele chegar."

– Julianne, 30

Se você se sente insegura para ficar na presença do seu ex-marido durante a mediação, informe isso ao mediador antes, diga que ele tem um comportamento imprevisível e você está preocupada com a sua segurança. Informe o mediador de que você está aberta à mediação, mas não quer estar no mesmo ambiente que seu ex-marido em nenhuma circunstância. E diga que você quer deixar o escritório antes de ele chegar.

"A mediação foi uma boa maneira de mantermos o foco no que era melhor para os nossos filhos."

– Lisi, 34

Divórcio colaborativo

Existe algo chamado divórcio colaborativo, e esse pode ser o modo ideal de se divorciar de um *gaslighter*. No divórcio colaborativo, cada cônjuge tem um advogado, que se compromete a não recorrer ao litígio e a ajudar você e seu cônjuge e seus filhos a terem uma transição o mais tranquila possível. Nesse processo, pode haver profissionais de outras áreas, como psicólogos e consultores financeiros, que

> "O divórcio colaborativo nos ajudou em questões nas quais sempre divergíamos. Quando as coisas ficavam feias, o mediador nos lembrava de que estávamos nos divorciando daquela maneira porque queríamos que nossos filhos fossem felizes."
>
> – Julio, 38 anos

são neutros e ajudam o casal a chegar a um acordo por meio de uma comunicação pacífica, como uma verdadeira equipe.

O benefício do divórcio colaborativo é que todos se empenham para defender o interesse de todos. No divórcio colaborativo, o casal se concentra num objetivo compartilhado, como a felicidade e a segurança dos filhos.

Como todos estão se empenhando em prol do mesmo objetivo, há menos chance de seu cônjuge *gaslighter* "manipular" ou jogar os membros da equipe um contra o outro. Se o facilitador perceber o jogo e a equipe for coesa, ele e os outros profissionais vão procurar impedir a manipulação do *gaslighter*. O divórcio colaborativo pode ser mais caro do que o divórcio padrão, tendo em vista que todos os profissionais precisam ser pagos. Contudo, pelo fato de o processo de divórcio ser mais eficiente e menos traumático, ele poderá, na verdade, custar menos do que um divórcio "comum". Também nesse caso, uma conversa com seu advogado poderá ajudá-la a decidir se o divórcio colaborativo é a melhor opção para você.

> "Embora o divórcio seja um processo difícil, eu me senti muito à vontade e segura no processo colaborativo. Os profissionais contratados nos ajudaram a não perder o foco e nos concentrar no mais importante, o bem-estar dos nossos filhos."
>
> – Francesca, 38

A SAGA CONTINUA: COMO FICAM SEUS FILHOS DEPOIS DE VOCÊ SE DIVORCIAR DE UM MARIDO *GASLIGHTER*

Decidir se divorciar de um *gaslighter* é uma das decisões mais difíceis e corajosas que você pode tomar, e, se você tem filhos com essa pessoa, pode ser desanimador constatar que você talvez nunca se veja verdadeiramente livre dele. Como você pode proteger seus filhos sem piorar a sua situação com o *gaslighter*? Como é possível compartilhar a guarda das crianças com alguém que não tem em mente o melhor para você ou para seus filhos? Como você convive com alguém que só quer tornar a sua vida um inferno?

Você pode estar percebendo quanto a sua qualidade de vida e a de seus filhos foi afetada pelo comportamento insano do seu ex – você talvez até perca a conta de todas as táticas de manipulação e mentiras com que tem de lidar quando tem filhos com um *gaslighter* – e, mesmo assim, não pode negar a eles o convívio com o pai. No entanto, você e seus filhos podem ter esperança de ter um futuro feliz.

É importante identificar quais truques seu ex *gaslighter* provavelmente usará para mantê-la sob o controle dele, bem como os truques de que lançará mão para tentar jogar seus filhos contra você ou armá-los contra você. Eu vou lhe ensinar aqui como enfrentar da melhor forma possível a guarda compartilhada dos seus filhos com um pai *gaslighter*, mesmo quando ele está constantemente tentando prejudicá-la. Eu lhe darei as melhores informações disponíveis sobre como se proteger e como proteger os seus filhos dos danos que um *gaslighter* pode causar.

Características de pais *gaslighters*

Pais manipuladores tendem a:

- Afastar os filhos do outro progenitor.
- Não levar os filhos para o outro progenitor no horário marcado.
- Mudar os planos na última hora quanto ao tempo que passará com os filhos.
- Falar mal do outro genitor na frente dos filhos.
- Não aparecer para pegar os filhos ou não levá-los de volta conforme o combinado.

- Desaparecer da vida dos filhos por completo.
- Recusar-se a pagar pensão alimentícia conforme ordenado pelo juiz.
- Maltratar os filhos.
- Falar ou transmitir mensagens para o outro genitor por meio dos filhos.
- Impedir que os filhos falem com o outro genitor.
- Dizer aos filhos que eles não podem fazer uma atividade qualquer porque o outro genitor está "tirando todo o dinheiro" dele.
- Fazer as crianças chamarem um novo parceiro de "mamãe" ou "papai".
- Pedir às crianças que bisbilhotem a vida do outro genitor e lhe contem tudo.
- Não comparecer à mediação ordenada pelo juiz.
- Não praticar o "direito de preferência" com o outro progenitor.
- Deixar a documentação sobre a separação, o divórcio ou a pensão alimentícia em local de fácil acesso para os filhos.

Mais adiante neste capítulo, veremos quais considerações especiais você deverá observar quando iniciar um processo de divórcio de alto conflito.

Os *gaslighters* tentam envenenar seus filhos contra você

É comum ver um pai *gaslighter* tentando jogar os filhos contra a mãe e criando obstáculos no relacionamento dela com os filhos. Isso é uma forma de violência emocional. Esse tipo de violência poderá levar anos para ser curado, e poderá afetar o relacionamento do filho com a mãe até a idade adulta. É por isso que é tão importante aprender a identificar os sinais e ter boas ferramentas para acabar com esse tipo de manipulação.

Num divórcio, os *gaslighters* podem se tornar obcecados com a sensação de que "saíram ganhando" e muitas vezes ficam irracionalmente ciumentos quando a parceira começa a namorar novamente.

> "Meu ex disse ao nosso filho que meu namorado era traficante de drogas e que eu dormia com qualquer um. Não foi nenhuma surpresa quando ele começou a se recusar a voltar para casa. Nada do que meu ex disse era verdade. Eu acabei apelando para a Justiça e o juiz disse que meu ex foi uma má influência para o meu filho. Mas ele não se importava se o que dizia era mentira e se estava magoando nosso filho. Só queria *vencer.*"
>
> – Janet, 38

Lembre-se, os *gaslighters* não veem as pessoas como pessoas, mas como "objetos". Se o seu ex sente que foi "injustiçado", ele pode tentar dificultar sua vida. Adicione filhos a essa situação explosiva e o *gaslighter* fará um grande esforço para incutir neles a ideia de que você é uma "mãe ruim", de modo a "ganhar" o apoio das crianças.

O que é mais trágico e confuso para os seus filhos é que isso não significa que o pai *gaslighter* queira realmente ficar com eles ou os ame; ele apenas quer atingir você no ponto em que é mais vulnerável: seu relacionamento com seus filhos. Os *gaslighters* têm que "vencer", por isso eles precisam que você "seja derrotada" a todo custo – mesmo que isso prejudique os seus filhos do ponto de vista psicológico.

Eu vejo isso com muita frequência e há muitas histórias assim.

Num caso particular de custódia, o pai solicitou a custódia do filho, alegando que a ex-esposa não era uma boa mãe. O filho tinha começado a passar a maior parte do tempo com o pai, indo contra o acordo de guarda compartilhada. O pai tinha o hábito de não levar o filho de volta para a mãe no horário combinado, de menosprezar a ex-esposa na frente do filho, de deixar revistas pornográficas à vista do filho e de encorajá-lo a desafiar as regras da mãe. Além disso, as notas do menino haviam caído desde que ele começara a passar mais tempo na casa do pai. O tribunal não encontrou provas de que a mãe era negligente ou incapaz de criar o filho e concluiu que as declarações do menino sobre querer morar com o pai tinham sido "ensaiadas",

"Meu ex viveu em paz comigo até saber, pela minha irmã, que eu estava namorando. De repente, começou a chegar tarde nos dias de visita, sem avisar ou explicar por que, e começou a se recusar a falar comigo sobre as atividades do nosso filho, como os treinos de futebol e praticamente tudo."

– Courtney, 31

como se ele estivesse repetindo o que o pai tinha mandado que dissesse. O acordo relativo às visitas do pai foi, então, reforçado e ele voltou a ver o filho só uma vez por semana, em fins de semana alternados.

Em outro caso de custódia, a mãe filmou o momento em que o pai foi buscar o filho no ponto de encontro combinado. Ela apresentou as gravações como prova de que a criança não queria ir com o pai e que por isso ela deveria ficar com a custódia total. Esses vídeos, porém, acabaram servindo de provas contra a mãe, pois a mostravam tentando convencer a criança a ficar com ela e a não entrar no carro do pai, e "lembrando" ao filho por que ele não queria ir com o pai. As gravações também mostraram a mãe prometendo à criança viagens especiais e presentes se ela não fosse com o pai. A mãe *gaslighter* não deve ter sequer considerado quanto esses vídeos revelavam sobre ela mesma. A custódia primária foi negada e a custódia compartilhada continuou conforme o acordo, com aconselhamento terapêutico obrigatório para a mãe.

Nesses casos, é possível ver como um ex-marido ou uma ex-esposa *gaslighter* pode facilmente influenciar os filhos contra o outro genitor. Os *gaslighters* têm o hábito de dizer a eles que o outro genitor é ruim ou não é digno deles. Exageram nos presentes e viagens especiais, dizem às crianças que as regras da mãe ou do pai são ridículas e severas demais, deixam que fiquem acordados até tarde, dizem que não precisam chegar no horário ao lugar combinado com o outro genitor – coisas que influenciam muito as crianças.

Devido à sua rebeldia inerente, os adolescentes são especialmente suscetíveis a esse tipo de influência. Durante um estágio de desenvolvimento em que os filhos precisam que os pais estabeleçam limites muito claros, o pai *gaslighter* deixa o filho com a rédea solta. Que adolescente não ficaria tentado com isso?

É verdade que a pessoa que tem filhos com um *gaslighter* pode viver uma realidade bem diferente. *Gaslighters* que encontram um novo parceiro logo após o divórcio podem se "esquecer" dos filhos. Pode ser até difícil encontrá-los. O apoio que dão a eles resume-se à pensão, pois ele não quer assumir obrigações relacionadas aos filhos nem participar da vida deles. Essa é outra maneira que os *gaslighters* usam para punir o outro genitor, obrigando-o a assumir toda a responsabilidade.

Mencionei, no Capítulo 8, que os *gaslighters* podem prejudicar os filhos. Se você consultar esse capítulo, encontrará uma lista de sinais de alerta de que seus filhos começaram a usar a tática de manipulação imposta pelo genitor *gaslighter*. Ao conhecer esses sinais de alerta, você ficará um passo à frente para certificar-se de que seus filhos recebam a ajuda de que precisam para ser felizes e saudáveis – incluindo terapia, modelos positivos ao redor deles e um relacionamento forte e saudável com você.

A boa notícia é que há esperança para você e seus filhos. Em muitos casos, os *gaslighters* obtêm a ajuda de que *eles* precisam (ou recebem ordem judicial para que procurem ajuda) e se tornam um problema menor ao longo do tempo. Você também terá mais apoio do que imagina – de amigos, familiares, profissionais e membros da sua comunidade. O mais importante é continuar sendo a melhor mãe que você pode ser. Você também pode procurar aconselhamento terapêutico para si mesma e para seus filhos. (No final deste capítulo, você encontrará mais informações a respeito.)

Maior chance de violência infantil

Todos os pais *gaslighters* veem os filhos como extensões de si mesmos, mas, quando o outro genitor não está presente para servir como uma influência moderadora, a probabilidade de ocorrer maus-tratos aos filhos pode aumentar, principalmente durante os períodos da infância e da pré-adolescencia – quando o filho deveria estar passando por sua individualização dos pais. Durante essa individualização, as crianças começam a dizer "não" com mais frequência e passam a testar limites. Isso é normal em termos de desenvolvimento. Seus filhos estão exercitando sua liberdade e querem conhecer os limites dessa liberdade.

Pais saudáveis do ponto de vista psicológico querem que seus filhos aprendam como viver por conta própria no mundo lá fora. Eles encaram essa separação ou individualização como algo normal. Pais *gaslighters*, por outro lado, encaram a individualização dos filhos com raiva e desgosto, interpretando essa independência como uma forma de abandono e traição. Sabem que, quando os filhos ficam mais independentes, o controle que exercem sobre eles diminui. Eles então fazem tudo que está ao seu alcance para impedir que os filhos amadureçam, e isso pode facilmente levar a maus-tratos.

Se você sentir que seu filho pode estar sofrendo maus-tratos, entre em contato com as autoridades locais ou use a linha direta do seu país para denúncias contra maus-tratos e negligência a crianças e adolescentes.* Naturalmente, se você desconfia que seu filho está sendo vítima de maus-tratos, achará muito difícil não atacar o seu ex-marido *gaslighter*. Mas recomendo que não faça isso, pois você

---

* No Brasil, as denúncias contra casos de maus-tratos e negligência a crianças e adolescentes podem ser feitas aos Conselhos Tutelares, às Polícias Civil e Militar e ao Ministério Público. Existem também outros recursos, como o Disque Direitos Humanos ou Disque 100, um serviço de proteção à criança ou ao adolescente, mantido pelo governo federal, contra maus-tratos e negligência. Não há necessidade de que o denunciante se identifique. O aplicativo para smarphones e tablets Proteja Brasil também mostra a localização e os telefones da instituição especializada mais próxima para se denunciar a volência infantil, assim como várias outras informações sobre o assunto. (N.T.)

precisará, mais do que nunca, estar ao lado do seu filho, e isso será muito difícil se o seu ex apresentar uma ordem judicial contra você ou se você for tão longe a ponto de ficar sob custódia policial ou for presa. Em vez disso, providencie imediatamente, para você e seus filhos, um serviço de aconselhamento terapêutico. Também converse com um advogado de família sobre os seus direitos e os do seu filho, incluindo a apresentação de uma moção de emergência sobre custódia e visitação.

Recuse-se a discutir com o *gaslighter*

Em geral, é melhor não discutir com um *gaslighter*. Apenas converse sobre os fatos e procure não extravasar suas emoções. Eu sei que isso pode ser muito difícil, mas expor suas emoções só dará ao *gaslighter* a recompensa que ele procura. O *gaslighter* adora irritar você, e ele intensificará o comportamento manipulativo se perceber que está conseguindo. Com os *gaslighters*, tudo é um jogo e você nunca ganhará uma discussão com eles. É como discutir com alguém que está bêbado. A melhor coisa a fazer é manter um tom de voz calmo, mesmo que esteja explodindo por dentro.

Lembre-se, o combustível dos *gaslighters* é a raiva e a frustração das outras pessoas. Não dê a eles esse poder. Se não conseguirem provocar uma reação em você, eles podem ficar mais irascíveis e intensificar os comportamentos nocivos. Isso não significa que você precise tolerar gritos ou ataques verbais. Se o seu ex-marido começar a gritar com você ou xingá-la ao telefone, desligue simplesmente.

> "Eu estava constantemente me irritando com os comentários do meu ex-marido e brigando com ele ao telefone. Por fim, percebi que, enquanto brigássemos, eu estaria deixando que ele controlasse as minhas emoções. Com a ajuda do meu terapeuta, aprendi que os *gaslighters* fazem tudo que está ao seu alcance para deixar as pessoas irritadas. Isso ajudou a me curar e me fez perceber que não era eu a louca."
>
> – Jerusha, 35

Se você está recebendo ataques verbais por meio de mensagens, imagens ou e-mails, tire uma foto da tela e não responda à mensagem. Assim como acontece quando você discute ao telefone, se responder a uma mensagem escrita, você estará dando ao *gaslighter* a vitória que ele tanto almeja. Se você mostrar que está irritada, estará recompensando o comportamento *gaslighting* que você quer evitar. Mas eu sei quanto é difícil se controlar.

Se o *gaslighter* tentar irritar você, recomendo que faça uma pausa para respirar fundo e contar até três. Isso parece simples demais, mas você se surpreenderá ao ver como pode ajudá-la a recuperar a compostura e se comunicar – ou encerrar a conversa, se necessário –, sem demonstrar suas emoções.

Por que seu ex ainda é capaz de afetar você?

Se você se sentir forçada a iniciar uma discussão com seu ex-marido *gaslighter*, analise por que isso está acontecendo. Ele provavelmente conhece seus pontos mais vulneráveis, tais como algumas inseguranças que você possa ter sobre como cuidar dos seus filhos. O *gaslighter* irá atacar esses pontos frágeis para provocar você, irritá-la e fazer com que pareça instável. Você não pode permitir que ele faça isso, pois o resultado não será bom para você. Para não discutirem, será preciso que vocês tenham pouco ou nenhum contato.

Pergunte-se por que seu ex ainda afeta você. Será que você tem vontade de brigar porque ainda sente algum apego por ele? Pode ser muito difícil romper esse apego. Essa pessoa manipulou você de tal forma que fez com que se sentisse dependente dele, e agora ele abusa da sua confiança. Pode ser muito difícil lidar com isso.

Se você acha que briga com o seu ex porque ainda sente algum apego a ele, dê um passo para trás e examine os motivos. Você sente uma agitação por dentro quando briga com ele? Parece que o seu ex sabe exatamente o que dizer para irritar você? Procurar um terapeuta pode ser muito útil para eliminar esse padrão que a leva a brigar apenas para ficar perto dele.

Eu também sugiro que você reflita sobre como as discussões entre vocês podem estar afetando o bem-estar dos seus filhos, principalmente do ponto de vista emocional. Eles provavelmente estão mais a par das suas brigas com o seu ex do que você imagina. Estão por perto quando você recebe telefonemas do seu ex? Ou quando você responde às mensagens dele? As crianças são muito perceptivas com relação a atritos como esses, mesmo que ocorram por meio de mensagens ou e-mails, e isso pode começar a afetar o humor, o sono, o apetite e o desempenho escolar delas, além da convivência com você e os irmãos. Seus filhos podem até começar a mostrar sinais físicos de ansiedade, como roer as unhas ou puxar fios de cabelo.

"Toda vez que conversamos ao telefone, acabamos discutindo. Eu disse que mensagens de texto e e-mails seriam uma forma melhor de nos comunicarmos. Assim, brigamos menos e eu tenho documentado o que foi dito. Não há mais comentários como 'Eu disse para você buscar as crianças às 6 horas', quando na verdade era às 7."

– Jorge, 41

Cabe a você abandonar esse padrão de brigar com seu ex-marido *gaslighter*. Ele não poderá iniciar uma discussão se você não deixar. Se ele disser algo grosseiro, lembre-se de que você sempre pode responder, calmamente, "Vou desligar agora" e cumprir a promessa. Se você tem filhos com seu ex, poderá consultar um coordenador de pais que a ajude a melhorar a comunicação com seu ex. Mais adiante neste capítulo, você descobrirá como esses coordenadores de pais podem auxiliar em situações de conflito na guarda compartilhada.

Considere apenas a possibilidade de se comunicar com seu ex por meio de mensagens de texto ou e-mails, pois, dessa maneira, além de ter um registro da interação com seu ex, você poderá decidir se quer responder às mensagens dele e como fará isso. Existem até aplicativos, como o SMS Scheduler, que enviam as suas mensagens na hora e no horário que você definir, para que você não precise falar diretamente com seu ex.

QUANDO A EX DO SEU MARIDO É UMA *GASLIGHTER*

E se você se casar com alguém que tenha uma ex *gaslighter*? Talvez você já soubesse que a ex do seu cônjuge era problemática antes de vocês se casarem ou talvez só mais tarde tenha descoberto quanto ela era insana. Aqui vão algumas palavras para você se lembrar sempre: você não é responsável pelo comportamento da ex do seu cônjuge (ou pelo comportamento do seu cônjuge com relação a isso). Você não cometeu um erro casando-se com ele, mesmo que a ex *gaslighter* esteja tentando puni-la por isso. Se vocês tiveram um caso amoroso enquanto seu cônjuge ainda era casado com ela, é compreensível que a ex-esposa dele esteja muito contrariada. Mas há uma grande diferença entre estar contrariado com uma pessoa e persegui-la e assediá-la, como os *gaslighters* tendem a fazer. Em breve, você vai descobrir como definir limites com relação à ex *gaslighter* do seu marido.

COMPARTILHANDO A GUARDA DE ENTEADOS

Se o seu marido tem filhos com a ex, os desafios naturalmente se multiplicam. Ser madrasta já é difícil mesmo quando não há um *gaslighter* em cena, pois você arca com todas as responsabilidades de ser mãe, mas nem sempre pode dar orientações ou estabelecer limites como se fosse a mãe. No entanto, o que você pode definir são seus próprios limites em relação a como quer ser tratada. Se a ex do seu cônjuge é uma *gaslighter*, é importante que ele esteja de acordo com os limites que você estabelece com relação aos filhos dele. Isso inclui o modo como seus enteados falam com você e o respeito aos seus pertences pessoais (uma mãe *gaslighter* pode muitas vezes pedir que o filho bisbilhote as suas coisas). E você deve tratá-los do mesmo jeito que gostaria de ser tratada. Tenha muito cuidado para não tentar disciplinar seus enteados. Isso não é tarefa sua nem é o seu papel – é responsabilidade do pai e da mãe deles. Se você tentar discipliná-los, a mãe *gaslighter* se virará contra você, portanto evite uma possível briga procurando não disciplinar os filhos de outra pessoa. Tenha, porém, diretrizes claras com relação ao comportamento dos seus enteados em sua casa. E deixe essas regras num local visível, como a porta da geladeira. Isso evitará muitas discussões entre você e a mãe deles.

"A ex do meu marido me chamou de lado um dia e disse que sabia exatamente o que tínhamos comido no jantar todos os dias daquela semana. Foi bem assustador. Acho que ela estava apenas querendo mostrar que o meu enteado lhe contava tudo e que ela estava no controle."

– Janie, 35

É muito importante que você e seu cônjuge cheguem a um acordo sobre os limites da ex-mulher dele com relação aos filhos. Você não deve tolerar que a ex do seu parceiro:

- Invada o seu espaço pessoal.
- Diga aos seus enteados mentiras sobre você.
- Interfira no seu relacionamento com seus enteados.
- Estimule seus enteados a bisbilhotar a sua vida e as suas coisas.
- Apareça em sua casa sem pedir permissão a você primeiro.
- Apareça no seu local de trabalho.

Em casos como esses, será benéfico que todos, você, seu cônjuge e a ex do seu cônjuge, conversem sobre essas violações de limites nas sessões de aconselhamento terapêutico. Se isso não for suficiente, consulte um advogado.

Muitas vezes, as pessoas se casam com alguém que já tem filhos porque sentem um desejo inconsciente de "salvar" ou "consertar"

"Meu enteado ia descaradamente contra as regras quando estávamos apenas ele e eu em casa. Acabei descobrindo que a mãe dele o incentivava a causar problemas para mim."

– Lauren, 30

essa família. Essa fantasia pode ser especialmente atraente se a ex do seu cônjuge for uma *gaslighter* que já causou um dano psicológico à família, pois você pode achar que será uma boa influência para essas "pobres crianças". Esse será um terreno muito movediço, especialmente se a família à qual você passará a fazer parte não percebe a gravidade da patologia do outro genitor. A série de comportamentos destrutivos da ex-mulher do seu cônjuge pode ser "normal" para eles, e o fato de você apontar os comportamentos *gaslighting* dela pode ser motivo para algumas discussões.

Se o seu cônjuge ainda tem algum apego emocional à ex-esposa *gaslighter*, ele pode não querer ouvir o que você tem a dizer sobre ela e pode até culpá-la por trazer esse problema à baila. Ele poderá acusá-la de ter ciúme ou achar que você está tentando criar conflito entre ele e a ex. Se esse for seu caso, pode ser hora de procurar uma terapia de casal ou avaliar se não é melhor romper o relacionamento. Lembre-se, você não pode forçar ninguém a fazer nada que não queira, e isso inclui fazer o seu cônjuge perceber que o comportamento da ex-mulher dele não é aceitável.

VOCÊ DEVE DIZER AOS SEUS FILHOS QUE O PAI DELES É UM *GASLIGHTER*?

Se você tem um ex-marido *gaslighter*, pode ser um grande desafio conversar com seus filhos sobre o comportamento do pai deles. Uma das partes mais difíceis de se ter um ex *gaslighter* é ver como os filhos sofrem devido ao comportamento dele. Existe uma linha muito tênue entre solidarizar-se com as crianças e esperar que elas tomem o seu partido e fiquem contra o pai. Por exemplo, você pode se pegar dizendo "Seu pai não foi buscar você porque ele não é confiável". Por favor, abstenha-se de fazer comentários negativos sobre o seu ex para seus filhos, não importa quanto isso lhe pareça tentador. Você não está fazendo nenhum bem a eles agindo assim. O que você disser a seus filhos vai acabar chegando aos ouvidos do *gaslighter* e ele usará isso contra você. É melhor que você desabafe com seus amigos ou com um terapeuta. Nunca desabafe com seus filhos.

O *gaslighter*, por mais terrível que seja, ainda é o pai dos seus filhos. As crianças têm um amor pelos pais que vai muito além da lógica e da nossa compreensão. O amor deles é semelhante ao que você tem pelos seus filhos – você os ama além da razão. Além disso, o amor dos filhos pelo pai é completamente diferente do amor que você já teve por essa pessoa quando era casada com ela. O amor dos filhos é incondicional. É bem provável que, se você disser aos seus filhos que o pai deles é um *gaslighter*, eles ficarão contra você. E essa é uma estrada que você certamente não vai querer percorrer.

Você poderá sentir que tem de ser a "malvada" quase o tempo todo, enquanto o *gaslighter* faz o papel de "pai divertido". Você gostaria de contar aos seus filhos sobre a verdadeira natureza do pai deles. Mas eis o que geralmente acontece quando você cede a esse desejo de dizer a "verdade". Primeiro, essa informação vai chegar aos ouvidos do *gaslighter*, com toda a certeza. Ele vai pressionar os seus filhos para extrair mais informações ou suborná-los com presentes ou privilégios. Ou, se você está fazendo comentários negativos com relação ao pai deles, eles vão contar ao pai, porque têm certeza de que o que você disse está errado. Coloque-se no lugar dos seus filhos. Qual o benefício de eles saberem o que você realmente pensa sobre o pai deles?

Seus filhos também podem transmitir a ele essa informação espontaneamente, porque faz parte da natureza das crianças dizer a verdade. E elas também sabem como se preservar. Se o seu filho infringiu uma regra na casa do seu ex, que melhor maneira de desviar o assunto do que contar ao pai: "Sabe o que a mamãe disse sobre você?". Essa revelação só servirá para deixar o *gaslighter* com muita raiva de você. E ele não extravazará essa raiva apenas sobre você, mas possivelmente também sobre o seu filho.

MELHORES PRÁTICAS PARA LIDAR COM O PAI *GASLIGHTER* DOS SEUS FILHOS

Um dos meus objetivos ao incluir este capítulo neste livro é repassar um pouco da sabedoria e das experiências de outros pais que se separaram de um *gaslighter*. Eis a minha lista de melhores práticas:

Façam um planejamento detalhado sobre como vocês compartilharão a guarda dos seus filhos

Esse planejamento, tambem chamado de plano parental, é um contrato detalhado entre você e o seu ex, e poderá ser feito para cada um dos filhos, se necessário. Ele deve conter informações minuciosas como:

- Quem ficará com os filhos em cada um dos feriados do ano e o horário em que o pai deve buscá-los e devolvê-los.
- Que escola as crianças frequentarão, quem irá transportá-las e em quais dias da semana.
- Quem estará apto a cuidar dos seus filhos quando eles estiverem na casa do pai ou da mãe.
- Direito de preferência, ou seja, um dos pais deve avisar o outro genitor se ficar ausente por mais tempo do que o combinado, para dar ao outro o direito de passar esse tempo com os filhos, em vez de deixá-los com uma babá.
- Como as decisões com relação à saúde dos filhos devem ser tomadas: elas serão decisões conjuntas ou um dos pais tomará

a decisão final, nas ocasiões em que não for possível uma decisão conjunta.

- Quem se responsabilizará por colocar os filhos como dependentes no convênio médico e quem pagará o convênio.
- O valor da pensão obrigatória. Quem geralmente determina esse valor é o juiz, levando em conta vários fatores, entre eles a renda dos pais e o número de filhos. Também é levado em conta o número de pernoites dos filhos na casa do pai. (Se ele concordar com um certo número de pernoites em sua casa, durante o ano, o valor da pensão poderá diminuir.)
- Que dias cada pai ficará com os filhos na própria casa.
- Em que horários e locais a mãe entregará os filhos ao pai e vice-versa.
- Como os filhos poderão se comunicar com um dos pais quando estiverem sob a guarda do outro (mensagens de texto, e-mails, telefone, chamada de vídeo).
- Em que horário os filhos poderão se comunicar com um dos pais quando estiverem sob a custódia do outro.
- Acordos sobre como os pais irão se comunicar.
- O método pelo qual os pais se comunicarão para combinar as visitas e tomar decisões (mensagens de texto, telefone, e-mails ou chamada de vídeo).
- Acordo de que nunca pedirão aos filhos que chamem o novo parceiro do pai ou da mãe de "mamãe" ou "papai".
- Quantas vezes um pai precisará dar notícias ao outro genitor quando quiser levar as crianças para viajar com ele nas férias (e quem pagará pelo passaporte, se a viagem for internacional).
- Os termos sob os quais um pai poderá levar os filhos para fora do país. (Em geral o mediador do casal exigirá que respeitem a Convenção de Haia, que fornece uma lista de países com

regulamentações rígidas sobre o retorno de crianças relatadas como sequestradas por um dos pais.)

- Acordo de que o período e o itinerário das viagens que os filhos farão devem ser comunicados.
- O processo de notificação, se um dos pais quiser se mudar para outro endereço, que fique a uma certa distância. (As distâncias geralmente são negociadas na presença de um coordenador ou mediador, conforme a lei.)
- Qual será o ponto de encontro onde o pai ou a mãe pegará os filhos e quanto tempo um dos pais deve esperar antes de voltar para casa, caso o outro se atrase.

Tudo isso pode parecer tedioso, mas ter um planejamento por escrito, assinado por você e pelo seu ex, pode realmente ajudar a reduzir conflitos. Quanto mais detalhado for esse planejamento, melhor, pois, desse modo, se houver algum conflito entre os pais, a solução já estará ali registrada. Se você ou o pai das crianças tiver algum problema para definir um dos itens do planejamento, vocês dois poderão consultar um advogado ou o mediador do casal.

Se vocês dois concordarem com uma mudança no planejamento (digamos que você precise alterar os dias da semana em que seus filhos ficarão na sua casa), façam essa mudança por escrito. Para a maioria dos pais, basta um simples acordo verbal. No entanto, com um *gaslighter*, você precisará ter documentação para tudo.

Itens para incluir no plano parental

Recomendo que você inclua os itens a seguir no seu planejamento, mas, como sempre, também aconselho que consulte um advogado para definir o melhor modo de agir.

Combine um ponto de encontro num local neutro, para entregar as crianças ao outro genitor: Busque e entregue os seus filhos num local que não tenha nenhuma ligação emocional com você ou com o outro genitor, e nem tenha um significado especial para os seus filhos. Alguns pais escolhem um local público que fique a meio caminho entre suas casas. É importante que o local seja público, pois as pessoas tendem a se comportar melhor quando há outras por perto. Num local público, você também terá testemunhas caso ocorra algum conflito, além de ter acesso mais rápido à polícia ou a um serviço de emergência, caso necessário.

Quem poderá estar presente quando você for entregar ou pegar seus filhos: Se o seu divórcio for a tal ponto conflituoso que estar perto do seu ex já pode ser motivo suficiente para que ocorram problemas, você poderá combinar que seus filhos serão pegos e entregues, no ponto de encontro, por familiares ou amigos da família. Ou você também poderá exigir que somente você e o pai estarão no ponto de encontro, para evitar confrontos com ex-sogros ou novos parceiros.

Tempo de espera em caso de atraso: Trinta minutos geralmente é um tempo razoável para se esperar pelo outro genitor, em caso de atraso. Isso significa que, após trinta minutos, você poderá voltar para casa. No entanto, esse tempo de espera vocês é que decidem. Você poderá conceder algum tempo extra caso o outro genitor entre em contato dizendo que vai se atrasar, mas, se isso se tornar um hábito e parecer uma atitude manipulativa, você não precisará concordar. Claro, você precisará documentar essa falha dele. E lembre-se de se manter neutra e não envolver as crianças em seu conflito com seu ex. É difícil, eu sei, mas você precisa continuar tentando, pelo bem dos seus filhos.

"Quando meu ex tenta me passar a perna e mudar as coisas, eu lembro a ele daquela cláusula do nosso plano parental. Ele sempre diz, então, que vai me levar ao tribunal, mas nunca faz isso."

– Hattie, 32

Direito de preferência e quem pode cuidar dos seus filhos: Existe algo no regime de custódia chamado "direito de preferência". Isso significa que, se você ou o pai não puderem ficar com o filho numa noite já agendada, será necessário dar ao outro pai a oportunidade de ficar com o filho na casa dele. Você também pode estipular que esse "direito de preferência" não se aplicará caso, por exemplo, o genitor tiver que se ausentar por trinta minutos ou menos numa noite em que ele estará com o filho. Se alguém mais precisar cuidar do seu filho, o plano parental deverá especificar quem terá permissão para cuidar da criança. Talvez uma babá ou um irmão mais velho você aceite, mas nunca alguém que você sabe que é um *gaslighter*, tal como um parente dele ou um novo cônjuge. Estes são pontos que você precisará detalhar em seu plano parental.

Manter os documentos do divórcio e plano parental longe dos filhos: O *gaslighter* muitas vezes deixa papéis de divórcio ou o plano parental à vista para mostrar aos filhos quanto a mãe deles é "irracional". Ou ele quer que os filhos vejam que ele dá à ex "dinheiro suficiente". Quando confrontado, o *gaslighter* mentirá e dirá que não tem culpa que os filhos tenham bisbilhotado as coisas dele. Defina no seu planejamento que qualquer documentação relacionada ao divórcio ou à guarda compartilhada será mantida fora do alcance dos filhos e que esses assuntos nunca serão discutidos com eles.

Vocês terão apenas conversas respeitosas quando os filhos estiverem em casa. Às vezes os pais pensam que os filhos não estão prestando atenção enquanto falam depreciativamente com outra pessoa sobre seu ex. O *gaslighter* age como se não soubesse que os filhos estavam ouvindo enquanto ele reclamava de você. Ele dirá: "Eu não sabia que as crianças estavam escutando" ou "Não é minha culpa que eles tenham ouvido uma conversa particular". Se você detalhar em seu plano parental que o pai só poderá falar de forma respeitosa sobre você, o *gaslighter* não poderá agir de outra forma e, se fizer isso, estará violando o acordo. (E tome cuidado para não ser você mesma a violar essa cláusula.)

Método de Comunicação: Se você teve problemas com um *gaslighter* que fez ligações fora de hora ou negou ter dito coisas que de fato disse ao telefone, poderá acrescentar ao plano parental que a comunicação entre vocês ocorrerá apenas por meio de mensagens de texto e e-mails. Apenas se você e seu ex se comunicarem por escrito, você terá provas do que ele lhe disse. Você também poderá detalhar, no plano parental, que usará sites ou aplicativos de agendamento de mensagens, como o SMS Scheduler.

Profissionais que podem ajudar casais em processo de divórcio

Por fim, uma palavra sobre outros recursos disponíveis para você. O Estado muitas vezes disponibiliza psicólogos ou outros profissionais para casais em processo de divórcio. Esses profissionais ajudam as famílias a lidar com a situação de maneira saudável e madura, mantendo os vínculos de ambos os genitores com os filhos, evitando práticas de alienação parental e propiciando aos pais e aos filhos mecanismos para lidar com os desentendimentos e os próprios sentimentos. Esse profissionais podem ajudar você e o seu ex a se comunicar de maneira respeitosa, mantendo os seus filhos fora dos conflitos e respeitando o plano parental. Se houver desentendimento entre vocês, eles poderão ouvir ambos e recomendar o que será melhor para os filhos. Esse recurso é um importante instrumento para pais em processo de divórcio e normalmente conta com instrutores capacitados em mediação de conflitos.*

> "Tenho uma ordem de restrição contra o meu ex. Nós conversamos por intermédio de um mediador familiar que o juiz indicou. Isso tornou minha vida muito menos estressante."
>
> – Jana, 28 anos

* No Brasil, o Centro Judiciário de Solução de Conflitos e Cidadania (Cejusc) de Belo Horizonte, por exemplo, oferece esse tipo de serviço, chamado de Oficina de Parentalidade, para ajudar casais em processo de divórcio. (N.T.)

VOCÊ PODE OBTER AJUDA!

Como sabemos, os *gaslighters* podem causar muitos danos psicológicos a você e a seus filhos. Se não forem controlados, podem causar vários anos de sofrimento a eles. É por isso que recomendamos aconselhamento terapêutico. Não há por que se envergonhar caso precise pedir esse tipo de ajuda. Se você tiver uma pessoa neutra com quem conversar, isso reduzirá a probabilidade de doenças relacionadas ao estresse, ajudará a curar a dor que pode acompanhar o divórcio e reduzirá as chances de você e seus filhos usarem mecanismos de enfrentamento pouco saudáveis.

Busque aconselhamento terapêutico para os seus filhos

Quando as crianças têm um pai ou uma mãe *gaslighter*, é muito importante que elas recebam a ajuda de um profissional, seja ele um assistente social, um conselheiro, um psicólogo, ou alguém capacitado para ajudar as crianças a lidar com suas emoções. Seus filhos, independentemente da idade, são as maiores vítimas do *gaslighting*. Na verdade, os filhos são muitas vezes o alvo do *gaslighter*. Isso ocorre porque eles são particularmente vulneráveis – amam os pais independentemente de como eles os tratam. O *gaslighter* sabe disso e usa essa informação para manipular e alienar seus filhos em relação a você.

No aconselhamento terapêutico, seus filhos podem descobrir que pais saudáveis não agem dessa maneira e aprendem como lidar com um pai que é manipulador. O psicólogo também pode fazer sessões com você e seu filho, para que você possa compreender melhor como seu filho se sente e qual a melhor forma de ajudá-lo. Alguns terapeutas são treinados em ludoterapia, uma técnica psicoterápica que pode ajudar seu filho a expressar os sentimentos quando ele tiver dificuldade para verbalizá-los.

Como obter aconselhamento terapêutico para o genitor *gaslighter*

Outra opção é você e o pai *gaslighter* participarem de sessões de terapia juntos. Seu terapeuta poderá até mesmo recomendar sessão de terapia para toda a família. Esteja ciente, porém, que os *gaslighters* são capazes de enganar até terapeutas experientes, e às vezes a terapia familiar com ele pode servir apenas para causar mais danos a você e aos seus filhos. Leve em conta a opinião do seu terapeuta e sua intuição quando tomar essa decisão. O sucesso desse tipo de terapia depende da competência do terapeuta e do conhecimento que ele tem do desenvolvimento infantil e do comportamento *gaslighting* ou narcisista e antissocial.

Como obter aconselhamento terapêutico para si mesma

Se você foi casada e agora se divorciou de um *gaslighter*, é imperativo que receba algum tipo de aconselhamento terapêutico, pois passou por situações de estresse que outros pais normalmente não enfrentam. Isso pode fazer com que você se sinta isolada, especialmente quando perceber que seus amigos não entendem o que está acontecendo. Eles podem não entender quanto seu ex pode ser insano e você talvez não possa falar tanto sobre isso com eles. Um terapeuta poderá ajudá-la a entender suas emoções e a cuidar melhor de si mesma, além de ensinar algumas estratégias mais eficazes para lidar com seus filhos. O aconselhamento terapêutico é um ótimo recurso para você lidar com a frustração e a raiva com relação ao seu ex.

Se você não desabafa, tende a reagir exageradamente. Isso significa que pode lançar mão de mecanismos de enfrentamento prejudiciais, como beber ou comer em excesso. Além disso, infelizmente, reprimir toda essa frustração pode resultar em impaciência e raiva com relação aos seus filhos. Embora você não queira descontar sua frustração nos seus filhos, isso pode acontecer, caso você esteja sob muito estresse.

O aconselhamento terapêutico é altamente recomendado se você:

- Estiver agredindo verbalmente seus filhos ou outras pessoas.
- Estiver mais "rígida" com relação ao que espera dos seus filhos.
- Estiver cada vez mais irritada com os seus filhos.
- Castigar seus filhos por problemas de menor importância.
- For mais dura ou agressiva com um dos seus filhos que se parece mais com seu ex *gaslighter*.
- Não estiver cumprindo apropriadamente seus deveres de mãe.

O Capítulo 12 oferece mais detalhes sobre aconselhamento terapêutico.

Cuide bem de si mesma

Quando você viaja de avião, a companhia aérea aconselha você a colocar sua máscara de oxigênio primeiro, em casos de emergência, antes de colocar a do seu filho, para que possa ajudá-lo de forma mais eficaz. Da mesma forma, você precisa cuidar bem de si mesma para que possa ser uma boa mãe para os seus filhos. Ter filhos com um *gaslighter* pode fazer com que você se sinta desgastada, manipulada, irritada e decepcionada, por isso é importante que adquira o hábito de cuidar de si mesma regularmente, em vez de fazer isso só quando acontece uma crise.

Você pode sentir a necessidade de compensar o comportamento do pai *gaslighter*, no entanto, isso é impossível. Você também pode se sentir culpada por ter escolhido para os seus filhos um pai doente, do ponto de vista psicológico. Às vezes os pais tentam ser "perfeitos" para compensar o que falta ao outro genitor. Mas isso só deixa você estressada e diminui sua eficiência como mãe. É impossível ser uma mãe perfeita, mas existem um milhão de maneiras de ser uma ótima mãe. O que os filhos mais querem dos seus pais? Amor, limites saudáveis, um bom ouvinte e alguém que os compreenda.

Sua tarefa é ser apenas a melhor mãe que você possa ser, não importa o comportamento do pai dos seus filhos. Uma armadilha em que você pode cair é trabalhar demais para propiciar a eles tudo o que o pai *gaslighter* não lhes oferece. Mas você não precisa fazer mais do que o que é humanamente possível.

Divorciar-se de um *gaslighter* e compartilhar a guarda dos filhos com ele é uma das coisas mais difíceis para uma mulher. É importante que você conheça seus direitos e os direitos dos seus filhos. Cuide bem de si mesma, pois ser uma boa mãe numa situação de tamanho estresse é um grande desafio. E isso inclui procurar aconselhamento terapêutico, o que lhe dará uma válvula de escape saudável para a sua frustração, sem contar que um terapeuta poderá ajudá-la a encontrar soluções para melhorar a sua qualidade de vida e a qualidade de vida dos seus filhos. Você pode ter esperança de que seu filho se torne um adulto feliz e saudável. Isso é possível.

Depois de refletir um pouco, você talvez tenha constatado que acabou apresentando alguns comportamentos *gaslighting*. É comum "imitar" alguns desses comportamentos se você viveu com um *gaslighter*. Pode ter sido a sua maneira de lidar com uma situação fora de controle – usar a mesma manipulação e estratégias do *gaslighter* contra ele. No próximo capítulo, você aprenderá como combater essas tendências *gaslighting* e criar uma vida melhor para você e seus entes queridos.

11

Quem, Eu?

O que fazer se você é o *gaslighter*

Ao longo deste livro, nós discorremos sobre o *gaslighting* em diferentes relacionamentos e situações. Agora é hora de abordar o elefante na sala: e se você suspeitar de que você é um *gaslighter*? A boa notícia é que as pessoas que pensam que são *gaslighters* geralmente não são. Você deve ter observado que os *gaslighters* acham que são perfeitos e todas as outras pessoas têm deficiências. Isso é porque eles têm o que é chamado de personalidade egossintônica. Os verdadeiros *gaslighters* seriam as últimas pessoas a procurar ajuda psicológica. O que não quer dizer que você não possa ter alguns traços de *gaslighting*. Se você reparar que tem alguns comportamentos *gaslighting* e está disposta a aprender sobre isso e a melhorar, você está no caminho certo, lendo este livro. Uma das melhores formas de desencadear mudanças duradouras em sua vida é reconhecer que você precisa de ajuda.

Neste capítulo, você será capaz de identificar quais comportamentos *gaslighting* pode estar demonstrando e começar a combatê-los. Você poderá identificar alguns desses comportamentos em si mesma de imediato e outros poderão ser uma verdadeira surpresa. Você vai aprender por que está apresentando esse comportamento de *gaslighter* (geralmente porque alguém próximo a você é ou foi um *gaslighter* e a ensinou a ser assim também). E eu quero que você perceba que você também pode obter ajuda.

Muitas pessoas com comportamentos *gaslighting* têm dificuldade para manter boas amizades ao longo da vida, cultivam relacionamentos nocivos, até mesmo abusivos, e não se sentem muito bem consigo mesmas. Essas pessoas podem se perguntar o que estarão fazendo de errado e por que a vida parece ser mais fácil para os outros. Isso acontece com você? Todas essas experiências são muito comuns para as pessoas com comportamento *gaslighting.*

VOCÊ TEM COMPORTAMENTOS DE UM *GASLIGHTER*?

Se você está preocupada com a possibilidade de ser um *gaslighter*, examine a lista a seguir e veja se reconhece algum destes comportamentos em si mesma. Você:

- Mente frequentemente, mesmo em casos em que mentir não serve a um propósito.
- Não fala diretamente sobre as suas necessidades a ninguém.
- Espera que as pessoas leiam seus pensamentos e saibam o que você quer.
- Não sabe muito bem quais são as suas necessidades.
- Fica chateada quando os outros não conseguem adivinhar quais são as suas necessidades.
- Tenta induzir as pessoas a fazer o que você quer, em vez de pedir a elas diretamente.

- Não diz às pessoas o que você quer e depois quer se vingar por elas não fazerem as suas vontades. (Isso é conhecido como comportamento passivo-agressivo, sobre o qual você aprenderá mais adiante neste capítulo.)
- Fica frustrada quando os outros levam mais tempo do que você gostaria para fazer algo.
- Tem amigos e familiares que lhe dizem que seu tom de voz é sarcástico ou rude.
- Tem um temperamento forte e explosivo.
- Tem períodos de perda de memória, ou seja, não se lembra de coisas que você fez quando estava com raiva.
- Acha que as pessoas em geral são egoístas e só se preocupam com as próprias necessidades.

Bem, o que você acha? Está pronta para um mergulho mais profundo nesse assunto?

PULGAS

No Capítulo 8, que tratou de pais *gaslighters*, mencionei o termo "pulgas", como no ditado: "Quem se deita com cães, amanhece com pulgas". As pessoas muitas vezes aprendem a ser um *gaslighter* com os pais. Nós observamos os nossos pais em busca de exemplos sobre como agir como adultos, por isso é normal que copiemos alguns dos seus comportamentos. Se você agora demonstra alguns comportamentos *gaslighting*, é provável que os tenha aprendido para se autopreservar e enfrentar um lar abusivo ou caótico. A diferença entre alguém com alguns comportamentos *gaslighting* e um *gaslighter* de verdade é que os últimos lançam mão desses comportamentos manipulativos, pois essa é sua única forma de se relacionar com o mundo. Isto é, os verdadeiros *gaslighters* usam esses comportamentos em todas as áreas da vida: em casa, no trabalho, na vida social e na comunidade. Meu palpite é que você exibe alguns desses comportamentos quando está sob estresse ou quando está lidando com um verdadeiro *gaslighter* (muito provavelmente seu pai ou sua mãe). Por favor, não se preocupe, você aprenderá muito neste capítulo e essas informações podem ajudá-la a avaliar seu próprio comportamento e aprender formas mais saudáveis de se relacionar e reagir sob estresse.

AUTOPRESERVAÇÃO

Quando digo que seus comportamentos de *gaslighter* provavelmente eram uma forma de autopreservação, quero dizer que eles foram a maneira que você encontrou para se proteger. Você fez o que precisava para conseguir enfrentar a situação adversa que vivia e para sobreviver. Se morou com um pai ou mãe *gaslighter*, aprendeu estratégias de enfrentamento para que um dos seus pais não descarregasse sua ira sobre você. Você aprendeu a mentir até mesmo sobre coisas insignificantes, porque esse pai ficava irritado com muita facilidade. É provável que você esteja usando essas mesmas habilidades de autopreservação na idade adulta.

O QUE É UM RELACIONAMENTO SAUDÁVEL?

Se você testemunhou relacionamentos nocivos enquanto crescia ou vivenciou um relacionamento doentio, pode ser difícil saber o que compõe um relacionamento verdadeiramente saudável. Vamos examinar os componentes de um relacionamento saudável. Eles incluem:

- Falar livremente sobre você e as necessidades e desejos da pessoa amada.
- Ouvir abertamente as preocupações do parceiro, sem interrupções desnecessárias.

- Abster-se de mencionar problemas antigos quando não estiverem relacionados com o assunto que está sendo discutido.
- Estabelecer qual comportamento é aceitável e qual não é.
- Socializar-se com amigos pessoais sem provocar ciúme ou comportamento irracional no parceiro.
- Perseguir objetivos individuais sem provocar inseguranças.
- Abordar as preocupações conforme elas aparecem, em vez de fingir que elas não existem.
- Ter consciência de que ninguém é perfeito.
- Receber respeitosamente um "não" da pessoa amada.

Observe que, se crescemos com pais *gaslighters* ou tivemos um relacionamento com um *gaslighter*, tendemos a pensar que a completa ausência de discussões é um sinal de que temos um relacionamento saudável. Mas até pessoas com relacionamentos saudáveis discutem. Na verdade, discutir, argumentar, pode ser uma maneira saudável de fazer com que o parceiro conheça suas necessidades. O problema é quando vocês começam a *brigar*. É saudável que os casais discordem; o importante é que abordem essas questões de maneira respeitosa.

Comunicação aberta

Ter uma comunicação aberta e sincera é uma parte essencial de um relacionamento. Entretanto, tenha em mente que a comunicação aberta e sincera não significa que vocês possam ser cruéis ou jogar a verdade na cara um do outro de maneira brutal. Você pode falar a verdade sem ser rude e sem magoar a outra pessoa.

Declarações do tipo "Eu me sinto..."

Uma das maneiras de transmitir suas necessidades é usar afirmações como "Eu me sinto...". Nesse tipo de declaração, você demonstra sua preocupação de uma maneira respeitosa, sem culpar a outra pessoa. Digamos que haja pratos sujos na pia quando você chega em casa do trabalho. Uma coisa que não adiantaria você dizer ao seu filho é: "Eu trabalho o dia todo para pagar as contas. O mínimo que você podia fazer é colocar os pratos na máquina de lavar louça". Isso provavelmente só o levará a não colocar os pratos na máquina. Além de você não obter o resultado desejado, terá uma discussão com ele.

Com afirmações como "Eu me sinto...", você expõe sua preocupação sem usar a palavra "você". As pessoas entram automaticamente na defensiva quando se sentem acusadas. E, quando o "você" está ligado a uma crítica, elas tendem a não ouvir o resto do que você está dizendo. Além disso, o fato de não usar o "você" a ajudará a se tornar parte da solução. Em frases com "Eu me sinto...", você diz como se sente sobre um assunto, expõe o motivo por que a questão é uma preocupação para você e depois acrescenta uma possível solução. Como uma alternativa para a declaração sobre a louça suja na pia, você poderia dizer algo assim: "Quando eu chego em casa e vejo os pratos na pia, *eu me sinto* frustrada, porque gosto de voltar para casa e encontrar tudo arrumado. Eu gostaria que os pratos fossem colocados na máquina de lavar louça logo depois de serem usados".

Note que, ao contrário do primeiro exemplo de declaração, você estará dizendo *exatamente* o que quer que seu filho faça. No primeiro exemplo, você disse o que a incomodou, mas não deu indicações claras ao seu filho sobre o que fazer. As pessoas gostam de saber exatamente o que se espera delas e frases com "Eu me sinto..." expressam isso de maneira construtiva.

A estrutura de uma declaração "Eu me sinto..." é: "Quando ____________________ acontece, eu me sinto ____________________, porque____. Uma solução seria ______________________________".

No início, pode parecer estranho usar afirmações do tipo "Eu me sinto...", especialmente se você tem usado outro estilo de comunicação há anos. Mas tente uma vez e veja o que acontece. Ao perceber quanto elas são eficazes, você provavelmente vai começar a usá-las cada vez mais.

Como desenvolver um estilo de comunicação saudável

Na sua busca por ser uma pessoa mais saudável, do ponto de vista psicológico, é bom observar como você interage e se comunica com os outros. Existem três estilos básicos de comunicação: o passivo, o agressivo e o assertivo. Vamos analisar cada um deles e descobrir qual é o melhor para uma comunicação saudável.

Comunicação Passiva: Um exemplo de afirmação passiva poderia ser: "Claro, você pode pegar emprestado o meu suéter", quando, na verdade, você ganhou o suéter da sua avó e não gostaria de emprestá-lo a ninguém. Esse tipo de declaração passiva geralmente é expressa num tom de voz mais baixo e sem muito contato visual. Na comunicação passiva, o que está sendo transmitido é "Há algo errado comigo, não há nada de errado com você". Você não declara suas próprias necessidades; você apazigua a outra pessoa, tentando fazer com que ela fique feliz e ignorando o que você quer. Muitas vezes, as pessoas aprendem a fazer isso com um pai *gaslighter*, para que ele não perca o controle.

Comunicação Agressiva: Na comunicação agressiva, no entanto, a configuração é: "Não há nada de errado comigo, há algo errado com você". Você afirma suas necessidades sem levar em conta a outra pessoa. Um exemplo de uma declaração agressiva é "Claro que não, você não vai pegar meu suéter emprestado, mesmo porque ele não ficaria bem em você". E você falaria isso num tom de voz mais alto do que o habitual. Uma comunicação agressiva pode também ter a forma de um sorriso enquanto se diz algo perverso, uma habilidade em que os *gaslighters* são especialistas.

Comunicação Passivo-Agressiva: E há também o estilo passivo-agressivo, no qual você não expõe as suas necessidades, mas é agressiva em relação à outra pessoa. Você pode dizer "Claro, você pode pegar meu suéter emprestado", mas então "se esquece" de dar à outra pessoa a correspondência dela ou fala mal dela. Você está negando seus direitos e agindo mal com a outra pessoa.

Comunicação Assertiva: Na comunicação assertiva, ou do tipo "Não há nada de errado comigo, não há nada de errado com você", você afirma suas necessidades e também é respeitosa com a outra pessoa. "Eu sinto muito, mas não gostaria de emprestar esse suéter". Você está afirmando suas necessidades (não emprestando o seu suéter) de uma forma respeitosa, não está falando mal da outra pessoa nem usando um tom de voz irritado. A comunicação assertiva é a maneira mais saudável de expressar suas necessidades.

Digamos que você tenha sido convidado para ser o líder de um projeto no trabalho e sabe que não tem mais tempo para nada. Uma maneira **passiva** de responder seria concordar, mesmo que na verdade não queira fazer isso. Uma maneira **agressiva** de responder seria: "Não, e não adianta insistir!". Desse modo você teria certeza de que as pessoas ficariam com medo de lhe pedir qualquer coisa a partir de então. Uma maneira **passivo-agressiva** de responder seria dizer sim, e liderar o projeto, mas, posteriormente, aparecer meia hora atrasada nas reuniões e não responder aos e-mails da equipe encarregada do projeto.

Uma resposta **assertiva** seria dizer: "Não vou ter tempo para fazer isso". Sua resposta vai direto ao ponto. Você estaria sendo respeitosa com as outras pessoas e, o mais importante, respeitosa com você mesma.

A comunicação não verbal e o tom de voz

Preste atenção à sua linguagem corporal quando estiver falando. Você gostaria de comunicar que está aberta para ouvir a opinião das outras pessoas. Braços cruzados sobre o peito transmitem a mensagem "Não estou interessada no que você está dizendo" ou "Já ouvi o suficiente". Uma postura aberta – sem braços ou pernas cruzados – transmite uma atitude de quem está disposto a dar e receber.

Os *gaslighters* com frequência são incoerentes, ou seja, dizem uma coisa enquanto sua expressão facial comunica algo completamente diferente. Pessoas saudáveis são coerentes, suas expressões faciais retratam o que estão dizendo. Quando você está falando com alguém, fique atenta para ver se sua linguagem corporal e suas expressões faciais não são incoerentes.

Esteja ciente não só do que você diz, mas do modo como diz. O tom de voz contribui para transmitir sua mensagem. É por isso que usar mensagens de texto como método de comunicação primária causa muitos mal-entendidos entre as pessoas. Quando você não capta (ou deixa claro) o tom da mensagem, o que é dito pode facilmente ser mal interpretado.

O volume da nossa voz tende a aumentar quando estamos contrariados com alguma coisa. Observe se sua voz está mais alta e faça um esforço para manter a voz num volume normal e num tom médio.

Procure usar um tom uniforme ao se comunicar

Às vezes, quando tem comportamentos de um *gaslighter*, você pode falar num tom arrogante com as pessoas, diminuindo-as, sem perceber. Se você foi criado por um *gaslighter*, pode ter reparado que ele fala num "tom soberbo" com você. Num relacionamento saudável, as pessoas se comunicam de igual para igual, sem achar que o outro é inferior. Existe um "Modelo Pai Adulto e Criança" que faz parte de uma prática terapêutica chamada *Análise Transacional*, desenvolvida pelo dr. Eric Berne, e que mostra como as pessoas se comunicam umas com as outras e como melhorar a comunicação para que parceiros e familiares falem respeitosamente uns com os outros.

Nós assumimos o papel de *pai, filho ou adulto* quando estamos falando com outra pessoa. Quando fala com alguém como um pai, você usa expressões como "Você deveria", "Você precisa", "Você tem que", "Nunca" e "Sempre". Isso implica crítica ou permissão para a outra pessoa, exatamente o que os pais fazem. Pessoas que estão falando como "pais" podem exibir comunicação não verbal agressiva, como apontar o dedo, cerrar os punhos ou ficar muito perto do interlocutor. Quando você está falando com alguém como "criança", por outro lado, você usa mais emoções do que palavras. Em vez de se comunicar, você chora ou fica com raiva. Você também pode dizer frases como "Eu quero", "Eu preciso" ou "Eu não ligo". As pessoas que falam no papel de "criança" também podem provocar o interlocutor com risinhos ou choramingos. Elas tendem a fazer "birra" ou agir como se não conseguissem ouvir a outra pessoa.

O objetivo de um relacionamento saudável é que ambas as partes falem como adultos. Comunicar-se como um adulto significa verdadeiramente ouvir o outro sem julgar. Significa não ficar na defensiva e ter uma postura não verbal aberta. As pessoas que falam como adultas procuram entender o que a outra está dizendo. Elas farão perguntas sobre seus pontos de vista e, em seguida, oferecerão suas próprias ideias ou sugestões – em vez de forçar sua opinião sobre os outros. Quando adultos estão se comunicando, eles enxergam mais áreas "cinzentas" do comportamento humano. Isso significa que as pessoas são complexas em suas necessidades e desejos; não são apenas "boas" ou "ruins" – elas têm uma ampla gama de sentimentos e comportamentos. Pessoas que falam como adultas também podem "concordar em discordar" calmamente e não trazem à tona mágoas antigas.

Da próxima vez que você estiver falando com alguém, observe se assumiu o papel de pai, filho ou adulto. Como já mencionei, se você tem comportamentos de um *gaslighter*, talvez tenha o hábito de assumir o papel de pai. Se você está lidando com um *gaslighter*, poderá assumir o papel de criança. Examine com atenção as palavras e a linguagem corporal que você usa e tente adequá-las a um papel mais adulto ao se comunicar.

TALVEZ A OUTRA PESSOA SEJA O *GASLIGHTER*

Uma das técnicas usadas pelos *gaslighters* é chamada de *projeção*. Eles acusam a outra pessoa de ser manipuladora, quando, na realidade, é ele próprio que está praticando a manipulação e sendo controlador. Talvez seja isso que esteja acontecendo com você. Alguém já acusou você de ser manipuladora? Você achou essa observação tola, absurda ou sem fundamento? Confie na sua intuição. Como você já viu, os *gaslighters* são mestres da manipulação e pode ser difícil ver a realidade como ela realmente é. O que acontece muitas vezes é que nós chamamos a atenção das pessoas sobre o seu comportamento *gaslighting* e elas, por sua vez, dizem que você é que é o verdadeiro *gaslighter*. Essas pessoas fazem isso para distraí-la durante a conversa, para que você não continue a falar sobre esse comportamento ofensivo. Os *gaslighters* odeiam que o comportamento deles seja criticado – o que significa que você estava correta sobre eles.

É claro que é sempre possível que ambas as partes, num relacionamento, tenham comportamentos *gaslighting*. O relacionamento pode ter se iniciado com um *gaslighter*, mas a outra pessoa pode ter desenvolvido um comportamento igual como uma forma de lidar com a situação e falar a mesma "linguagem" do *gaslighter*. Às vezes, a pessoa que não é um *gaslighter* tenta combater o *gaslighter* nos termos dele e empregando as mesmas técnicas de distração e manipulação. No entanto, não importa quanto você tente rebater um *gaslighter*, isso não vai funcionar. O *gaslighter* sempre vai superar você quando se trata de manipulação e insultos. Além disso, há sempre um preço a pagar quando dizemos coisas que não são condizentes com a nossa personalidade e os nossos valores. Mais uma vez, convém confiar nos seus instintos. Se você for acusada de ser *gaslighter*, observe atentamente a dinâmica do relacionamento e veja se essa acusação tem fundamento. Se pôs a mão na consciência, é bem provável que descubra que não é você o problema!

CORRIGINDO ERROS

Se você perceber que, de fato, demonstrou comportamentos *gaslighting* com alguém, parte do processo de cura é pedir desculpas a essa pessoa. Assumir a responsabilidade pelo seu comportamento e se esforçar para melhorar são processos essenciais não só para o seu bem-estar, mas para o bem-estar das outras pessoas também.

Desculpe-se

Peça desculpas pelos prejuízos e mágoas que você causou a essa outra pessoa. Tenha em mente que dizer: "Lamento que você tenha ficado chateado com o meu comportamento" não é uma desculpa válida, pois você está colocando a responsabilidade na outra pessoa. Um exemplo de pedido de desculpas apropriado é: "Desculpe ter gritado com você. Fui agressiva e isso não condiz com um relacionamento saudável. Vou procurar uma terapia para aprender uma maneira melhor de me comunicar, porque esse jeito está errado". Você está definindo o comportamento, assumindo a responsabilidade, reconhecendo que causou dor à outra pessoa e afirmando o que vai fazer para melhorar.

"Eu disse ao meu irmão que lamentava muito ser tão manipuladora. Eu não estava esperando isso, mas ele também se desculpou por algumas coisas que tinha feito. Esse dia foi um divisor de águas entre nós."

– Megan, 50

Dê espaço ao seu parceiro

Como você lerá mais adiante, pedir desculpas à outra pessoa e obter ajuda não é uma garantia de que ela vai querer continuar o relacionamento com você ou até mesmo continuar se comunicando com você. Algumas mágoas podem levar muito tempo para serem curadas. Depois de pedir desculpas, procure descobrir o que essa pessoa precisa de você. Não se surpreenda se a resposta for: "Eu preciso de um tempo". Diga a ela que você respeita e atenderá o pedido dela. Não reclame nem discorde do que ela está pedindo. Espere que ela entre em contato com você primeiro.

Se a pessoa lhe disser que precisa de um tempo para pensar, aguarde esse tempo se recuperando e se concentrando no seu autoaperfeiçoamento. O aconselhamento terapêutico é uma das maneiras pelas quais você pode descobrir por que praticou comportamentos *gaslighting*, como parar de usá-los e como se comportar de uma maneira mais saudável. (Você vai saber mais sobre aconselhamento terapêutico no próximo capítulo.)

> "Eu pedi à minha mulher que me desculpasse e ela me disse que precisava de tempo para pensar. Entrei em pânico e pedi a ela que não me deixasse. Isso só piorou as coisas."
>
> – Jonathan, 38

E se essas estratégias não funcionarem?

Muitas vezes, quando uma pessoa começa a mudar seu comportamento para melhor, o relacionamento passa a não dar certo. Vocês descobrem que tomaram caminhos diferentes na vida ou que a outra pessoa sempre foi *gaslighter*, mas você é quem levava a culpa. Se o seu relacionamento terminar, você vai passar por um processo de luto não muito diferente daquele que acontece enquanto se recupera de uma morte. Se você tem tendências *gaslighting*, o fim de um relacionamento poderá até trazer sentimentos de abandono. Acredito que Elisabeth Kübler-Ross (2014) acertou quando afirmou que o sofrimento tem cinco fases. Ela também disse que podemos não passar por todas essas fases, que podemos pular algumas. Essas fases são mais uma diretriz para que você saiba que o que sente, depois de uma perda, é normal.

Fases do luto

Negação e Choque: "Nosso relacionamento não acabou de fato. Isso não é possível." Você pode sentir como se as coisas "não fossem reais" ou que você está vivendo um pesadelo.

Raiva: "Ele não tem o direito de partir, provavelmente está se divertindo como nunca na vida." Você se sente irracionalmente irritada e fica frustrada com pessoas que não têm nada a ver com a sua perda. Você também sente raiva de si própria.

Negociação: "Eu juro que, se ela voltar, eu não vou gritar novamente." Você tenta fazer acordos até com si mesmo. "Se tal coisa acontecer, eu vou fazer o seguinte..." No entanto, tal coisa não acontece. Então, você passa para outra barganha que não funciona também.

Depressão: "Acho que tudo acabou mesmo. Eu nunca me senti tão arrasada..." Você sente vontade de chorar a maior parte do tempo. Seus braços e pernas ficam pesados. Você se sente letárgica. Pode até ter pensamentos suicidas, como: "Eu gostaria de poder desaparecer" ou "Se eu morresse, toda essa dor teria fim". Se você tiver pensamentos suicidas, por favor, pare de ler este livro agora e ligue para o CVV (188).

Aceitação: "Aprendi com tudo que aconteceu e tenho certeza de que meu próximo relacionamento será mais saudável." Você chega ao ponto em que não gosta do que aconteceu, mas reconhece que aconteceu. Você pode até ver alguns aspectos positivos nesse rompimento. Por exemplo, você aprendeu mais sobre si mesma; começou a fazer terapia; conheceu ótimas pessoas que estavam passando pela mesma situação e fez amizade com elas. Você também poderá até começar a praticar o perdão. Perdoar não significa conformar-se com o que aconteceu com você no passado, significa que você desistiu de pensar que o passado poderia ter sido diferente. Você deixa que o passado se vá e não permite que ele tenha poder sobre você.

Liberte-se

Seja uma pessoa religiosa ou não, a Oração da Serenidade, de Reinhold Niebuhr, é um recurso muito útil para quem passa por um momento de perda ou crise na vida. *"Conceda-me, Senhor, serenidade para aceitar as coisas que não posso mudar, coragem para mudar aquelas que posso e sabedoria para reconhecer a diferença entre elas."*

Ter sabedoria para saber a diferença entre o que você pode ou não pode mudar talvez seja uma das partes mais difíceis de uma experiência dolorosa, como o rompimento de relacionamento (especialmente quando você sente que é o culpado). Às vezes é preciso tempo e paciência para se curar de uma perda.

Lembre-se de que esses sentimentos são temporários. Mesmo que doa agora, com o tempo você vai se sentir melhor. Uma perda é como ser atingido por uma onda enorme. Você sente como se estivesse se afogando e nunca conseguirá chegar à superfície. Mas, aos poucos, as ondas ficarão cada vez menores e, por fim, você sentirá apenas algumas ondas de tristeza que o atingirão de vez em quando. Se você costuma sentir que quer se ferir ou ferir outra pessoa, entre em contato com o CVV (188).

O desfecho de um relacionamento é superestimado

Se você acha que não conseguiu superar um rompimento porque seu relacionamento nunca teve um "desfecho" de verdade, eu vou lhe contar um pequeno segredo: *esse desfecho é superestimado*. Talvez ele nunca aconteça. Por desfecho, refiro-me a ter uma conversa de despedida com o seu ex, frente a frente ou por telefone, por exemplo, como uma espécie de "relacionamento após o relacionamento". Se você espera descobrir do seu ex exatamente o que você fez que o levou a deixá-la, poderá ter que esperar muito tempo. Enquanto isso, a vida continua. Além disso, mesmo que ele tenha lhe explicado por que ele foi embora, a resposta provavelmente não irá preencher o vazio que você está sentindo. Você continuará a questionar a razão ou se ele está dizendo de fato toda a verdade. A melhor coisa que você pode fazer é continuar a investir em si própria, para que esteja em sua melhor forma, do ponto de vista emocional, quando surgir uma nova oportunidade para um relacionamento.

No próximo capítulo, você saberá mais sobre aconselhamento terapêutico, uma maneira eficaz de se curar de comportamentos *gaslighting* e também de se curar do efeito que um *gaslighter* exerceu sobre você. Você vai saber um pouco sobre a terapia centrada no cliente, a terapia cognitivo-comportamental, a terapia de aceitação e compromisso e a terapia focada na solução. Cada terapia traz algo novo e diferente, e às vezes as pessoas sentem que um tipo de terapia ajuda mais do que outros. Há casos também em que uma combinação de várias técnicas surte mais efeito. Aprendendo mais sobre os tipos de aconselhamento terapêutico, você terá condições de identificar que tipo de terapia poderá ser mais útil para você.

12

A Libertação

Aconselhamento terapêutico e outras formas de obter ajuda

Se você foi vítima de um *gaslighter* ou se percebeu tendências *gaslighting* em si própria, um profissional de saúde mental realmente a ajudará. O *gaslighting* pode causar extremo estresse (e, se você tem filhos com um *gaslighter*, isso também se aplica a eles). Cuidar bem do seu corpo, dormindo o suficiente, exercitando-se e adotando uma alimentação saudável, é uma parte importante desse cuidado, mas recorrer à ajuda de um profissional qualificado também faz parte da equação.

Como observei no capítulo anterior, se você foi criada por um *gaslighter* ou teve um relacionamento com um deles, pode ter descoberto que você mesma passou a usar técnicas *gaslighting*. Você pode até ter questionado sua realidade em outras áreas da vida, devido às táticas de lavagem cerebral do *gaslighter*. É preciso muita força para saber que você precisa de ajuda, e, se procurá-la, ficará muito orgulhosa de si mesma. Pedir ajuda é uma demonstração de força, mas nem todo mundo é capaz de compreender que precisa de ajuda.

ACONSELHAMENTO TERAPÊUTICO

Se você foi vítima de um *gaslighter* ou se tem tendências para praticar o *gaslighting*, o aconselhamento terapêutico ou psicológico só irá ajudar. Embora possa parecer que ele se resume a se sentar e conversar com alguém, trata-se na verdade de um trabalho árduo. O que você ganha com ele vai depender do seu esforço. As expectativas também fazem a diferença. Se você procurar um aconselhamento terapêutico convicta de que ele pode desencadear mudanças positivas na sua vida, terá melhores resultados do que se procurá-lo com dúvidas de que possa funcionar. Procure o aconselhamento com uma atitude bem-disposta e com curiosidade e terá muito mais chances de obter novas perspectivas e as ferramentas de enfrentamento e comunicação que você está procurando.

Você poderá encontrar bons profissionais por meio da indicação de familiares, amigos ou conhecidos. O seu plano de saúde também poderá direcioná-la para profissionais cujos serviços serão cobertos. Você também poderá encontrar bons profissionais nos mecanismos de busca da internet, em sites e em aplicativos de aconselhamento terapêutico.

A escolha do terapeuta certo

Quando você conhece um profissional, pode se sentir à vontade com ele ou não; portanto, talvez precise conhecer vários profissionais para encontrar alguém com quem se sinta bem. Ouça a sua intuição, pois ela é aquele sentimento que lhe diz se algo está certo ou não. Se você cresceu com pais *gaslighters*, sua intuição pode ter lhe dito que havia algo errado com o comportamento deles. Se comentou sobre isso com seus pais, eles provavelmente lhe disseram que você estava imaginando coisas e que não tinha ideia do que estava falando. O mesmo vale se você estiver ou esteve num relacionamento com um *gaslighter*. É importante reconhecer que sua intuição está quase sempre correta, por isso é sempre bom levar em conta esse sentimento que lhe diz se algo é bom ou não. Como você é quem vai contratar o profissional, tem o direito de optar por alguém com quem se sinta mais à vontade, mesmo que existam outros profissionais mais bem recomendados.

Alguns profissionais preferem só ouvir e fornecer *feedback* quando este for solicitado pelo cliente. Outros podem ser mais diretos, até mesmo interrompendo-o enquanto fala. (Se você mesmo tiver tendências *gaslighting*, precisará de alguém mais direto, uma vez que isso significa que você provavelmente consegue manipular pessoas sem dificuldade alguma. Você pode até dizer ao profissional: "Eu preciso de alguém que seja direto comigo, que me critique e me desafie".

"Procurei vários terapeutas antes de encontrar um com quem senti que realmente poderia conversar."

– Deon, 34

Quando conhecer um terapeuta, pergunte a ele:

- Onde se formou e qual é a sua experiência profissional.
- Quanto cobra por sessão.
- Se atende pelo seu convênio médico.
- Se tem experiência com comportamento *gaslighting*.
- Que método psicoterápico usa (note que a maioria dos terapeutas usa uma combinação de vários tipos de terapia):
  - Terapia Centrada no Cliente;
  - Terapia Cognitivo-Comportamental;
  - Terapia Comportamental Dialética;
  - Terapia de Aceitação e Compromisso;
  - Terapia Focada na Solução.

- Por quanto tempo o aconselhamento terapêutico pode se prolongar. A resposta pode ser "Depende da pessoa", uma vez que os problemas e as necessidades de cada pessoa são únicos. Ninguém deve lhe prometer uma solução rápida.

A maioria dos terapeutas não aceita convênio médico, o que significa que você terá que pagar pelas sessões. Se ele não for credenciado ao seu convênio, peça recibo para reembolso, caso seu convênio aceite.

Você pode perguntar se ele trabalha de um modo mais flexível, ou seja, permite que você pague de acordo com suas condições financeiras, dentro do bom senso. Muitas faculdades e centros comunitários também oferecem tratamentos com preços mais baixos.

Você deve conversar com outras pessoas sobre a sua terapia?

É uma decisão pessoal contar aos outros que você está fazendo aconselhamento terapêutico. Você pode descobrir que sua família e seus amigos acham isso realmente estranho. Alguns familiares poderão se preocupar com o fato de "segredos" de família estarem sendo revelados. Procurar ajuda psicológica é benéfico e exige coragem – você simplesmente está admitindo que precisa de orientação em alguns aspectos da sua vida. Todo mundo tem problemas e você é forte o suficiente para decidir sobre essas questões. Não deixe que as reações dos outros detenham você – ou, simplesmente, não conte a ninguém e apenas vá.

"Na minha família, a não ser que esteja ficando louco, você não deve procurar um terapeuta. Foi muito estranho procurar alguém para falar sobre coisas que eu não contaria nem a um amigo próximo. Mas falar sobre coisas das quais eu tinha vergonha... foi libertador."

– Alfonso, 37

Mencionei neste livro alguns tipos de terapia. (Há muitos mais, mas esses são os principais atualmente.) Você vai perceber que se sente melhor com alguns deles do que com outros, e também poderá descobrir que a maioria dos terapeutas usa uma combinação de diferentes teorias de aconselhamento terapêutico. O terapeuta deve ser capaz de dizer se ele tem treinamento num tipo particular de teoria ou de várias teorias.

Vamos examinar essas teorias, para você saber com quais delas se identifica mais.

Terapia centrada no cliente

A terapia centrada no cliente é um tipo de aconselhamento terapêutico não diretivo. Isso significa que você está no "banco do motorista" durante a sessão e o profissional é neutro. O terapeuta não tentará orientá-lo numa direção particular nem lhe dará conselhos.

Consideração positiva incondicional

"A consideração positiva incondicional" é uma grande parte da Terapia Centrada no Cliente. O terapeuta aceita você pelo que você é e a apoia, não importa quais problemas você traga para a sessão. Se você se relacionou com um *gaslighter*, já pode se sentir alvo de muitos julgamentos, por isso a Terapia Centrada no Cliente talvez seja uma boa opção, caso queira falar sobre seus problemas sem se sentir julgada.

Ser verdadeiro

Ter um terapeuta que seja verdadeiro com você é outra parte importante da Terapia Centrada no Cliente. Ele lhe dirá o que for que estiver sentindo sobre o que você está dizendo. Por exemplo, se você estiver revelando que sua mãe era *gaslighter* e fez com que você acreditasse que não tinha nenhum valor, o terapeuta poderá lhe dizer que ele se sente irritado com a maneira pela qual você foi tratada. Quando o terapeuta é sincero, ele exemplifica para você como ser vulnerável. Ser vulnerável significa estar aberto para compartilhar quem você é e seus pensamentos. Sendo vítima de um *gaslighter*, você tinha que esconder quem era, manter seus sentimentos bem escondidos, porque sabia que, se estivesse vulnerável, o *gaslighter* veria isso como carta branca para agredi-la. Aprender a ser vulnerável novamente é um grande passo para se afastar da sombra do *gaslighting* na sua vida.

Autoimagem

Autoimagem é o que você acredita sobre si mesma. Consiste em suas ideias e valores. O *gaslighter* em sua vida pode ter lhe dito que suas ideias e valores estavam errados, ou pode tê-los ignorado completamente. O tempo com o *gaslighter* pode ter mudado a sua autoimagem, substituindo-a por outra que não era real. As críticas que você recebia podem ter levado você a acreditar que não tinha valor ou estava sempre errada. A Terapia Centrada no Cliente pode ajudá-la a retornar a quem você é e a reconstruir a sua autoimagem, ou seja, voltar a acreditar que você é uma pessoa boa, honesta e digna de confiança.

Terapia Cognitivo-Comportamental

A Terapia Cognitivo-Comportamental (TCC) enfoca, em parte, o monólogo interior, ou a voz que fala na sua mente o dia inteiro. Na TCC, não é o acontecimento que faz você se sentir de certa maneira, mas *é o que você pensa sobre ele* que afeta o modo como você se sente.

Pense neste processo desta maneira:

Ação → Crença → Consequência

Algo acontece com você. Você tem pensamentos sobre essa coisa que aconteceu. Esses pensamentos vão determinar como você se sente. Digamos que você pise numa poça de lama no caminho para o trabalho (Ação). Você pensa consigo mesma: "Eu não acredito que fui tão burra! Vou chegar com a roupa suja no trabalho e todo mundo vai zombar de mim" (Crença). Você acaba tendo um dia ruim no trabalho (Consequência).

No entanto, vejamos o mesmo problema de outra maneira: você pisa numa poça de lama no caminho para o trabalho (Ação). Você pensa consigo mesma: "Ah, acidentes acontecem, vou ter algo para rir com meus colegas de trabalho" (Crença). Você acaba tendo um bom dia (Consequência). De acordo com essa teoria, o que você pensa de um evento muda o resultado, então por que não pensar em algo que trabalhe a seu favor?

Como deter a voz interior negativa

Todos nós temos uma voz que fala na nossa cabeça o dia todo. Ela pode ser a sua voz, a voz dos seus pais, a voz de um professor ou de qualquer outra pessoa que possa ter criticado você. A maioria das pessoas não está consciente desse "diálogo interior". Se você reservar um tempo para parar e realmente ouvir a sua voz interior, vai descobrir que não está dizendo coisas amáveis sobre si própria. Essas coisas podem ser derrotistas, humilhantes e francamente cruéis às vezes. Essa é a voz que diz: "Você não é inteligente, nunca vai conseguir isso", quando recebe um novo desafio no trabalho. É a voz que diz: "Você nunca será boa o suficiente".

Uma maneira de interromper esse diálogo interior negativo (ou cognições negativas) é tornar-se mais consciente dele. Tornar-se ciente da sua voz interior é o caminho para detê-la. Quando você surpreender sua voz interior dizendo algo negativo, visualize uma placa de pare surgindo na sua frente – ou diga "Pare!". Isso vai bloquear seu pensamento negativo. Então coloque um substituto positivo. Por exemplo, “Eu nunca vou melhorar” se transforma em “Eu posso ficar melhor”. “Nunca faço nada certo” se transforma em “Estou bem do jeito que eu sou”. Poderá ser um desafio mudar seu padrão de pensamento. A boa notícia é que, uma vez que você comece a fazê-lo, ficará cada vez mais fácil, até que um dia você vai descobrir que os pensamentos negativos diminuíram na sua cabeça.

Cultivar pensamentos positivos se torna uma profecia autorrealizável. Se você pensa que vai ter um dia bom, você provavelmente terá um dia bom. Então, por que não dar a você mesma uma chance de lutar?

Distorções cognitivas

Se você é vítima de *gaslighting* ou apresenta comportamentos *gaslighting*, tende a ter o que chamamos de *distorções cognitivas*, que são maneiras de pensar que funcionam contra você. Esses pensamentos são chamados distorções porque distorcem a maneira como você vê a si mesma e o mundo à sua volta. Distorções cognitivas incluem *supergeneralizar, catastrofizar, minimizar, deduzir os pensamentos das outras pessoas e levar as coisas para o lado pessoal*. Você pode usar esses padrões de pensamento como uma espécie de escudo protetor. Vamos examinar como essas distorções funcionam.

Supergeneralizar: Você pratica a supergeneralização quando pensa que a maneira como algo ocorreu significa que todos os outros acontecimentos seguirão o mesmo caminho. Um exemplo seria: “Meu amigo não pode ir ao cinema; eu não tenho amigos”. Provavelmente você tem outros amigos. Muito raramente na vida as coisas são “tudo ou nada”. Observe se você pratica a supergeneralização e se pergunte: “Isso é realmente verdade?”. Se você pensar como um *gaslighter*, poderá ter pensamentos como: “Se ele partir, eu nunca mais serei feliz novamente”, ou “Eu tive um péssimo dia, meus dias são sempre ruins". Supergeneralizar é ver o mundo através dos olhos de um pessimista cheio de raiva.

Catastrofizar: Essa distorção cognitiva pode ser descrita pelo ditado "Não faça tempestade em copo d'água". Um exemplo seria: "Meu namorado disse que precisamos conversar. Acho que é o fim do nosso relacionamento". Você está tirando conclusões precipitadas. Esse tipo de pensamento também pode ser alterado se você tomar consciência dele. O ditado "Não adianta chorar pelo leite derramado" pode não fazer sentido se você tiver um pai *gaslighter*. Você sabe que algo como derramar o leite pode transformar seu pai num monstro furioso, que vai lhe ensinar que o leite é caro, que você é uma pessoa imprestável por derramar o leite e que, se continuar a derramá-lo, sua família não terá mais dinheiro para comprá-lo, quando, na verdade, acidentes simplesmente acontecem. Pessoas saudáveis apenas dizem: "Opa!" e ajudam a pessoa a limpar a sujeira.

Minimizar: Este é um comportamento clássico dos viciados. "Eu bebo uma dúzia de latinhas de cerveja toda noite, mas isso não significa que eu seja alcóolatra." É o oposto da catastrofização, de fazer tempestade em copo d'água. Minimizar é uma forma de negação. É se fazer de cego. A avaliação de um terapeuta poderá ajudá-lo a determinar se você de fato tem um problema, por dar menos importância às coisas do que elas realmente têm, ou se há um problema em particular que você tende a minimizar, como o consumo de álcool ou o comportamento manipulador.

Deduzir pensamentos: "Eu sei que ele me acha uma inútil." Esse comportamento consiste em atribuir pensamentos a outras pessoas. Se você tem tendências *gaslighting*, pode achar que as pessoas ficam dizendo coisas negativas a seu respeito porque alguém, na sua vida, vivia fazendo observações negativas sobre você. Não há como você ter certeza do que os outros estão pensando. As chances de que você realmente leia pensamentos são muito pequenas, então seria muito melhor que você supusesse que as pessoas estão pensando coisas positivas sobre você. Além disso, como se costuma dizer, o que as outras pessoas pensam de você não é da sua conta.

Levar tudo para o lado pessoal: "Ela não respondeu ao meu cumprimento. Que idiota!" Talvez sua amiga estivesse ocupada e não tenha ouvido você cumprimentá-la. Talvez estivesse distraída com outras coisas. Na vida, muito raramente as coisas são pessoais. Mesmo que alguém *esteja de fato* com raiva de você, o problema será dessa pessoa, não seu.

À medida que você for se tornando mais consciente dessas distorções cognitivas, elas começarão a ocorrer cada vez menos. Essas distorções então serão substituídas por pensamentos positivos. Por isso será mais benéfico, tanto emocional quanto fisicamente, que você abandone essas formas prejudiciais de pensar.

Terapia Comportamental Dialética

A Terapia Comportamental Dialética (TCD) é um tipo de Terapia Cognitivo-Comportamental que pode ser útil para pessoas que são vítimas de *gaslighters* ou que apresentam comportamentos *gaslighting*, ou ambos.

Essa terapia foi originalmente usada para tratar *transtornos de personalidade borderline ou limítrofe* (TPB ou TPL). O TPB é caracterizado, em parte, pelo pensamento do tipo "tudo ou nada". As pessoas com esse transtorno tendem a oscilar entre idealizar as pessoas e desvalorizá-las. As pessoas com TPB colocam os outros num pedestal (acham que são perfeitos e incapazes de fazer algo errado), de onde inevitavelmente eles caem e depois são vistos como pessoas terríveis e más. Pessoas com esse transtorno também são propensas a ter comportamentos autodestrutivos (incluindo se cortar, se esfaquear, se queimar, esfregar a pele com uma borracha) e suicidas.

Você talvez tenha notado esses comportamentos no *gaslighter* com quem conviveu ou tenha apresentado-os você mesma. O *gaslighting* pode andar de mãos dadas com o TPB e também com o *transtorno de personalidade narcisista* (TPN), o *transtorno de personalidade histriônica* (TPH) e o *transtorno de personalidade antissocial* (TPA) ou *sociopatia*.

Na Terapia Comportamental Dialética, o foco está em melhorar sua tolerância ao estresse, manter suas emoções em equilíbrio e melhorar suas relações com os outros. Acredita-se que podemos encontrar um equilíbrio entre aceitação e mudança. Embora você talvez não seja responsável por todas as coisas que a levam a demonstrar comportamentos *gaslighting*, você é totalmente responsável por adotar uma maneira diferente e saudável de viver. Na TCD, você e seu terapeuta descobrem quais comportamentos podem ser aceitos e compreendidos, devido às experiências que você viveu, e quais você deve trabalhar e mudar para se tornar uma pessoa mais saudável. Essa dinâmica entre aceitação e mudança é a parte "dialética" da TCD.

Veja a seguir alguns dos principais conceitos da TCD.

Tolerância ao sofrimento

Acontecimentos angustiantes são naturais na nossa vida, e inevitáveis. Algumas pessoas parecem lidar muito bem com eles, enquanto outras têm mais dificuldade. Se você possui comportamento *gaslighting*, talvez tenha dificuldade para lidar com os desafios da vida. Você poderá dizer a si mesma que essa coisa desagradável que aconteceu foi culpa de outra pessoa ou que isso não deveria ter acontecido com você ou é injusto; ou mesmo que essa é a pior coisa que já lhe aconteceu. Você pode ter ouvido essas afirmações de seus pais *gaslighters*, pois copiamos o que ouvimos na infância. Parte do comportamento *gaslighting* é sentir que você tem o direito de sempre ter as coisas do seu jeito, quando, na vida, isso simplesmente não é possível. Na TCD, o acrônimo em inglês ACCEPT [aceitar] é usado para designar uma maneira de lidar com acontecimentos indesejados.

A = Activities [atividades] Mexa-se e faça tarefas simples para se distrair de um acontecimento perturbador.

C = Contribute [contribua] Ajude as outras pessoas a evitar comportamentos autofocados. Isso também ajuda a lhe distrair e amplia sua visão da vida.

C = Comparisons [comparações] Veja como sua vida é diferente da vida daqueles que têm muito menos do que você. Mais uma vez, desvie o foco da sua vida, pois isso lhe ajuda a lidar com acontecimentos perturbadores. Uma maneira de você se concentrar em tudo de bom que existe na sua vida, em vez de se concentrar nos fatos perturbadores, é manter um diário de gratidão, no qual você anota tudo por que você é grata e que está dando certo.

E = Emotions [emoções] Aja de maneira contrária a qualquer emoção que esteja percebendo. Se você está se sentindo cansada, mantenha-se ativa. Se você está se sentindo triste, assista a uma comédia. Essa prática mostra que as emoções são temporárias e você tem o poder de modificá-las. Você talvez já tenha ouvido a frase "Finja até que seja verdade". Por exemplo, aja com calma até sentir-se calma.

P = Push Away [afaste] Se você está se sentindo inútil, visualize-se sentindo-se competente e fazendo mudanças no mundo. Essa é uma maneira de "afastar" os sentimentos negativos que você está nutrindo.

T = Thoughts [pensamentos] Envolva-se em atividades que não a deixem emotiva. Foque mais a parte lógica do seu pensamento. Assista a um filme que não tenha um conteúdo emocional intenso. Basicamente, torne-se mais lógica, mais racional.

Kit de primeiros socorros psicológicos

Se você vive uma vida caótica, talvez seja difícil imaginar o que pode fazer para cuidar de si mesma e sentir-se melhor. Com um pai *gaslighter*, você talvez não tenha recebido carinho e amor. Pode não saber como ser gentil consigo mesma, e é especialmente difícil fazer isso quando está no meio de uma crise. O que você poderia fazer agora para se sentir bem? Elabore uma lista de coisas ou das atividades que fazem você se sentir calma e relaxada. Coloque essa lista num lugar onde possa vê-la muitas vezes, como no espelho do banheiro ou na porta da geladeira. Tire uma foto da sua lista com o celular, assim você sempre a terá consigo quando precisar.

Exemplos para a sua lista:

- Fazer um passeio.
- Passar um tempo com seu animal de estimação.
- Tomar um bom banho.
- Meditar.
- Fazer arte.
- Escrever um diário.
- Praticar yoga.
- Respirar fundo várias vezes.
- Ouvir a gravação de um exercício de visualização criativa.
- Telefonar para um amigo ou parente.
- Sair ao ar livre.
- Comer um lanche.
- Beber água.

Perceba quando suas emoções estiverem à flor da pele

Cuidar bem de si mesma também é saber quando seu nível de estresse está começando a ficar fora de controle. Se está traumatizada devido ao comportamento *gaslighting* de outra pessoa ou adquiriu você mesma um comportamento *gaslighting*, pode ter dificuldade para controlar suas emoções. As pessoas que aprenderam a controlar suas emoções sabem quando estão ficando chateadas, nervosas, magoadas, e como equilibrar suas emoções. Você também tende a ficar mais quieta e ter menos oscilações de humor quando sabe controlar o modo como está se sentindo. Como o seu corpo reage quando você está ficando estressada? As pessoas costumam sentir:

- As mãos pegajosas.
- Um nó no estômago.
- Uma sensação de calor ou ruborização.
- Batimentos cardíacos acelerados.
- Respiração superficial ou rápida.
- Sentimento de que as coisas "não são reais".

Se você começar a ter essas sensações, pare e respire fundo. A respiração profunda, ou respiração diafragmática, que usa toda a sua capacidade pulmonar, ocorre quando você contrai o diafragma, um músculo na base dos pulmões. Quando você faz a respiração diafragmática corretamente, sua barriga se expande durante a inspiração. Tente inspirar contando até 5 e expirar contando até 10. Quando você pratica essa respiração diafragmática, ativa a parte parassimpática do seu sistema nervoso autônomo, provocando uma sensação de relaxamento e paz. Experimente da próxima vez que se sentir estressada ou ansiosa.

Outra técnica para diminuir o estresse é nomear três coisas que você pode ver, três coisas que você pode sentir e três coisas que você pode ouvir. Essa prática serve para distraí-la e mantê-la no aqui e agora. Quando você está no aqui e agora, ou "está presente", é mais fácil manter os sentimentos bem equilibrados.

Terapia de Aceitação e Compromisso (ACT ou TAC)

A terceira e última forma de terapia que vamos ver aqui é chamada de Terapia de Aceitação e Compromisso (TAC ou ACT, na sigla em inglês). Nessa terapia, você aceita seus sentimentos em vez de afastá-los ou ignorá-los. Evitar sentimentos desagradáveis é uma parte natural de ser humano. No entanto, quanto mais você evita um sentimento, mais ele tende a voltar à sua mente – e às vezes traz com ele uma "vingança". Uma das teorias da TAC é que você precisa aceitar os seus sentimentos para poder superá-los. Essa terapia incentiva você a vivenciá-los.

A TAC propõe que você passe por um processo de três partes: observar a si própria, aceitar seus sentimentos e depois deixá-los ir. Você também deverá descobrir seus valores pessoais e procurar agir de acordo com esses valores. Alguns dos principais processos ou princípios da TAC são o *mindfulness*, a desfusão cognitiva, a identificação dos valores, a aceitação e a ação comprometida.

Mindfulness: *Mindfulness*, ou meditação da atenção plena, significa simplesmente a capacidade de permanecer no momento presente. Uma das ideias por trás da atenção plena, ou de estar presente, é que o hábito de se concentrar demais no passado tende a nos deixar deprimidos, e o hábito de focar demais o futuro tende a nos deixar ansiosos. Quando nos concentramos no presente, isso nos traz uma sensação de calma. (Você aprenderá mais sobre a prática da atenção plena neste capítulo.)

Desfusão Cognitiva: Esse termo refere-se a um processo pelo qual você diminui sua ligação emocional com seus pensamentos e, por consequência, o impacto negativo que eles têm sobre você. A ideia é que um pensamento é apenas um pensamento, e ele não tem muito a ver com quem você realmente é ou com o modo como você conduz sua vida. Uma das maneiras de diminuir sua ligação emocional com seus pensamentos é reconhecer que você está nutrindo, por exemplo, o pensamento de que não é uma boa pessoa. Quando você toma consciência de que isso é "apenas um pensamento", ele perde um pouco de seu poder sobre você.

Outra técnica de desfusão cognitiva é repetir mentalmente o pensamento negativo num tom de voz engraçado. Outra técnica é "externalizar": "Ah, isso é apenas a minha mente se preocupando". Isso faz com que você exponha os seus pensamentos, levando-os para fora de você, e fique menos propensa a se apegar a eles.

Identificação dos valores: Na TAC, consideramos nossos valores como escolhas. Os valores dão sentido à sua vida, dão a ela um senso de propósito. Uma técnica para entender seus valores é anotar por escrito o que você gostaria que as pessoas dissessem no seu funeral. "Ela se preocupava muitos com os filhos. Ela era uma amiga leal. Ela tinha paixão pelo trabalho." Outra maneira de determinar seus valores é descobrir o que você valorizaria se ninguém soubesse das conquistas que você fez na vida.

Aceitação: Essa técnica consiste exatamente nisto: aceitar. Você aceita os pensamentos e sentimentos que tem para que possa agir. Uma das técnicas de aceitação envolve o reconhecimento de que, só porque você tem um pensamento, isso não significa que vá agir de acordo com ele. Outra técnica é se perguntar se esse padrão de pensamento a beneficiou na sua vida. Ajudou você a se tornar a pessoa que quer ser? Ou está impedindo que você progrida? O terapeuta também poderá pedir que você anote num diário as situações difíceis pelas quais passou. O ato de colocar as coisas no papel ajudará você a processá-las ou trabalhá-las.

Ação Comprometida: Nesta etapa da ACT ou TAC, você faz um plano para agir conforme os seus valores, um conjunto de metas, tanto a curto quanto a longo prazo. Você se sente inquieta ou incerta quando se desvia desses objetivos de vida. Digamos que tenha descoberto que um dos seus valores na vida é ter um bom relacionamento com seu parceiro. Que providências você poderá tomar para realizar esses objetivos? Seja específica sobre seus objetivos. Um objetivo *amplo* poderia ser: "Eu quero que meu marido seja feliz". Um objetivo *imediato* é algo que você poderia realizar no dia seguinte, por exemplo, "Amanhã, vou chegar em casa antes do jantar". Um objetivo de *curto* prazo é algo que você poderia realizar no prazo de uma semana. Nesse caso, um objetivo realista de curto prazo poderia ser: "Vou ligar para a minha família e marcar nossa próxima reunião". Um objetivo de *médio* prazo é algo que você poderia fazer dentro de alguns meses, como: "Vou fazer uma faxina na garagem e todos os consertos necessários na casa". Um objetivo de *longo* prazo é algo que você pode realizar nos próximos anos, tal como: "Pagarei todas as minhas dívidas em três anos".

Terapia Focada na Solução

A Terapia Focada na Solução tem como objetivo resolver problemas. Ela está focada no presente e no futuro, não no passado. Não se concentra tanto nas suas experiências e em como você chegou aonde está hoje, mas analisa como pode criar um amanhã melhor.

A pergunta mágica

Um terapeuta que use essa terapia vai perguntar: "Como as coisas seriam se tudo estivesse bem na sua vida?" ou "Suponhamos que você acordasse amanhã e tudo estivesse como você gostaria que fosse. Quem seria a primeira pessoa que você procuraria?". O terapeuta procura identificar seus objetivos, o que você gostaria de fazer na vida. Ele então ajuda você a dar passos para chegar lá. O mais provável é que você nunca tenha feito esses tipos de pergunta antes. Imaginar como seria sua vida ideal pode ser libertador e terapêutico.

Mude uma coisa

Uma das premissas da Terapia Focada na Solução é a de que você não precisa mudar vários comportamentos para provocar mudanças positivas na sua vida. Você pode mudar apenas um comportamento e tudo em sua vida poderá mudar. Por exemplo, você decide que vai começar a agradecer ao seu parceiro quando ele fizer tarefas domésticas. Você perceberá, ao longo do tempo, que você e ele passaram a se dar melhor – e você não terá mais que pedir que ele a ajude em casa. Só essa mudança já melhorará a dinâmica do seu relacionamento.

Dê crédito a si mesma

O fato de estar lendo este livro mostra que você está disposta a fazer mudanças em sua vida. Isso é extraordinário, um sinal de que você tem muita força. Os *gaslighters* são mestres em abater psicologicamente suas vítimas e, como resultado, você tende a ser muito dura consigo mesma e culpar-se por coisas que não são sua responsabilidade.

Na Terapia Focada na Solução, o terapeuta a ajudará a ver todos os avanços que você fez, coisas que pode não ter percebido antes. É importante que alguém nos ajude a ver todo o progresso que fizemos, especialmente quando sentimos que estamos "empacados" na vida. Não importa se o seu avanço foi pequeno – você se esforçou e conseguiu.

O que está indo bem?

O terapeuta focado na solução pode perguntar o que está indo bem na sua vida agora ou o que lhe proporcionou alívio do *gaslighting* que você vivenciou. Talvez fazer exercícios ajude a clarear seus pensamentos e a diminuir sua ansiedade. Você descobrirá que, quando está absorto num passatempo, você esquece temporariamente o sofrimento pelo qual passou e não ouve a voz do *gaslighter* na sua cabeça. Seu terapeuta irá ajudá-la a ver até que ponto as coisas estão melhores na sua vida, para que você possa investir mais nessas atividades ou pessoas em sua vida. Aquilo em que você foca sua atenção tende a crescer.

TERAPIA EM GRUPO *VERSUS* TERAPIA INDIVIDUAL

A terapia em grupo pode ter um custo-benefício melhor do que a terapia individual. Você também talvez tenha mais ânimo para participar de uma terapia se ela for em grupo em vez de individual. No grupo, existe uma pressão social positiva – é mais provável que você apareça na sessão seguinte porque os outros membros do grupo estão esperando por você. Na terapia em grupo, você poderá sentir algo chamado "universalização", o sentimento de que você não é a única com determinados problemas ou preocupações. Esse sentimento de que você pertence a um grupo também pode ser muito terapêutico e catártico. Além disso, você pode fazer terapia de grupo ao mesmo tempo que faz terapia individual, e isso pode aumentar os benefícios (Echeburúa, Sarasua e Zubizarreta, 2014). Você pode até participar de terapias em grupo e individuais por meio de videoconferências.

MEDICAÇÃO

Depois que você encontrar um terapeuta, ele poderá encaminhá-la a um psiquiatra, que pode prescrever uma medicação para combater a ansiedade ou a depressão. Esses males são muito comuns entre pessoas que conviveram com um *gaslighter*. Às vezes, o processo de pensamento dessas pessoas torna-se nebuloso devido ao questionamento rotineiro da sua realidade ou à falta de sono. Pode ser um desafio absorver o que você está descobrindo na terapia, caso esteja se sentindo esgotada emocionalmente. Talvez seja difícil até mesmo reunir forças para assistir à uma sessão de terapia. A medicação com antidepressivos pode ajudá-la a se sentir menos "entorpecida" e a dormir melhor. A falta de sono prejudica seu cérebro e sua saúde física em geral. Uma única boa noite de sono pode reduzir alguns sintomas de ansiedade e depressão. Mas saiba que os antidepressivos podem ter efeitos colaterais, como boca seca e náusea.

MEDITAÇÃO

A meditação é outro instrumento poderoso para sanar os efeitos nocivos das experiências com o *gaslighting*. Já existem estudos comprovando que essa prática propicia sentimentos positivos com relação aos outros e a nós mesmos. O tipo de meditação a que me refiro se baseia na respiração. Em sua forma mais básica, seu objetivo é propiciar um tempo de serenidade, em que ficamos em paz com os nossos próprios pensamentos. Ela não visa esvaziar a mente, pois isso é algo que até pessoas com anos de prática em meditação acham muito difícil conseguir. Seu objetivo consiste apenas em fazer o praticante perceber a si mesmo, enquanto inspira e expira.

Meditação *Mindfulness*

Mindfulness é um tipo de meditação que se tornou muito popular. Essa técnica é usada tanto na TCD quanto na ACT ou TAC. Neste capítulo, você já obteve algumas informações sobre seu uso no ACT. Em outras formas de meditação, você ficaria com a mente focada. Na prática da atenção plena ou *mindfulness*, as distrações são, na verdade, bem-vindas. Quando algo distraí-la ou você tiver um pensamento, apenas o reconheça e deixe o pensamento passar, como uma nuvem. Se ele for importante, deixe-o em segundo plano até que precise se concentrar nele.

Comer usando a prática de *mindfulness*: Talvez você seja alguém que come mais do que deveria quando está chateada. Você pode estar acostumada a engolir a comida quase sem mastigar e sem realmente saboreá-la, porque tende a se distrair enquanto come. A distração pode nos ajudar a não enfrentar questões e sentimentos problemáticos, mas você é obrigada a encontrar válvulas de escape para essas questões e sentimentos – como comer demais. A prática de comer usando o *mindfulness* poderá ser especialmente útil para você. Quando come conscientemente, você se concentra apenas na comida – você não assiste à TV, não toca no celular, não lê nada. Você mastiga cada garfada de comida pelo menos dez vezes e se concentra em todas as sensações – no cheiro, no sabor, na textura etc.

Você também pode experimentar comer usando um prato menor. É fácil enganar o seu cérebro, ele pensa que comer um pequeno prato de comida é exatamente igual a comer um prato grande. Se você estiver realmente concentrada na comida, poderá até perceber que o que está comendo não lhe agrada muito. Muitas pessoas começaram a comer proteínas mais saudáveis, frutas e vegetais frescos depois que começaram a realmente se concentrar na comida.

Você também pode praticar a culinária consciente (*mindful cooking*). Talvez você não vá ao supermercado nem prepare sua própria comida porque não tem tempo ou acha que não gosta de cozinhar. Mas, se você passar a preparar a sua própria comida, acabará apreciando-a mais, comendo menos e ainda se sentindo saciada. Até o ato de lavar a louça poderá ser transformado numa prática de atenção plena ou *mindfulness*.

Andar usando a prática do *mindfulness*: Em seu livro *Peace Is Every Step*, Thich Nhat Hanh (1992) descreve uma prática de caminhar com *mindfulness* em que se anda num ritmo mais lento do que o habitual. Quando você colocar o pé no chão, concentre-se na sensação do seu pé na terra, do sol e da brisa no rosto. Se vir algo que lhe agrade, como uma árvore, pare e observe-a. Quando colocar o outro pé no chão, faça o exercício de novo. Essa é uma ótima prática para quem tem uma mente particularmente ativa e inquieta

E SE NADA DISSO FUNCIONAR?

Às vezes, os danos causados por *gaslighters* e comportamentos *gaslighting* são tão profundos que pode parecer que você é incapaz de superá-los e as coisas nunca vão melhorar. É importante lembrar que melhorar leva tempo. Esse pensamento do tipo "tudo ou nada" pode estar lhe dizendo que, se um tratamento não funcionou de imediato, não haverá mais opções. Isso simplesmente não é verdade.

Se você acha que não está progredindo, pergunte-se o seguinte:

- Estou totalmente comprometida com o objetivo de melhorar? (Às vezes as pessoas se prendem a comportamentos antigos porque têm ganhos secundários com eles. Você pode estar recebendo atenção quando causa drama entre os amigos e parentes ou pode estar experimentando uma sensação de poder ao ver que é capaz de manipular os outros.)
- Será que iniciei o tratamento com uma atitude positiva? (Estudos mostram que, se você fizer terapia com expectativas positivas, será mais provável que obtenha um bom resultado.)

Tenha em mente que os tratamentos não funcionam da mesma maneira para todas as pessoas. Um tratamento que funcionou para um amigo seu não necessariamente vai funcionar para você. Tudo isso pode ser frustrante, mas, depois que você encontrar um tratamento que seja bom para você, as coisas começarão a seguir num ritmo mais acelerado e você vai ver o seu progresso.

VOCÊ CONSEGUIU CHEGAR AO FINAL

Por fim, você conseguiu atravessar o labirinto *gaslighting*. Parabéns! Espero que esteja se sentindo muito mais preparada para lidar com as pessoas que tornam sua vida mais difícil (mesmo que isso inclua você mesma).

Uma das melhores maneiras de se livrar do *gaslighter* é limitar o contato com ele ou eliminá-lo por completo. No entanto, em algumas situações, como no caso em que se tem filhos com ele, essa não é uma opção. Se você não pode se afastar definitivamente do *gaslighter*, é importante manter limites saudáveis, procurar apoio e consultar terapeutas e advogados para obter ajuda. Se você tem um chefe ou colega de trabalho *gaslighter*, lembre-se de que existem leis que podem protegê-la se for assediada.

Os *gaslighters* podem exercer muito poder – não apenas sobre sua família, mas também em nível nacional e internacional. Você já viu que eles podem rapidamente se transformar em ditadores e líderes de seitas, o que torna praticamente impossível diferenciar o que é verdade do que foi inventado. Cidadãos que pensam de forma independente são a ruína dos líderes *gaslighters*, por isso procure se manter informada sobre os assuntos e acontecimentos do momento e a respeito do *gaslighting*. A manipulação pode ser perpetuada pela mídia – se uma reportagem parecer tendenciosa, geralmente é porque ela de fato é. É seu direito expor suas preocupações como cidadã e também fazer sua voz ser ouvida por meio do voto.

A esperança é a última que morre, pois há sempre algo que você poderá fazer para melhorar as circunstâncias da sua vida, independentemente da gravidade da manipulação à qual é ou foi submetida. Fazer mudanças positivas (como afastar-se do *gaslighter*, estabelecer limites e se fazer ouvir) pode não ser fácil no início, mas a paz de espírito, filhos mais felizes e uma saúde melhor são benefícios que valem qualquer esforço.

Agradecimentos

Obrigada à minha família, humana e canina – R. Michael Sitz, William Moulton, dr. Claude Moulton, dra. Christine Whitney, Lucy Sarkis, Scamp Moulton e Rocky Moulton. Um agradecimento muito especial à editora Caroline Pincus, que fez meu texto ter muito mais sentido. Obrigada à Renée Sedliar da Da Capo Press, que adquiriu o livro e tem sido sua divulgadora, e à minha agente, Carol Mann. Obrigada ao dr. Ari Tuckman, ao dr. Roberto Olivardia, ao dr. Jeremy S. Gaies, ao dr. Karl N. Klein, e à dra. Valerie Theng Mattherne, pelas consultas e pelo apoio.

Referências

"Alexander Litvenenko: Profile of Murdered Russian Spy." 2016. *BBC News*, 21 de janeiro. Acesso em 20 de fevereiro de 2018. http://www.bbc.com/news/uk-19647226.

American Psychiatric Association. 2013. *Diagnostic and Statistical Manual of Mental Disorders (DSM-5)*. American Psychiatric Publishing.

Bernstein, D. 2017. "Blago: His Life in Prison." *Chicago*, setembro. http://www.chicagomag.com/Chicago-Magazine/October-2017/Blago-His-Life-in-Prison/.

Boeckel, M. G., A. Wagner e R. Grassi-Oliveira. 2017. "The Effects of Intimate Partner Violence Exposure on the Maternal Bond and PTSD Symptoms of Children." *Journal of Interpersonal Violence* 32 (7):1127-1142.

Boyle, R. 2015. "Employing Trafficking Laws to Capture Elusive Leaders of Destructive Cults." *Oregon Review of International Law* 17 (2), St. John's Legal Studies Research Paper Nº 15-0030. https://papers.ssrn.com/sol3/papers.cfm?abstract_id=2690453.

Byers, P. 2017. "Facebook estimating 126 million people were served content from Russia-linked pages." CNN Media, 31 de outubro.

Center for Responsive Politics. 2017. National Rifle Association. https://www.opensecrets.org/orgs/summary.php?id=d000000082.

Cialdini, R. 2009. *Influence: Science and Practice*. 5. ed. Boston: Allyn and Bacon.

Cloud, D. S. 2017. "Lawmakers Slam Social Media Giants for Failing to Block Russian Ads and Posts During 2016 Campaign." *Los Angeles Times*, 1º de novembro. http://www.latimes.com/nation/la-na-social-media-russia-20171101-story.html.

Donatone, B. "The Coraline Effect: The Misdiagnosis of Personality Disorders in College Students Who Grew Up with a Personality Disordered Parent." *Journal of College Student Psychotherapy* 30, nº 3 (2016): 187-196.

Ellison, S. 2017. "Everybody Knew: Inside the Fall of Today's Matt Lauer." *Vanity Fair*, 29 de novembro. Acesso em 21 de janeiro de 2018. https://www.vanityfair.com/news/2017/11/inside-the-fall-of-todays-matt-lauer.

Ellman, M. 2002. "Soviet Repression Statistics: Some comments". *Europe-Asia Studies* 54(7): 1151-1172.

Fisher, M. 2013. "Kim Jong Un Just Had His Own Uncle Killed. Why?" *Washington Post*. 12 de dezembro. Acesso em 13 de abril de 2018. https://www.washingtonpost.com/news/worldviews/wp/2013/12/12/kim-jong-un-just-had-his-own-uncle-killed-why/?noredirect=on&utm_term=.a136e244dd9c.

Goffard, C. 2017. "Dirty John." Postagem de audioblog, 11 de setembro – 8 de outubro. https://itunes.apple.com/us/podcast/dirty-john/id1272970334?mt=2.

Gregory, S., R. J. Blair, A. Simmons, V. Kumari, S. Hodgins e N. Blackwood. 2015. "Punishment and Psychopathy: A Case-Control Functional MRI Investigation of Reinforcement Learning in Violent Antisocial Personality Disordered Men." *Lancet Psychiatry* 2 (2): 153-160.

Hahn, T. N. 1992. *Peace Is Every Step*. Nova York: Bantam.

Harris, K. J., E. Gringart e D. Drake. 2017. "Leaving Ideological Groups Behind: A Model of Disengagement." *Behavioral Sciences of Terrorism and Political Aggression*, 1-19.

Hayes, C. 2017. "Venezuelan President Eats Empanada on Live TV While Addressing Starving Nation." *Newsweek*, 3 de novembro. Acesso em 20 de fevereiro de 2018. http://www.newsweek.com/venezuelan-president-eats-empanada-live-tv-while-addressing-starving-nation-701050.

International Labour Organization. 2012. "New ILO Global Estimate of Forced Labour: 20.9 million victims." 1º de junho. http://www.ilo.org/global/about-the-ilo/newsroom/news/WCMS_182109/lang-en/index.htm.

Isaac, M. e S. Shane. 2017. "Facebook to Deliver 3,000 Russia-Linked Ads to Congress on Monday." *New York Times*, 1º de outubro. https://nyti.ms/2yChMiJ.

Jaffe, P., M. Campbell, K. Reif, J. Fairbairn e R. David. 2017. "Children Killed in the Context of Domestic Violence: International Perspectives from Death Review Committees." In *Domestic Homicides and Death Reviews*. Londres: Palgrave Macmillan, pp. 317-43.

Jowett, G. S. e V. O'Donnell. 2018. *Propaganda & Persuasion*. 7ª ed. Nova York: Sage Publications.

Kennedy, M. 2017. "NPR's Head of News Resigns Following Harassment Allegations." NPR, 1º de novembro. http://www.npr.org/sections/thetwo-way/2017/11/01/561363158/nprs-head-of-news-resigns-following-harassment-allegations.

Kessler, G. 2018. "Fact-checking President Trump's 'Fake News Awards.'" *Washington Post*, 17 de janeiro. Acesso em 16 de janeiro de 2018. https://www.washingtonpost.com/news/fact-checker/wp/2018/01/17/fact-checking-president-trumps-fake-news-awards/?utm_term=.5481bbd6a6d5.

Knopp, K., S. Scott, L. Ritchie, G. K. Rhoades, H. J. Markman e S. M. Stanley. 2017. "Once a Cheater, Always a Cheater? Serial Infidelity Across Subsequent Relationships." *Archives of Sexual Behavior* 46 (8): 2301-2311.

Kraus, A. 2016. "Parental Alienation: The Case for Parentification and Mental Health." Dissertação de doutorado, Colorado State University.

Kübler-Ross, E. e D. Kessler. 2014. *On Grief and Grieving: Finding the Meaning of Grief through the Five Stages of Loss*. Nova York: Simon and Schuster.

Kurtzleben, D. 2018. "Chart: How Have Your Members of Congress Voted on Gun Bills?" NPR. 19 de fevereiro de 2018. Acesso em 8 de abril de 2018. https://www.npr.org/2018/02/19/566731477/chart-how-have-your-members-of-congress-voted-on-gun-bills.

Lisi, B. 2017. "Venezuelan President Maduro Sneaks Bite of Empanada Tucked into Desk Drawer During State Broadcast." *New York Daily News*, 2 de novembro. http://www.nydailynews.com/news/world/president-maduro-sneaks-bite-empanada-state-broadcast-article-1.3607158.

Madrigal, A. C. 2018. "'Most' People on Facebook May Have Had Their Accounts Scraped." *Atlantic*, 4 de abril de 2018. Acesso em 4 de abril de 2018. https://www.theatlantic.com/technology/archive/2018/04/most-people-on-facebook-may-have-had-their-accounts-scraped/557285/.

Matthews, C. H. e C. F. Salazar. 2014. "Second-Generation Adult Former Cult Group Members' Recovery Experiences: Implications for Counseling." *International Journal for the Advancement of Counselling* 36 (2): 188-203.

McDonald, S. E., E. A. Collins, A. Maternick, N. Nicotera, S. Graham-Bermann, F. R. Ascione e J. H. Williams. 2017. "Intimate Partner Violence Survivors' Reports of Their Children's Exposure to Companion Animal Maltreatment: A Qualitative Study." *Journal of Interpersonal Violence*, 0886260516689775.

Merriam-Webster. 2018. "Propaganda." Acesso em 18 de janeiro de 2018. https://www.merriam-webster.com/dictionary/propaganda.

National Coalition Against Domestic Violence. 2017. Acesso em 21 de dezembro de 2017. http://www.ncadv.org.

National Sexual Violence Resource Center. 2012, 2013, 2015. "Statistics About Sexual Violence." Acesso em 26 de fevereiro de 2018. https://www.nsvrc.org/sites/default/files/publications_nsvrc_factsheet_media-packet_statistics-about-sexual-violence_0.pdf.

Oxford University Press. 2017. "Frenemy." Oxford English Dictionary Online. http://www.oed.com.

Patrick, W. 2017. "The Dangerous First Date." *Psychology Today*, dezembro, 44-45.

Popken, B. 2017. "Russian Troll Tweets Duped Global Media and 40+ Celebrities." NBCNews.com, 4 de novembro. https://www.nbcnews.com/tech/social-media/trump-other-politicians-celebs-shared-boosted-russian-troll-tweets-n817036.

Radcliffe, J. "Rasputin and the Fragmentation of Imperial Russia." 2017. Young Historian's Conference, Portland State University. Acesso em 13 de abril de 2018. https://pdxscholar.library.pdx.edu.

Radtke, M. 2017. "When War Is Bad Advice: Dictators, Ministerial Cronyism, and International Conflict." Acesso em 13 de abril de 2018. http://www.people.fas.harvard.edu/~jkertzer/HISC2017/schedule/papers/Radtke.pdf.

RGJ Archives. "Full Text of Marianne Theresa Johnson-Reddick's Obituary." 2013. *Reno Gazette-Journal*, 10 de setembro. Republicado em junho de 2014.

Romm, T. e K. Wagner. 2017. "Facebook Says 126 Million People in the U.S. May Have Seen Posts Produced by Russian-Government-Backed Agents."

Recode, 30 de outubro. https://www.recode.net/2017/10/30/16571598/read-full-testimony-facebook-twitter-google-congress-russia-election-fake-news.

Ryall, J. 2017. "Did Kim Jong-un Kill His Uncle and Brother Over 'Coup Plot Involving China'?" *Telegraph*. 24 de agosto. Acesso em 13 de abril de 2018. https://www.telegraph.co.uk/news/2017/08/24/did-kim-jong-un-kill-uncle-brother-coup-plot-involving-china/.

Sarkis, S. 2017. "11 Warning Signs of Gaslighting." *Here, There, and Everywhere* (blog). PsychologyToday.com, 28 de setembro. Acesso em 28 de fevereiro de 2018. https://www.psychologytoday.com/blog/here-there-and-everywhere/201701/11-warning-signs-gaslighting.

Setoodeh, R. e E. Wagmeister 2017. "Matt Lauer Accused of Sexual Harassment by Multiple Women." *Variety*. 29 de novembro. Acesso em 21 de janeiro de 2018. http://variety.com/2017/biz/news/matt-lauer-accused-sexual-harassment-multiple-women-1202625959/.

Slavtcheva-Petkova, V. 2017. "Fighting Putin and the Kremlin's Grip in Neo-authoritarian Russia: The Experience of Liberal Journalists." *Journalism*, 1464884917708061.

Swanson, J. W., N. A. Sampson, M. V. Petukhova, A. M. Zaslavsky, P. S. Appelbaum, M. S. Swartz e R. C. Kessler. 2015. "Guns, Impulsive Angry Behavior, and Mental Disorders: Results from the National Comorbidity Survey Replication (NCS-R)." *Behavioral Sciences & the Law* 33, nº 2-3: 199-212.

Treisman, D. 2017. *Democracy by Mistake*. (Nº w23944). National Bureau of Economic Research.

US Equal Employment Opportunity Commission. 2017. "Sexual Harassment." https://www.eeoc.gov/laws/types/sexual_harassment.cfm.

Wakabayashi, D. e S. Shane. 2017. "Twitter, with Accounts Linked to Russia, to Face Congress over Role in Election." *New York Times on-line*, 27 de setembro. https://www.nytimes.com/2017/09/27/technology/twitter-russia-election.html.

Warshak, R. A. 2015. "Poisoning Parent-Child Relationships Through the Manipulation of Names." *American Journal of Family Therapy* 43, nº 1:4-15.

"In 355 Days, President Trump Has Made 2,001 False or Misleading Claims." 2018. *Washington Post*, 9 de janeiro. Acesso em 16 de janeiro de 2018. https://www.washingtonpost.com/graphics/politics/trump-claims-atabase/?tid=a_mcntx&utm_term=.9ed699034256.

Williams, A. 2017. "Have Your Representatives in Congress Received Donations from the NRA?" *Washington Post on-line*, 5 de outubro. https://www.washingtonpost.com/graphics/national/nra-donations/?utm_term=.5dcce8688a7d.

Wuest, J. e M. Merritt-Gray. 2016. "Beyond Survival: Reclaiming Self After Leaving an Abusive Male Partner." *Canadian Journal of Nursing Research Archive* 32 (4).

Yagoda, B. 2017. "How Old Is 'Gaslighting'?" *Chronicle of Higher Education*, 12 de janeiro. Acesso em 12 de janeiro de 2018. https://www.chronicle.com/blogs/linguafranca/2017/01/12/how-old-is-gaslight/.